「十三五」国家重点出版物出版规划项目

国家出版基金项目
NATIONAL PUBLICATION FOUNDATION

中国中药资源大典

中国中药资源大典

资源大典

湖北卷

4

黄璐琦 / 总主编

吴和珍　刘合刚　熊兴军 / 主　编

北京科学技术出版社

图书在版编目（CIP）数据

中国中药资源大典. 湖北卷. 4 / 吴和珍, 刘合刚,
熊兴军主编. -- 北京：北京科学技术出版社, 2024. 6.
ISBN 978-7-5714-4049-7

Ⅰ. R281.4

中国国家版本馆CIP数据核字第202478K5Z5号

责任编辑： 吕　慧　刘雪怡　吴　丹　李兆弟　侍　伟

责任校对： 贾　荣

图文制作： 樊润琴

责任印制： 李　茗

出 版 人： 曾庆宇

出版发行： 北京科学技术出版社

社　　址： 北京西直门南大街16号

邮政编码： 100035

电　　话： 0086-10-66135495（总编室）　　0086-10-66113227（发行部）

网　　址： www.bkydw.cn

印　　刷： 北京博海升彩色印刷有限公司

开　　本： 889 mm×1 194 mm　　1/16

字　　数： 1 145千字

印　　张： 51.75

版　　次： 2024年6月第1版

印　　次： 2024年6月第1次印刷

审 图 号： GS京（2023）1758号

ISBN 978-7-5714-4049-7

定　　价：490.00元

《中国中药资源大典·湖北卷》

编写委员会

指导单位　湖北省卫生健康委员会

　　　　　　湖北省中医药管理局

总　主　编　黄璐琦

主　　　编　王　平　吴和珍　刘合刚

副 主 编　陈家春　李晓东　康四和　甘啟良　熊兴军　聂　晶　余　坤

　　　　　　黄　晓　艾中柱　游秋云　周重建　万定荣　汪乐原

编　　　委　（按姓氏笔画排序）

力　华	万　智	万定荣	万舜民	马艳丽	马哲学	王　平	王　东
王　伟	王　旭	王　玮	王　诚	王　倩	王　涛	王　涵	王　斌
王　路	王　静	王玉兵	王正军	王臣林	王庆华	王红星	王志平
王迎丽	王建华	王艳丽	王绪新	王智勇	王毅斌	方　丹	方　琛
方　震	方优妮	尹　超	孔庆旭	邓　丰	邓　旻	邓　娟	邓　静
邓中富	邓爱平	甘　泉	甘啟良	艾中柱	艾伦强	石　晗	卢　琼
卢　锋	卢妍瑛	卢晓莉	帅　超	申雪阳	田万安	田守付	田经龙
史峰波	付卫军	包凤君	冯　煜	冯启光	冯建华	冯晓红	兰　洲
成刘志	成润芳	吕　沐	吕　露	朱　明	朱　霞	朱建军	向　栋
向　莉	向子成	向华林	刘　启	刘　迪	刘　晖	刘　敏	刘　渊
刘　博	刘　辉	刘　斌	刘　磊	刘义飞	刘义梅	刘丹萍	刘传福
刘合刚	刘兴艳	刘军昌	刘军锋	刘丽珍	刘国玲	刘建平	刘建涛
刘新平	闫明媚	江玲兴	许明军	许萌晖	阮　伟	阮爱萍	孙　媛
孙云华	孙立敏	孙仲谋	牟红兵	纪少波	严少明	严星宇	严雪梅
严德超	杜鸿志	李　平	李　立	李　芳	李　凯	李　洋	李　莉
李　浩	李　超	李　靖	李小红	李小玲	李丰华	李太彬	李文涛

李方涛　李世洋　李兴伟　李兴娇　李利荣　李宏焘　李建芝　李秋怡
李晓东　李海波　李乾富　李梓豪　李德凤　李德平　杨　建　杨　瑞
杨万宏　杨小宙　杨卫民　杨玉莹　杨光明　杨红兵　杨明荣　杨欣霜
杨学芳　杨振中　杨焰明　肖　光　肖　帆　肖　浪　肖权衡　肖惟丹
吴　丹　吴　迪　吴　勇　吴　涛　吴亚立　吴自勇　吴志德　吴和珍
吴洪来　吴海新　何　博　何文建　何江城　余　坤　余　艳　余亚心
邹远锦　邹志威　汪　婧　汪　静　汪文杰　汪乐原　张　宇　张　红
张　芳　张　明　张　沫　张　星　张　俊　张　格　张　健　张　银
张　翔　张　磊　张才士　张子良　张华良　张旭荣　张志君　张松保
张国利　张明高　张南方　张美娅　张晓勇　张梦林　张景景　张颖柔
陈　乐　陈　泉　陈　俊　陈　峰　陈　途　陈　锐　陈从量　陈秀梅
陈茂华　陈国健　陈泽璇　陈宗政　陈顺俭　陈家春　陈智国　陈霖林
范　钊　范又良　范海洲　林良生　林祖武　明　晶　季光琼　周　艳
周　密　周　晶　周卫忠　周兴明　周丽华　周建国　周重建　周根群
周瑞忠　周新星　周啟兵　庞聪雅　郑宗敬　赵　云　赵　晖　赵　翔
赵　鹏　赵东瑞　赵君宇　赵昌礼　郝欲平　胡　文　胡　红　胡天云
胡文华　胡志刚　胡建华　胡敦全　胡嫦娥　柯　源　柯美仓　柏仲华
柳卫东　柳成盟　钟　艳　郜邦鹏　姜在铎　姜荣才　洪祥云　姚　奇
秦　思　袁　杰　耿维东　聂　晶　夏千明　夏斌斌　晏　哲　钱　特
徐　雷　徐卫权　徐友滨　徐华丽　徐拂然　徐昌恕　徐泽鹤　徐德耀
高志平　郭丹丹　郭文华　唐　鼎　涂育明　谈发明　黄　莉　黄　晓
黄　楚　黄必胜　黄发慧　黄智洪　曹百惠　戚倩倩　龚　玲　龚　颜
龚绪毅　康四和　梁明华　寇章丽　彭　宇　彭义平　彭建波　彭荣越
彭宣文　彭家庆　葛关平　董　喜　董小阳　韩永界　韩劲松　森　林
喻　剑　喻　涛　喻志华　喻雄华　程　志　程月明　程淑琴　答国政
舒　勇　舒佳惠　舒朝辉　童志军　曾凡奇　游秋云　蒯梦婷　雷　普
雷大勇　雷志红　雷梦玉　詹建平　詹爱明　蔡志江　蔡宏涛　蔡洪容
蔡清萍　蔡朝晖　裴光明　廖　敏　谭卫民　谭文勇　谭洪波　熊　睿

熊小燕　熊兴军　熊志恒　熊林波　熊国飞　熊德琴　黎　曙　黎钟强

潘云霞　薛　辉　魏　敏　魏继雄

品种审定委员会（按姓氏笔画排序）

王志平　刘合刚　杨红兵　吴和珍　汪乐原　黄　晓　森　林　潘宏林

审稿委员（按姓氏笔画排序）

王　平　艾中柱　刘合刚　李建强　李晓东　肖　凌　吴和珍　余　坤

汪乐原　张　燕　陈林霖　陈科力　陈家春　苟君波　袁德培　聂　晶

徐　雷　黄　晓　黄必胜　康四和　詹亚华　廖朝林

3

《中国中药资源大典·湖北卷4》

编写委员会

主　编　吴和珍　刘合刚　熊兴军

副主编　田万安　明　晶　周重建　艾伦强

黄　序

　　湖北省位于我国中部，地处亚热带季风气候区，位于第二级阶梯向第三级阶梯的过渡地带，温暖湿润的气候和复杂多样的地貌类型孕育了丰富的中药资源。

　　中药资源是中医药事业和中药产业发展的重要物质基础，是国家重要的战略性资源。湖北省作为第四次全国中药资源普查的试点省区之一，于2011年12月启动中药资源普查工作，历时11年，完成了103个县（自治县、市、区、林区）的中药资源普查工作，摸清了湖北省中药资源情况。《中国中药资源大典·湖北卷》由湖北省卫生健康委员会、湖北省中医药管理局组织编写，以普查获取的数据资料为基础，凝聚了全体普查"伙计"的共同心血与智慧，以较全面地展现了湖北省中药资源现状，具有重要的学术价值。

　　我曾多次与湖北省的"伙计们"一起跋山涉水开展中药资源调查，其间有许多新发现和新认识，如在蕲春县仙人台发现了失传已久的"九牛草"[*Artemisia stolonifera* (Maxim.) Komar.]。"伙计们"的专业精神令人感动，该书付梓之际，欣然为序。

中国工程院院士
中国中医科学院院长
第四次全国中药资源普查技术指导专家组组长

2024 年 3 月

前　言

　　湖北省地处我国中部，属于典型的亚热带季风气候区。全省地势大致为东、西、北三面环山，中间低平，略呈向南敞开的不完整盆地。湖北省西部的武陵山区、秦巴山区为我国第二级阶梯山地地区，海拔落差大，小气候明显；东南部属于我国第三级阶梯，日照充足，降水丰富，环境适宜。多样的地理环境与气候特征孕育了湖北省丰富的中药资源，湖北省历来被称为"华中药库"，为我国中药生产的重要基地。

　　2011年，在第四次全国中药资源普查试点工作启动之际，湖北省系统梳理本省在中药资源普查队伍、产业规模、政策支持等方面的优势，向全国中药资源普查办公室提交试点申请，获得批准，并于2011年12月18日正式启动普查工作。湖北省历时11年，分6批完成了全省103个县（自治县、市、区、林区）的野外普查工作。为进一步梳理普查成果，促进成果转化应用，湖北省于2019年7月29日启动《中国中药资源大典·湖北卷》的编写工作。

　　《中国中药资源大典·湖北卷》分为上、中、下三篇，共10册。上篇主要介绍湖北省的地理环境和气候特征、第四次中药资源普查实施情况、中药资源概况、中药资源开发利用情况、中药资源发展规划简介，以及湖北省新种、新记录种。中篇介绍湖北省道地、大宗药材，每种药材包括来源、原植物形态、野生资源、栽培资源、采收加工、药材性状、功能主治、用法用量、附注 9 项内容。下篇主要按照《中国植物志》的分类方法，以科、属为主线，分类介绍湖北省植物类中药资源，以便于读者了解湖北省植物类中药资源的种类、分布及应用现状等。

湖北省第四次中药资源普查共普查到植物类中药资源 4 834 种，其中具有药用历史的植物类中药资源 4 346 种。《中国中药资源大典·湖北卷》共收载植物类中药资源 3 298 种。普查过程中，发现新属 1 个、新种 17 个，重新采集模式标本 4 个，发现新分布记录科 2 个、新分布记录属 6 个。

《中国中药资源大典·湖北卷》目前收载的主要为植物类中药资源，动物类中药资源、矿物类中药资源和部分暂未收载的植物类中药资源将在补编中收载。

《中国中药资源大典·湖北卷》的编写工作由湖北省卫生健康委员会、湖北省中医药管理局组织，湖北省中药资源普查办公室、湖北中医药大学普查工作专班承担。本书是参与湖北省中药资源普查工作的全体同志智慧的结晶，在编写过程中得到了全国中药资源普查办公室和湖北省相关部门的大力支持，全省各普查单位、相关高校及科研院所的无私帮助，有关专家的悉心指导。在此，对所有领导、专家学者、普查队员等的辛勤付出表示诚挚的谢意和崇高的敬意！

本书可能存在不足之处，敬请读者不吝指正，以期后续完善和提高。

编　者
2024 年 2 月

凡 例

（1）本书共10册，分为上、中、下篇。上篇综述了湖北省的地理环境和气候特征、第四次中药资源普查实施情况、中药资源概况、中药资源开发利用情况、中药资源发展规划及新种、新记录种；中篇论述了121种湖北省道地、大宗药材；下篇共收录植物类中药资源3 298种。

（2）本书下篇主要介绍各中药资源，以中药资源名为条目名，下设药材名、形态特征、生境分布、资源情况、采收加工、功能主治及附注等，其中资源情况、采收加工、附注为非必要项，资料不详者项目从略。各项目编写原则简述如下。

1）条目名。该项记述中药资源物种及其科属的中文名、拉丁学名。其中菌类、苔藓类的名称主要参考《中华本草》，蕨类、裸子植物、被子植物的名称主要参考《中国植物志》。

2）药材名。该项记述中药资源的药材名。凡《中华人民共和国药典》等法定标准收载者，原则上采用法定药材名；法定标准未收载者，主要参考《中华本草》《全国中草药名鉴》《中国中药资源志要》。

3）形态特征。该项简要描述中药资源的形态特征，突出鉴别特征。主要参考《中国植物志》，并结合普查实际所获取的信息进行描述。

4）生境分布。该项记述中药资源在湖北省的生存环境与分布区域。生存环境主要源于普查实际获取的生境信息，并参考相关志书的描述。分布区域主要介绍中药资源的分布情况，源于植物标本采集地。

5）资源情况。该项记述中药资源的蕴藏量情况，用丰富、较丰富、一般、较少、稀少来表示；并用"野生"或"栽培"记述药材的主要来源。

6）采收加工。该项记述药材的采收时间与加工方法。

7）功能主治。该项主要记述药材的功能和主治。

8）附注。该项记载中药资源最新的分类学地位与接受名的变动情况；记载《中华人民共和国药典》与地方标准收载的物种学名；描述物种其他医药相关用途，以及本草、地方志书中的相关记载情况等。

（3）附录。以名录形式收载中篇、下篇没有收载的湖北药用植物资源。

目录
Contents

被子植物

蛇菰科 Balanophoraceae 蛇菰属 Balanophora

宜昌蛇菰 *Balanophora henryi* Hemsl.

| 药 材 名 | 宜昌蛇菰。

| 形态特征 | 草本，高 3 ~ 8 cm。根茎灰褐色，呈不规则的球形或扁球形，干燥后脆壳质，直径 2.5 ~ 5 cm，通常分枝，表面粗糙且密被小斑点，近脑状皱缩，常散生着星芒状小皮孔。花茎长 1 ~ 6 cm，红色或红黄色；鳞苞片约 7，红色，卵形至长圆状椭圆形，长 1.5 ~ 2.5 cm，宽 0.8 ~ 1 cm，旋生于花茎上。花雌雄异株（序）；花序同型，阔卵形或卵圆形，直径约 2 cm；雄花直径约 4 mm；花被裂片 3，近圆形或阔三角形，长约 2 mm，宽约 3 mm；聚药雄蕊有花药 3，花梗初时不明显或很短，后渐伸长，长达 3 mm；雌花的子房卵圆形，有柄或无柄，大部分着生于附属体的周围，连花柱长约 1 mm，附属体深褐色，倒卵状长圆形，很少线状长圆形，先端近截形，有短柄，

长约 1.3 mm，宽 0.7 mm。花期 9 ~ 12 月。

| **生境分布** | 生于海拔 600 ~ 1 700 m 的湿润杂木林中。湖北有分布。

| **资源情况** | 野生资源较少。药材主要来源于野生。

| **采收加工** | **全草：**夏、秋季采收，除去泥土及杂质，鲜用或晒干。

| **功能主治** | 益肾壮阳，止血生肌，调经活血，清解酒毒。

██ 蛇菰科 ██ Balanophoraceae ██ 蛇菰属 ██ *Balanophora*

筒鞘蛇菰 *Balanophora involucrata* Hook. f.

| **药 材 名** | 筒鞘蛇菰。

| **形态特征** | 寄生草本，高 5 ~ 15 cm。根茎肥厚，近球形，不分枝或偶分枝，直径 2.5 ~ 5.5 cm，黄褐色，很少呈红棕色，表面密集颗粒状小疣瘤和浅黄色或黄白色星芒状皮孔，先端裂鞘 2 ~ 4 裂，长 1 ~ 2 cm。花茎长 3 ~ 10 cm，大部分呈红色，很少呈黄红色；鳞状苞片 2 ~ 5，轮生，基部连合成筒鞘状，先端离生呈撕裂状，常包着花茎至中部。花雌雄异株（序）；花序均呈卵球形，长 1.4 ~ 2.4 cm，直径 1.2 ~ 2 cm；雄花较大，花被裂片卵形或短三角形，展开，聚药雄蕊无柄，呈扁平状，花药横裂，具短梗；雌花子房卵圆形，具细长的花柱和子房柄，附属体倒圆锥形，先端截形或稍圆形。花期 7 ~ 8 月。

| **生境分布** | 生于海拔 2 300 ~ 3 100 m 的云杉、铁杉和栎木林中，寄生于杜鹃属植物的根上。湖北有分布。 |

| **资源情况** | 野生资源较丰富，栽培资源较少。药材主要来源于野生。 |

| **采收加工** | **全草**：秋季采收，除去泥土及杂质，鲜用或晒干。 |

| **功能主治** | 润肺止咳，行气健胃，清热利湿，凉血止血，补肾涩精。用于肺热咳嗽，脘腹疼痛，黄疸，痔疮肿痛，跌打损伤，咯血，月经不调，崩漏，外伤出血，头昏，遗精。 |

蛇菰科 Balanophoraceae 蛇菰属 *Balanophora*

日本蛇菰 *Balanophora japonica* Makino

| 药 材 名 | 日本蛇菰。

| 形态特征 | 草本，高 5 ~ 16 cm。根茎块茎状，直径 3 ~ 9 cm，自基部分枝，

分枝呈颇整齐的球形，表面有红褐色或铁锈色颗粒状小疣瘤和明显白色或带黄白色星芒状皮孔，先端裂鞘 4 ~ 5 裂，裂片短三角形。花茎粗壮，最长约 7 cm，有时短，仅 0.5 cm，橙红色；鳞苞片 8 ~ 14，疏松覆瓦状排列，散生或交互对生，卵圆形、卵形至卵长圆形，长约 3 cm，宽 2 cm，橙红色，内凹，先端圆或钝；雄花序未见；雌花序椭圆状卵圆形至圆柱状卵圆形，偶卵圆形，长 1.5 ~ 5 cm，直径 1.2 ~ 3.5 cm，深红色，很少黄红色；子房椭圆形，有柄，花柱丝状，较子房长 2 ~ 3 倍；附属体有粗短的柄，倒卵形，先端稍凹陷，常比雌花长，红色。花期 10 ~ 12 月。

| **生境分布** | 生于背阴的密林中。湖北有分布。

| **资源情况** | 野生资源一般，栽培资源较少。药材主要来源于野生。

| **采收加工** | **全草**：夏、秋季采收，除去泥土及杂质，鲜用或晒干。

| **功能主治** | 益肾壮阳，止血生肌，调经活血，清解酒毒。

蛇菰科 Balanophoraceae　蛇菰属 Balanophora

疏花蛇菰 *Balanophora laxiflora* Hemsl.

| **药 材 名** | 疏花蛇菰。

| **形态特征** | 草本，高 10 ～ 20 cm。全株鲜红色至暗红色，有时紫红色。根茎分枝，近球形，长 1 ～ 3 cm，直径 1 ～ 2.5 cm，表面密被粗糙小斑点和淡黄色白色星芒状皮孔。花茎高 5 ～ 10 cm；鳞苞片椭圆状长圆形，先端钝，互生，鳞苞片 8 ～ 14，长 2 ～ 2.5 cm，宽 1 ～ 1.5 cm，基部几全包着花茎。花雌雄异株（序）；雄花序圆柱状，长 3 ～ 18 cm，先端渐尖，雄花近辐射对称，花被裂片通常 5，近圆形，长 2 ～ 3 mm，先端尖或稍钝圆，聚药雄蕊近圆盘状，中部呈脐状突起，花药 5，小药室 10，近无梗或无梗；雌花序卵圆形至长圆状椭圆形，先端渐尖，长 2 ～ 6 cm，子房卵圆形，具细长的花柱和短子房柄，聚生于附属体的基部附近；附属体棍棒状或倒椭圆锥尖状，先端平

截或先端中部稍隆起，中部以下骤狭，呈针尖状，长约 1 mm。花期 9 ~ 11 月。

| **生境分布** | 生于海拔 660 ~ 1 700 m 的密林下。湖北有分布。

| **资源情况** | 野生资源一般，栽培资源较少。药材主要来源于野生。

| **采收加工** | **全草**：夏、秋季采收，除去杂质，鲜用或晒干。

| **功能主治** | 益肾养阴，清热止血。用于肾虚腰痛，虚劳出血，痔疮出血。

蓼科 Polygonaceae 金线草属 *Antenoron*

金线草 *Antenoron filiforme* (Thunb.) Roberty et Vautier

| 药 材 名 | 金线草。

| 形态特征 | 多年生直立草本，高 50 ～ 100 cm。根茎横走，粗壮，扭曲。茎节膨大。叶互生；有短柄；托叶鞘筒状，抱茎，膜质；叶片椭圆形或长圆形，长 6 ～ 15 cm，宽 3 ～ 6 cm，先端短渐尖或急尖，基部楔形，全缘，两面有长粗伏毛，散布棕色斑点。穗状花序顶生或腋生；花小，红色；苞片有睫毛；花被 4 裂；雄蕊 5；柱头 2 歧，先端钩状。瘦果卵圆形，棕色，表面光滑。花期秋季，果期冬季。

| 生境分布 | 生于山地林缘、路旁阴湿处。湖北有分布。

| 资源情况 | 野生资源较丰富，栽培资源较少。药材主要来源于野生。

| 采收加工 | 全草：夏、秋季采收，除去泥土及杂质，鲜用或晒干。

| 功能主治 | 凉血止血，清热利湿，散瘀止痛。用于咯血，吐血，便血，血崩，泄泻，痢疾，胃痛，经期腹痛，产后血瘀腹痛，跌打损伤，风湿痹痛，瘰疬，痈肿。

蓼科 Polygonaceae 荞麦属 Fagopyrum

金荞麦 *Fagopyrum dibotrys* (D. Don) Hara

| 药 材 名 | 金荞麦。

| 形 态 特 征 | 多年生宿根草本，高 0.5 ～ 1.5 m。主根粗大，呈结节状，横走，红棕色。茎直立，多分枝，具棱槽，淡绿色微带红色，全株微被白色柔毛。单叶互生，具柄，柄上有白色柔毛；叶片为戟状三角形，长、宽近相等，但顶部叶长大于宽，一般长 4 ～ 10 cm，宽 4 ～ 9 cm，先端长渐尖或尾尖状，基部心状戟形，先端叶狭窄，无柄抱茎，全缘成微波状，下面脉上有白色细柔毛；托叶鞘抱茎。花小，白色，顶生或腋生，聚伞花序有分枝；花被片 5，雄蕊 8，2 轮；雌蕊 1，花柱 3。瘦果呈卵状三棱形，红棕色。花期 7 ～ 8 月，果期 10 月。

| 生 境 分 布 | 生于路边或沟旁较阴湿处。湖北有分布。

| **资源情况** | 野生资源较丰富，栽培资源丰富。药材主要来源于栽培。

| **采收加工** | **根茎：**秋季地上部分枯萎后采收，晒干或阴干，或 50 ℃烘干。

| **功能主治** | 清热解毒，活血消痈，祛风除湿。用于肺痈，肺热咳喘，咽喉肿痛，痢疾，风湿痹痛，跌打损伤，痈肿疮毒，蛇虫咬伤。

荞麦
Fagopyrum esculentum Moench

| 药 材 名 | 荞麦。

| 形态特征 | 一年生草本，高 40 ～ 100 cm。茎直立，多分枝，光滑，淡绿色或红褐色，有时生稀疏的乳头状突起。叶互生，下部叶有长柄，上部叶近无柄；托叶鞘短筒状，长约 5 mm，先端斜而平截，早落；叶片三角形或卵状三角形，长 2.5 ～ 7 cm，宽 2 ～ 5 cm，先端渐尖，基部心形或戟形，全缘，两面无毛或仅沿叶脉有毛。花序总状或圆锥状；花序梗一侧具小突起；苞片卵形，长约 2.5 mm，绿色，边缘膜质，每苞内具 3 ～ 5 花；顶生或腋生；花梗长；花淡红色或白色，密集；花被 5 深裂，裂片长圆形；雄蕊 8，短于花被；花柱 3，柱头头状。瘦果卵形，有 3 锐棱，长大于宽，先端渐尖，黄褐色，光滑。花期 5 ～ 9 月，果期 6 ～ 10 月。

| **生境分布** | 生于凉爽湿润的荒地、路边。湖北有分布。

| **资源情况** | 野生资源较丰富，栽培资源丰富。药材主要来源于栽培。

| **采收加工** | **种子**：霜降前后种子成熟时采收，打下种子，除去杂质，晒干。

| **功能主治** | 健脾消食，下气宽肠，解毒敛疮。用于肠胃积滞，泄泻，痢疾，绞肠痧，白浊，带下，自汗，盗汗，疱疹，丹毒，痈疽，发背，瘰疬，烫火伤。

蓼科 Polygonaceae 荞麦属 Fagopyrum

细柄野荞麦

Fagopyrum gracilipes (Hemsl.) Damm. ex Diels

| 药 材 名 | 野荞麦。

| 形态特征 | 一年生草本。茎直立,高 20 ~ 70 cm,自基部分枝,具纵棱,疏被短糙伏毛。叶卵状三角形,长 2 ~ 4 cm,宽 1.5 ~ 3 cm,先端渐尖,基部心形,两面疏生短糙伏毛;下部叶柄长 1.5 ~ 3 cm,具短糙伏毛,上部叶的叶柄较短或无柄;托叶鞘膜质,偏斜,具短糙伏毛,长 4 ~ 5 mm,先端尖。总状花序,腋生或顶生,极稀疏,间断,长 2 ~ 4 cm,花序梗细弱,俯垂;苞片漏斗状,每苞内具 2 ~ 3 花;花梗细弱,长 2 ~ 3 mm,比苞片长,顶部具关节;花被 5 深裂,淡红色,花被片椭圆形,长 2 ~ 2.5 mm,背部具绿色脉,果时花被稍增大;雄蕊 8,比花被短;花柱 3,柱头头状。瘦果宽卵形,长 2 ~ 3 mm,具 3 锐棱,有时沿棱生狭翅,有光泽,凸出花被之外。花期

6 ～ 9 月，果期 8 ～ 10 月。

| **生境分布** | 生于海拔 300 ～ 3 100 m 的山坡草地、山谷湿地或田埂、路旁。湖北有分布。

| **采收加工** | **根及根茎：** 秋季采挖，晒干。

| **功能主治** | 清热解毒，活血散瘀。用于咽喉肿痛，肺痈，痈疽肿毒，跌打损伤。

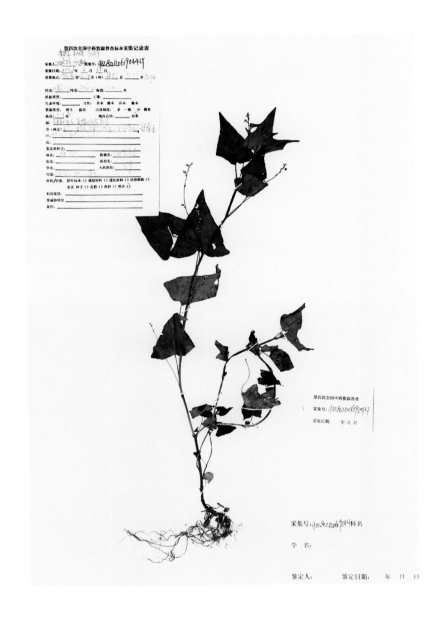

蓼科 Polygonaceae 荞麦属 Fagopyrum

长柄野荞麦 *Fagopyrum statice* (H. Lév.) H. Gross

| **药 材 名** | 野荞麦。

| **形态特征** | 多年生草本。根粗壮，木质化。茎直立，高40～50 cm，自基部分枝，具细纵棱，无毛，茎、枝上部无叶。叶宽卵形或三角形，长2～3 cm，宽1.5～2.5 cm，先端急尖，基部宽心形或近截形，两面无毛，上面平滑，下面叶脉稍凸出；叶柄可达4 cm；托叶鞘膜质、偏斜，先端急尖，无缘毛。总状花序呈穗状，由数个总状花序再组成大型、稀疏的圆锥状花序；苞片漏斗状，每苞内具2～3花；花被细弱，长2～2.5 mm，顶部具关节，比苞片长；花被5深裂；花被片椭圆形，长1～1.5 mm；雄蕊8，与花被近等长。瘦果卵形，具3棱，长2～2.5 mm，有光泽。花期7～8月，果期9～10月。

| 生境分布 | 生于海拔 1 300 ～ 2 200 m 的山坡草地。湖北有分布。

| 采收加工 | **根**：秋季采挖，晒干。

| 功能主治 | 清热解毒，活血散瘀。用于咽喉肿痛，肺痈，痈疔肿毒，跌打损伤。

蓼科 Polygonaceae 荞麦属 *Fagopyrum*

苦荞麦 *Fagopyrum tataricum* (L.) Gaertn

| 药 材 名 | 苦荞麦。

| 形态特征 | 一年生草本，高 50 ～ 90 cm。茎直立，分枝，绿色或带绿色，有细条纹。叶互生；有长柄；托叶鞘膜质，黄褐色；叶片宽三角形，长2 ～ 7 cm，宽 2.5 ～ 8 cm，先端急尖，基部心形，全缘。总状花序；花梗细长；花排列稀疏，白色或淡红色；花被 5 深裂，裂片椭圆形，长约 2 mm；雄蕊 8，短于花被；花柱 3，脚短，柱头头状。瘦果锥状卵形，有 3 棱，棱上部锐利，下部圆钝，黑褐色，有 3 深沟。花果期 6 ～ 9 月。

| 生境分布 | 生于海拔 500 ～ 3 100 m 的湿润沟谷、村边及草地。湖北有分布。

| 资源情况 | 野生资源较丰富，栽培资源丰富。药材主要来源于栽培。

| 采收加工 | 全草：8 ~ 10 月采收，晒干。

| 功能主治 | 健脾行滞，理气止痛，解毒消肿。用于胃脘胀痛，消化不良，痢疾，腰腿疼痛，跌打损伤，痈肿恶疮，狂犬咬伤。

蓼科 Polygonaceae 何首乌属 Fallopia

卷茎蓼

Fallopia conooloulus (L.) A. Love

| 药 材 名 | 卷茎蓼。

| 形态特征 | 一年生草本，长 20 ~ 100 cm。茎缠绕，细弱，有不明显的条纹，粗糙或疏生柔毛。叶互生，叶柄长达 3 cm；托叶鞘短，斜截形，先端尖或钝圆；叶片卵形，长 3 ~ 6 cm，宽 2 ~ 5 cm，先端渐尖，基部宽心形，无毛或沿叶脉及边缘疏生短毛。穗状的总状花序，顶生或腋生，苞片卵形；花排列稀疏，淡绿色；花被 5 深裂；裂片果时稍增大，有时有凸起的肋或狭翅；雄蕊 8，短于花被，花柱极短，柱头 3，头状。瘦果卵形，具 3 棱，黑色，密生小点，无光泽，花期 5 ~ 8 月，果期 6 ~ 9 月。

| **生境分布** | 生于山坡草地、山谷灌丛、沟边湿地。湖北有分布。

| **资源情况** | 野生资源较丰富，栽培资源较少。

| **采收加工** | 夏、秋季采收，洗净，晒干。

| **功能主治** | 用于消化不良，腹泻。

蓼科 Polygonaceae 何首乌属 Fallopia

齿翅蓼 *Fallopia dentatoalata* (F. Schmidt) Holub

| **药 材 名** | 齿翅蓼。

| **形态特征** | 一年生草本。茎缠绕，长 1 ~ 2 m，分枝，无毛，具纵棱，沿棱密生小突起，有时茎下部小突起脱落。叶卵形或心形，长 3 ~ 6 cm，宽 2.5 ~ 4 cm，先端渐尖，基部心形，两面无毛，沿叶脉具小突起，全缘，具小突起；叶柄长 2 ~ 4 cm，具纵棱及小突起；托叶鞘短，偏斜，膜质，无缘毛，长 3 ~ 4 mm。总状花序，腋生或顶生，长 4 ~ 12 cm；花排列稀疏，间断，具小叶；苞片漏斗状，膜质，长 2 ~ 3 mm，偏斜，先端急尖，无缘毛，每苞内具 4 ~ 5 花；花被 5 深裂，红色，外面 3 花被片背部具翅，果时增大，翅通常具齿，基部沿花梗明显下延；花被果时外形呈倒卵状，长 8 ~ 9 mm，直径 5 ~ 6 mm；花梗细弱，果后延长，长可达 6 mm，中下部具关节；

雄蕊 8，比花被短；花柱 3，极短，柱头头状。瘦果椭圆形，具 3 棱，长 4 ~ 4.5 mm，黑色，密被小颗粒，微有光泽，包于宿存花被内。花期 7 ~ 8 月，果期 9 ~ 10 月。

| 生境分布 | 生于山坡草地、山谷或沟边湿地。湖北有分布。

| 资源情况 | 野生资源一般，栽培资源较少。

| 采收加工 | **全草**：夏、秋季采收，洗净，晒干。

| 功能主治 | 健脾消食。用于消化不良，腹泻。

蓼科 Polygonaceae 何首乌属 Fallopia

何首乌 *Fallopia multiflora* (Thunb.) Harald.

| **药 材 名** | 何首乌。

| **形态特征** | 多年生缠绕草本。根细长，先端膨大成肥大不整齐的块根，表面红褐色至暗褐色。茎攀缘，基部略带木质，中空，上部多分枝，枝草质。叶互生，具长柄；托叶鞘膜质，褐色，抱茎，长 5 ～ 7 mm，先端易破碎；叶片窄卵形或心形，长 4 ～ 9 cm，宽 2.5 ～ 5 cm，先端渐尖，基部心形或耳状箭形，全缘或微带波状。花小，多数，密聚为多枝的大型圆锥花序，小花梗长 1 ～ 3 mm，基部有膜质小苞片；小苞片卵状披针形，长 2 ～ 3 mm，内生小花 2 ～ 4 或更多；花绿白色或白色，花被片 5，倒卵形，大小不等，外侧 3 的背部有翅；雄蕊 8，不等长，均比花被片短；子房卵状三角形，花柱几无，柱头 3 裂。瘦果椭圆形，有 3 棱，长 2 ～ 3.5 mm，黑色面光亮，包于宿存增大

的翅状花被内，倒卵形，直径 5 ~ 6 mm，下垂。花期 8 ~ 10 月，果期 9 ~ 11 月。

| 生境分布 | 生于草坡、路边、山坡石隙及灌丛中。分布于湖北建始及恩施等。

| 采收加工 | **块根：** 在秋季落叶后或早春萌发前采挖，除去茎藤，将根挖出，洗净泥土，大的切成 2 cm 左右的厚片，小的不切，晒干或烘干。培育品 3 ~ 4 年即可收获，但以 4 年收产量较高。

| 功能主治 | 润肠通便，解疮毒。用于瘰疬，痈疮，阴血不足引起的大便秘结。

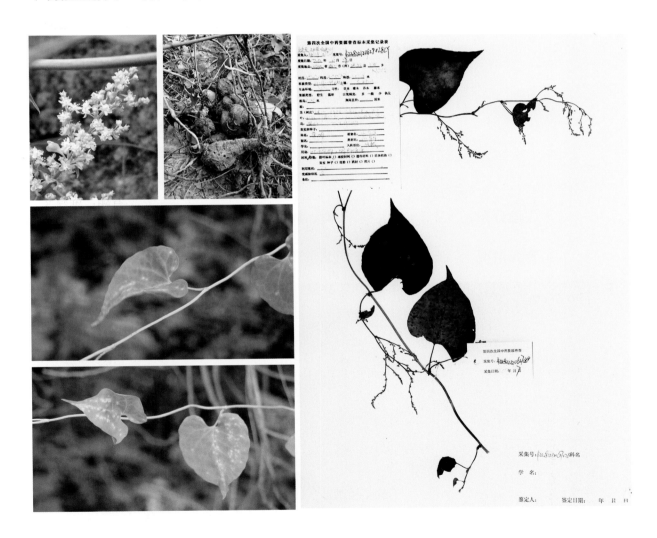

蓼科 Polygonaceae 何首乌属 Fallopia

毛脉蓼

Fallopia multiflora (Thunb.) Harald. var. *cillinerve* (Nakai) A. J. Li

| 药 材 名 | 毛脉蓼。

| 形态特征 | 多年生蔓生草本。根茎膨大成块状，木质。茎细长，中空，绿紫色，先端分枝。托叶鞘膜质，褐色，近透明。叶互生；叶柄长 0.5 ~ 5 cm，上面具沟，下面具黏质乳头状突起或具微小纤毛；叶片长圆状椭圆形，长 6 ~ 11 cm，宽 3 ~ 6 cm。圆锥花序顶生或腋生；花具明显小梗；花被白色或淡紫色，5 裂，外侧裂片中脉具翅；雄蕊 8；子房三棱状，柱头 3，盾状。小坚果三棱形，黑紫色，为扩大的膜质翅的花被所包。花期夏季。

| 生境分布 | 生于山坡路旁、沟边、滩地及乱石堆中。湖北有分布。

| 资源情况 | 野生资源一般，栽培资源较少。

| 采收加工 | **块根**：全年均可采挖，除去茎叶及须根，洗净，切片，晒干。 |

| 功能主治 | 清热解毒，止痛，止血，调经。用于扁桃体炎，胃炎，肠炎，痢疾，尿路感染，吐血，衄血，便血，功能失调性子宫出血，月经不调；外用于跌打损伤，外伤出血。 |

蓼科 Polygonaceae 蓼属 Polygonum

中华抱茎蓼

Polygonum amplexicaule D. Don var. *sinense* Forb. et Hemsl. ex Stew.

| 药 材 名 | 鸡血七。

| 形态特征 | 多年生草本。根茎粗壮，横走，紫褐色，长可达15 cm。茎直立，分枝，高20 ~ 60 cm。基生叶卵形，长4 ~ 10 cm，宽2 ~ 5 cm，先端长渐尖，基部心形，边缘脉端微增厚，稍外卷，上面绿色，无毛，下面淡绿色，有时沿叶脉具短柔毛，叶柄比叶片长或与叶片近等长；茎生叶长卵形，较小，具短柄，上部叶近无柄或抱茎，托叶鞘筒状，膜质，褐色，长2 ~ 4 cm，开裂至基部，无缘毛。总状花序呈穗状，稀疏；苞片卵圆形，膜质，褐色；花梗细，比苞片长；花被深红色，5深裂，花被片狭椭圆形，长3 ~ 4 mm，宽1.5 ~ 2 mm；雄蕊8，花柱3，柱头头状。瘦果椭圆形，黑褐色，有光泽，长4 ~ 5 mm，稍突出花

被之外。花期 8 ~ 9 月，果期 9 ~ 10 月。

| **生境分布** | 生于海拔 1 200 ~ 2 100 m 的山坡草地或林缘。湖北有分布。

| **采收加工** | **根茎：**秋季采挖，洗净，去粗皮，鲜用或晒干。

| **功能主治** | 清热解毒，活血舒筋，行气止痛，止血生肌。用于感冒发热，咽喉肿痛，泄泻，痢疾，跌打损伤，胃痛，痛经，崩漏，外伤出血。

蓼科 Polygonaceae 蓼属 Polygonum

萹蓄 *Polygonum aviculare* L.

| 药 材 名 | 萹蓄。

| 形态特征 | 一年生草本。茎平卧、上升或直立,高 10 ~ 40 cm,自基部多分枝,具纵棱。叶椭圆形、狭椭圆形或披针形,长 1 ~ 4 cm,宽 3 ~ 12 mm,先端钝圆或急尖,基部楔形,全缘,两面无毛,下面侧脉明显;叶柄短或近无柄,基部具关节;托叶鞘膜质,下部褐色,上部白色,撕裂脉明显。花单生或数朵簇生于叶腋,遍布于植株;苞片薄膜质;花梗细,顶部具关节;花被 5 深裂,花被片椭圆形,长 2 ~ 2.5 mm,绿色,边缘白色或淡红色;雄蕊 8,花丝基部扩展;花柱 3,柱头头状。瘦果卵形,具 3 棱,长 2.5 ~ 3 mm,黑褐色,密被由小点组成的细条纹,无光泽,与宿存花被近等长或较宿存花被长。花期 5 ~ 7

月，果期 6 ～ 8 月。

| **生境分布** | 生于海拔 10 ～ 2 100 m 的田边、沟边湿地。湖北有分布。

| **采收加工** | **地上部分：** 夏季叶茂盛时采收，除去根及杂质，晒干。

| **功能主治** | 利尿通淋，杀虫，止痒。用于热淋涩痛，小便短赤，虫积腹痛，湿疹，阴痒带下。

蓼科 Polygonaceae 蓼属 Polygonum

拳参 *Polygonum bistorta* L.

| 药 材 名 |

拳参。

| 形态特征 |

多年生草本。根茎肥厚，直径 1 ～ 3 cm，弯曲，黑褐色。茎直立，高 50 ～ 90 cm，不分枝，无毛，通常 2 ～ 3 自根茎发出。基生叶宽披针形或狭卵形，纸质，长 4 ～ 18 cm，宽 2 ～ 5 cm；先端渐尖或急尖，基部截形或近心形，沿叶柄下延成翅，两面无毛或下面被短柔毛，边缘外卷，微呈波状，叶柄长 10 ～ 20 cm；茎生叶披针形或线形，无柄；托叶筒状，膜质，下部绿色，上部褐色，先端偏斜，开裂至中部，无缘毛。总状花序呈穗状，顶生，长 4 ～ 9 cm，直径 0.8 ～ 1.2 cm，紧密；苞片卵形，先端渐尖，膜质，淡褐色，中脉明显，每苞片内含 3 ～ 4 花；花梗细弱，开展，长 5 ～ 7 mm，比苞片长；花被 5 深裂，白色或淡红色，花被片椭圆形，长 2 ～ 3 mm；雄蕊 8，花柱 3，柱头头状。瘦果椭圆形，两端尖，褐色，有光泽，长约 3.5 mm，具稍长于宿存的花被。花期 6 ～ 7 月，果期 8 ～ 9 月。

| 生境分布 | 生于海拔 1 200 ～ 2 000 m 的山顶草甸。湖北有分布。 |

| 采收加工 | **根茎：**春、秋季采挖，去掉茎、叶及须根，洗净，晒干或切片，晒干，亦可鲜用。 |

| 功能主治 | 清热利湿，凉血止血，解毒散结。用于肺热咳嗽，热病惊痫，血痢，热泻，吐血，衄血，痔疮出血，痈肿疮毒。 |

蓼科 Polygonaceae 蓼属 Polygonum

头花蓼

Polygonum capitatum Buch.-Ham. ex D. Don

| 药 材 名 |

红酸杆。

| 形态特征 |

多年生草本。根茎匍匐于地表或生于土层中，表面红褐色，多分枝；茎直立或蔓生，高 10 ~ 60 cm，呈紫红色，表面有纵棱，无毛或疏生柔毛。叶卵形或椭圆形，先端尖，基部楔形，全缘，长 1.5 ~ 3 cm，宽 1 ~ 2.5 cm，两面无毛或疏生柔毛，叶脉和叶缘有时毛更明显；叶柄短，被柔毛，叶上面有时具黑褐色新月形斑点；托叶鞘筒状，膜质，顶部截形，褐色，长 5 ~ 8 mm，有缘毛。总状花序紧缩，呈头状，花序梗有腺毛；苞片卵圆形，表面无毛；花被 5 深裂，淡红色，椭圆形，长 2 ~ 3 mm；雄蕊 8，花柱 3。瘦果三棱形，长 1.5 ~ 2 mm，黑色，包在宿存花被内。花期 6 ~ 9 月，果期 8 ~ 10 月。

| 生境分布 |

生于海拔 600 ~ 2 100 m 的山坡、路旁、田野潮湿地。湖北有分布。

| 采收加工 | **全草**：全年均可采收，洗净，鲜用或晒干。

| 功能主治 | 清热凉血，利尿。用于尿路感染，痢疾，腹泻，血尿；外用于尿布皮炎，黄水疮。

蓼科 Polygonaceae 蓼属 Polygonum

火炭母 Polygonum chinense L.

| 药 材 名 | 火炭母草、火炭母草根。

| 形态特征 | 多年生草本。根茎粗壮，表面红褐色，内部黄色。茎直立，高
70 ~ 100 cm，无毛，具纵棱，多分枝。叶卵形或长卵形，长 4 ~ 10 cm，
宽 2 ~ 4 cm，先端短渐尖，基部截形或宽心形，全缘，两面无毛，
有时下面沿叶脉疏生短柔毛，下部叶具叶柄；叶柄长 1 ~ 2 cm，
通常基部具叶耳，上部叶近无柄或抱茎；托叶鞘膜质，无毛，长
1.5 ~ 2.5 cm，具脉纹，先端偏斜，无缘毛。花序头状，通常数个排
成圆锥状，顶生或腋生，花序梗被腺毛；苞片宽卵形，每苞内具 1 ~ 3
花；花被 5 深裂，白色或淡红色，裂片卵形，果时增大，呈肉质，
蓝黑色；雄蕊 8，比花被短；花柱 3，中下部合生。瘦果宽卵形，具

3 棱，长 3 ～ 4 mm，黑色，无光泽，包于宿存的花被。花期 7 ～ 9 月，果期 8 ～ 10 月。

| **生境分布** | 生于海拔 30 ～ 2 100 m 的山坡草坡、山谷湿地。湖北有分布。

| **采收加工** | **火炭母草：** 夏、秋季采收，晒干或鲜用。
火炭母草根： 夏、秋季采挖，鲜用或晒干。

| **功能主治** | **火炭母草：** 清热利湿，凉血解毒，平肝明目，活血舒筋。用于痢疾，泄泻，咽喉肿痛，白喉，肺热咳嗽，百日咳，肝炎，带下，恶性肿瘤，中耳炎，湿疹，眩晕，耳鸣，角膜云翳，跌打损伤。
火炭母草根： 补益脾肾，平降肝阳，清热解毒，活血消肿。用于体虚乏力，耳鸣，耳聋，头目眩晕，带下，乳痈，肺痈，跌打损伤。

蓼科 Polygonaceae 蓼属 *Polygonum*

蓼子草 *Polygonum criopolitanum* Hance

| 药 材 名 | 蓼子草。

| 形态特征 | 一年生草本。茎自基部分枝，平卧，丛生，节部生根，高 10 ~ 15 cm，被长糙伏毛及稀疏的腺毛。叶狭披针形或披针形，长 1 ~ 3 cm，宽 3 ~ 8 mm，先端急尖，基部狭楔形，两面被糙伏毛，边缘具缘毛及腺毛；叶柄极短或近无柄；托叶鞘膜质，密被糙伏毛，先端截形，具长缘毛。花序头状，顶生，花序梗密被腺毛；苞片卵形，长 2 ~ 2.5 mm，密生糙伏毛，具长缘毛，每苞内具 1 花；花梗比苞片长，密被腺毛，顶部具关节；花被 5 深裂，淡紫红色，花被片卵形，长 3 ~ 5 mm；雄蕊 5，花药紫色；花柱 2，中上部合生。瘦果椭圆形，双凸透镜状，长约 2.5 mm，有光泽，包于宿存花被内。花期 7 ~ 11

月，果期 9 ～ 12 月。

| 生境分布 | 生于海拔 50 ～ 900 m 的河滩沙地、沟边湿地。湖北有分布。

| 采收加工 | **全草或根：**夏、秋季采收，鲜用或晒干。

| 功能主治 | 祛风解表，清热解毒。用于感冒发热，毒蛇咬伤。

蓼科 Polygonaceae 蓼属 Polygonum

大箭叶蓼 *Polygonum darrisii* Lévl.

| 药 材 名 | 大箭叶蓼。

| 形态特征 | 一年生草本。茎蔓生，长 1 ~ 2 m，暗红色，四棱形，沿棱具稀疏的倒生皮刺。叶长三角形或三角状箭形，长 4 ~ 10 cm，宽 3 ~ 5 cm，先端渐尖，基部箭形，边缘疏生刺状缘毛，上面无毛，下面沿中脉疏生皮刺；叶柄长 3 ~ 6 cm，具倒生皮刺；托叶鞘筒状，边缘具 1 对叶状耳，耳披针形，草质，绿色，长 0.6 ~ 1.5 cm。总状花序头状，顶生或腋生，花序梗通常不分枝，无腺毛，具稀疏的倒生短皮刺；苞片长卵形，先端渐尖，每苞内通常具 2 花；花梗比苞片短；花被 5 深裂，白色或淡红色，花被片椭圆形；雄蕊 8，比花被短；花柱 3，中下部合生，柱头头状。瘦果近球形，微具 3 棱，黑褐色，有光泽，

长约 3 mm，包于宿存花被内。花期 6 ~ 8 月，果期 7 ~ 10 月。

| **生境分布** | 生于海拔 300 ~ 1 700 m 的山地沟边、路旁潮湿处。湖北有分布。

| **采收加工** | **全草**：夏、秋季采收，晒干。

| **功能主治** | 清热解毒。用于痢疾，疔毒，皮肤瘙痒，蛇咬伤。

蓼科 Polygonaceae 蓼属 *Polygonum*

稀花蓼

Polygonum dissitiflorum Hemsl.

| 药 材 名 | 稀花蓼。

| 形态特征 | 一年生草本。茎直立或下部平卧，分枝，具稀疏的倒生短皮刺，通常疏生星状毛，高 70 ~ 100 cm。叶卵状椭圆形，长 4 ~ 14 cm，宽 3 ~ 7 cm，先端渐尖，基部戟形或心形，边缘具短缘毛，上面绿色，下面淡绿色，疏生星状毛，沿中脉具倒生皮刺；叶柄长 2 ~ 5 cm，通常具星状毛及倒生皮刺；托叶鞘膜质，长 0.6 ~ 1.5 cm，偏斜，具短缘毛。花序圆锥状，顶生或腋生，花稀疏，间断，花序梗细，紫红色，密被紫红色腺毛；苞片漏斗状，包围花序轴，长 2.5 ~ 3 mm，绿色，具缘毛，每苞内具 1 ~ 2 花，花梗无毛，与苞片近等长；花被 5 深裂，淡红色，花被片椭圆形，长约 3 mm；雄蕊 7 ~ 8，

比花被短；花柱 3，中下部合生。瘦果近球形，先端微具 3 棱，暗褐色，长约 33.5 mm，包于宿存花被内。花期 6 ~ 8 月，果期 7 ~ 9 月。

| **生境分布** | 生于海拔 140 ~ 1 500 m 的河边湿地、山谷草丛。湖北有分布。

| **采收加工** | **全草**：花期采收，鲜用或晾干。

| **功能主治** | 清热解毒，利湿。用于急、慢性肝炎，小便淋沥，毒蛇咬伤。

蓼科 Polygonaceae 蓼属 Polygonum

长箭叶蓼

Polygonum hastatosagittatum Mak.

| 药 材 名 | 长箭叶蓼。

| 形态特征 | 一年生草本。茎直立或下部近平卧，高 40 ～ 90 cm，分枝，具纵棱，沿棱具倒生短皮刺，皮刺长 0.3 ～ 1 mm。叶披针形或椭圆形，长 3 ～ 7（～ 10）cm，宽 1 ～ 2（～ 3）cm，先端急尖或近渐尖，基部箭形或近戟形，上面无毛或被短柔毛，有时被短星状毛，下面有时被短星状毛；叶柄长 1 ～ 2.5 cm，具倒生皮刺；托叶鞘筒状，膜质，长 1.5 ～ 2 cm，先端截形，具长缘毛。总状花序呈短穗状，长 1 ～ 1.5 cm，顶生或腋生，花序梗二叉分枝，密被短柔毛及腺毛；苞片宽椭圆形或卵形，长 2.5 ～ 3 mm，具缘毛，每苞内通常具 2 花；花梗长 4 ～ 6 mm，密被腺毛；花被 5 深裂，淡红色，花被片宽椭圆形，长 3 ～

4 mm；雄蕊 7 ~ 8；花柱 3，柱头头状。瘦果卵形，具 3 棱，深褐色，具光泽，长 3 ~ 4 mm，包于宿存花被内。花期 8 ~ 9 月，果期 9 ~ 10 月。

| 生境分布 | 生于海拔 50 ~ 2 100 m 的水边、沟边湿地。湖北有分布。

| 功能主治 | 清热解毒，祛风除湿，活血止痛。用于痈肿疮毒，头疮，足癣，风湿痹痛，腰痛，神经痛，跌打损伤，瘀血肿痛，月经不调，毒蛇咬伤。

蓼科 Polygonaceae 蓼属 Polygonum

水蓼 *Polygonum hydropiper* L.

药材名

水蓼、水蓼根、蓼实。

形态特征

一年生草本，高 40 ～ 70 cm。茎直立，多分枝，无毛，节膨大。叶披针形或椭圆状披针形，长 4 ～ 8 cm，宽 0.5 ～ 2.5 cm，先端渐尖，基部楔形，全缘，具缘毛，两面无毛，被褐色小点，有时沿中脉具短硬伏毛，具辛辣味；叶柄长 4 ～ 8 mm；托叶鞘筒状，膜质，褐色，长 1 ～ 1.5 cm，疏生短硬伏毛，先端截形，具短缘毛。总状花序穗状，顶生或腋生，长 3 ～ 8 cm，通常下垂，花稀疏；苞片漏斗状，长 2 ～ 3 mm，绿色，边缘膜质，疏生短缘毛，每苞内具 3 ～ 5 花；花梗比苞片长；花被 5 深裂，稀 4 裂，绿色，上部白色或淡红色，被黄褐色透明腺点，花被片椭圆形，长 3 ～ 3.5 mm；雄蕊 6，稀 8，比花被短；花柱 2 ～ 3。瘦果卵形，长 2 ～ 3 mm，双凸透镜状，密被小点，黑褐色，无光泽，包于宿存花被内。花期 5 ～ 9 月，果期 6 ～ 10 月。

生境分布

生于海拔 50 ～ 2 100 m 的河滩、水沟边、山谷湿地。湖北有分布。

| 采收加工 | **水蓼**：秋季开花时采收，割取地上部分，晒干或鲜用。

水蓼根：秋季开花时采挖，洗净，鲜用或晒干。

蓼实：秋季果实成熟时采收，除去杂质，鲜用或阴干。

| 功能主治 | **水蓼**：行滞化湿，散瘀止血，祛风止痒，解毒。用于湿滞内阻，脘闷腹痛，泄泻，痢疾，疳积，崩漏，血滞经闭，痛经，跌打损伤，风湿痹痛，便血，外伤出血，皮肤瘙痒，湿疹，风疹，足癣，痈肿，毒蛇咬伤。

水蓼根：活血调经，健脾利湿，解毒消肿。用于月经不调，疳积，痢疾，肠炎，疟疾，跌打肿痛，蛇虫咬伤。

蓼实：化湿利水，破瘀散结，解毒。用于吐泻腹痛，水肿，小便不利，癥积痞胀，痈肿疮疡，瘰疬。

蓼科 Polygonaceae 蓼属 *Polygonum*

蚕茧草

Polygonum japonicum Meisn.

| **药材名** | 蚕茧草。

| **形态特征** | 多年生草本。根茎横走。茎直立，淡红色，无毛，有时具稀疏的短硬伏毛，节部膨大，高 50 ~ 100 cm。叶披针形，近薄革质，坚硬，长 7 ~ 15 cm，宽 1 ~ 2 cm，先端渐尖，基部楔形，全缘，两面疏生短硬伏毛，中脉上毛较密，有缘毛；叶柄短或近无柄；托叶鞘筒状，膜质，长 1.5 ~ 2 cm，具硬伏毛，先端截形，缘毛长 1 ~ 1.2 cm。总状花序呈穗状，长 6 ~ 12 cm，顶生，通常数个再集成圆锥状；苞片漏斗状，绿色，上部淡红色，具缘毛，每苞内具 3 ~ 6 花，花梗长 2.5 ~ 4 mm；雌雄异株，花被 5 深裂，白色或淡红色，花被片长椭圆形，长 2.5 ~ 3 mm；雄蕊 8，雄蕊比花被长；花柱 2 ~ 3，

中下部合生，花柱比花被长。瘦果卵形，具 3 棱或双凸透镜状，长 2.5 ～ 3 mm，黑色，有光泽，包于宿存花被内。花期 8 ～ 10 月，果期 9 ～ 11 月。

| 生境分布 | 生于海拔 20 ～ 1 700 m 的路边湿地、水边及山谷草地。湖北有分布。

| 采收加工 | **全草：**花期采收，鲜用或晾干。

| 功能主治 | 解毒，止痛，透疹。用于疮疡肿痛，诸虫咬伤，腹泻，痢疾，腰膝冷痛，麻疹透发不畅。

蓼科 Polygonaceae 蓼属 Polygonum

愉悦蓼 *Polygonum jucundum* Meisn.

| 药 材 名 |

愉悦蓼。

| 形态特征 |

一年生草本。茎直立，基部近平卧，多分枝，无毛，高 60 ~ 90 cm。叶椭圆状披针形，长 6 ~ 10 cm，宽 1.5 ~ 2.5 cm，两面疏生硬伏毛或近无毛，先端渐尖，基部楔形，全缘，具短缘毛；叶柄长 3 ~ 6 mm；托叶鞘膜质，淡褐色，筒状，长 0.5 ~ 1 cm，疏生硬伏毛，先端截形，缘毛长 5 ~ 11 mm。总状花序呈穗状，顶生或腋生，长 3 ~ 6 cm，花排列紧密；苞片漏斗状，绿色，缘毛长 1.5 ~ 2 mm，每苞内具 3 ~ 5 花；花梗长 4 ~ 6 mm，明显比苞片长；花被 5 深裂，花被片长圆形，长 2 ~ 3 mm；雄蕊 7 ~ 8；花柱 3，下部合生，柱头头状。瘦果卵形，具 3 棱，黑色，有光泽，长约 2.5 mm，包于宿存花被内。花期 8 ~ 9 月，果期 9 ~ 11 月。

| 生境分布 |

生于海拔 30 ~ 700 m 的山坡草地、山谷路旁及沟边湿地。湖北有分布。

| 功能主治 | 用于肠炎，痢疾；外用于湿疹，顽癣，蛇犬咬伤。

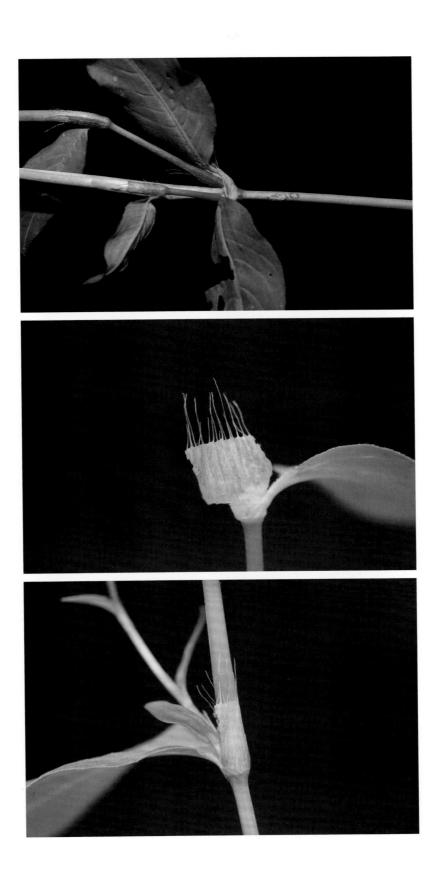

蓼科 Polygonaceae 蓼属 Polygonum

酸模叶蓼

Polygonum lapathifolium L.

| 药 材 名 |

鱼蓼。

| 形态特征 |

一年生草本，高 40 ~ 90 cm。茎直立，具
分枝，无毛，节部膨大。叶披针形或宽披
针形，长 5 ~ 15 cm，宽 1 ~ 3 cm，先端
渐尖或急尖，基部楔形，上面绿色，常有 1
大的黑褐色新月形斑点，两面沿中脉被短硬
伏毛，全缘，边缘具粗缘毛；叶柄短，具短
硬伏毛；托叶鞘筒状，长 1.5 ~ 3 cm，膜质，
淡褐色，无毛，具多数脉，先端截形，无缘毛，
稀具短缘毛。总状花序呈穗状，顶生或腋生，
近直立，花紧密，通常由数个花穗再组成圆
锥状，花序梗被腺体；苞片漏斗状，边缘具
稀疏短缘毛；花被淡红色或白色，4（~ 5）
深裂，花被片椭圆形，脉粗壮，先端分叉，
外弯；雄蕊通常 6。瘦果宽卵形，双凹，长
2 ~ 3 mm，黑褐色，有光泽，包于宿存花
被内。花期 6 ~ 8 月，果期 7 ~ 9 月。

| 生境分布 |

分布于海拔 30 ~ 2 100 m 的田边、路旁、
水边、荒地或沟边湿地。湖北有分布。

| **采收加工** | **全草：** 夏、秋季采收，晒干或鲜用。

| **功能主治** | 解毒，除湿，活血。用于疮疡肿痛，瘰疬，腹泻，痢疾，湿疹，疳积，风湿痹痛，跌打损伤，月经不调。

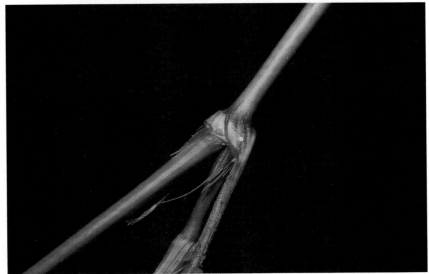

蓼科 Polygonaceae 蓼属 *Polygonum*

长鬃蓼 *Polygonum longisetum* De Br.

| 药 材 名 | 白辣蓼。

| 形态特征 | 一年生草本。茎直立、上升或基部近平卧，自基部分枝，高 30 ~ 60 cm，无毛，节部稍膨大。叶披针形或宽披针形，长 5 ~ 13 cm，宽 1 ~ 2 cm，先端急尖或狭尖，基部楔形，上面近无毛，下面沿叶脉具短伏毛，边缘具缘毛；叶柄短或近无柄；托叶鞘筒状，长 7 ~ 8 mm，疏生柔毛，先端截形，具缘毛，长 6 ~ 7 mm。总状花序呈穗状，顶生或腋生，细弱，下部间断，直立，长 2 ~ 4 cm；苞片漏斗状，无毛，边缘具长缘毛，每苞内具 5 ~ 6 花；花梗长 2 ~ 2.5 mm，与苞片近等长；花被 5 深裂，淡红色或紫红色，花被片椭圆形，长 1.5 ~ 2 mm；雄蕊 6 ~ 8，花柱 3，中下部合生，柱

头头状。瘦果宽卵形，具 3 棱，黑色，有光泽，长约 2 mm，包于宿存花被内。花期 6 ～ 8 月，果期 7 ～ 9 月。

| **生境分布** | 生于海拔 30 ～ 1 000 m 的山谷水边、河边草地。湖北有分布。

| **采收加工** | **全草：** 夏、秋季采收，晾干。

| **功能主治** | 解毒，除湿。用于肠炎，细菌性痢疾，无名肿毒，阴疽，瘰疬，毒蛇咬伤，风湿痹痛。

蓼科 Polygonaceae 蓼属 Polygonum

圆基长鬃蓼

Polygonum longisetum De Br. var. *rotundatum* A. J. Li

| 药 材 名 | 圆基长鬃蓼。

| 形态特征 | 一年生草本。茎直立、上升或基部近平卧，自基部分枝，高 30 ~ 60 cm，无毛，节部稍膨大。叶披针形或宽披针形，长 5 ~ 13 cm，宽 1 ~ 2 cm，先端急尖或狭尖，基部圆形或近圆形，上面近无毛，下面沿叶脉具短伏毛，边缘具缘毛；叶柄短或近无柄；托叶鞘筒状，长 7 ~ 8 mm，疏生柔毛，先端截形，具缘毛，长 6 ~ 7 mm。总状花序呈穗状，顶生或腋生，细弱，下部间断，直立，长 2 ~ 4 cm；苞片漏斗状，无毛，边缘具长缘毛，每苞内具 5 ~ 6 花；花梗长 2 ~ 2.5 mm，与苞片近等长；花被 5 深裂，淡红色或紫红色，花被片椭圆形，长 1.5 ~ 2 mm；雄蕊 6 ~ 8；花柱 3，中下部合生，柱

头头状。瘦果宽卵形，具 3 棱，黑色，有光泽，长约 2 mm，包于宿存花被内。花期 6 ~ 8 月，果期 7 ~ 9 月。

| 生境分布 | 生于海拔 40 ~ 800 m 的山谷水边、河边草地。湖北有分布。

| 功能主治 | 散寒，活血。用于麻疹，大病或跌损后受寒，腹痛；外用于痈疮肿毒，跌打损伤。

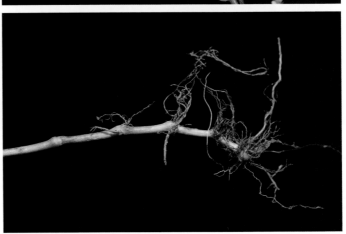

蓼科 Polygonaceae 蓼属 *Polygonum*

小蓼花
Polygonum muricatum Meisn.

| 药 材 名 | 小蓼花。

| 形 态 特 征 | 一年生草本，高 80 ～ 100 cm。茎多分枝，具纵棱，棱上有极稀疏的倒生短皮刺，长 0.5 ～ 1 mm，基部近平卧。叶卵形或长圆状卵形，长 2.5 ～ 6 cm，宽 1.5 ～ 3 cm，先端渐尖或急尖，基部宽截形、圆形或近心形，上面无毛或疏生短柔毛，极少具短星状毛，下面疏生短星状毛及短柔毛，沿中脉具倒生短皮刺或糙伏毛，边缘密生短缘毛；叶柄长 0.7 ～ 2 cm，疏被倒生短皮刺；托叶鞘膜质，长 1 ～ 2 cm，无毛，先端截形，具长缘毛。总状花序呈穗状，穗状花序再组成圆锥状；苞片宽椭圆形或卵形，具缘毛；花梗长约 2 mm，比苞片短；花被 5 深裂，白色或淡紫红色，长 2 ～ 3 mm；雄蕊通常 6 ～ 8；

花柱 3，柱头头状。瘦果卵形，具 3 棱，黄褐色，平滑，有光泽，长 2 ～ 2.5 mm，包于宿存花被内。花期 7 ～ 8 月，果期 9 ～ 10 月。

| **生境分布** | 生于海拔 50 ～ 2 100 m 的山谷水边、田边湿地。湖北有分布。

| **功能主治** | 清热解毒，祛风除湿，活血止痛。用于痈疮肿毒，头疮，足癣，皮肤瘙痒，痢疾，风湿痹痛，腰痛，神经痛，跌打损伤，瘀血肿痛，月经不调。

蓼科 Polygonaceae 蓼属 *Polygonum*

尼泊尔蓼 *Polygonum nepalense* Meisn.

| **药 材 名** | 猫儿眼睛。

| **形态特征** | 一年生草本。茎外倾或斜上，基部多分枝，无毛或在节部疏生腺毛，高 20 ~ 40 cm。下部叶卵形或三角状卵形，长 3 ~ 5 cm，宽 2 ~ 4 cm，先端急尖，基部宽楔形，沿叶柄下延成翅，两面无毛或疏被刺毛，疏生黄色透明腺点；叶柄长 1 ~ 3 cm，或近无柄，抱茎；托叶鞘筒状，长 5 ~ 10 mm，膜质，淡褐色，先端斜截形，无缘毛，基部具刺毛。花序头状，顶生或腋生，基部常具 1 叶状总苞片，花序梗细长，上部具腺毛；苞片卵状椭圆形，通常无毛，边缘膜质；花梗比苞片短；花被通常 4 裂，淡紫红色或白色，花被片长圆形，长 2 ~ 3 mm，先端圆钝；雄蕊 5 ~ 6，与花被近等长，花药暗紫色；花柱 2，下部合

生，柱头头状。瘦果宽卵形，双凸透镜状，长 2 ～ 2.5 mm，黑色，无光泽，包于宿存花被内。花期 5 ～ 8 月，果期 7 ～ 10 月。

| 生境分布 | 生于海拔 200 ～ 2 100 m 的山坡草地、山谷路旁。湖北有分布。

| 采收加工 | **全草**：夏、秋季采收，晾干。

| 功能主治 | 清热解毒，除湿通络。用于咽喉肿痛，目赤，牙龈肿痛，赤白痢疾，风湿痹痛。

蓼科 Polygonaceae 蓼属 Polygonum

红蓼

Polygonum orientale L.

| 药 材 名 | 荭草、水红花子、荭草根、荭草花。

| 形态特征 | 一年生草本。茎直立，粗壮，高 1 ~ 2 m，上部多分枝，密被长柔毛。叶宽卵形或卵状披针形，长 10 ~ 20 cm，宽 5 ~ 12 cm，先端渐尖，基部圆形或近心形，微下延，全缘，密生缘毛，两面密生短柔毛，叶脉上密生长柔毛；叶柄长 2 ~ 10 cm，具长柔毛；托叶鞘筒状，膜质，长 1 ~ 2 cm，被长柔毛，具长缘毛，通常沿先端具绿色的翅。总状花序呈穗状，顶生或腋生，长 3 ~ 7 cm，花紧密，微下垂，数个再组成圆锥状；苞片宽漏斗状，长 3 ~ 5 mm，绿色，被短柔毛，具长缘毛，每苞内具 3 ~ 5 花；花梗比苞片长；花被 5 深裂，长 3 ~ 4 mm，淡红色或白色；雄蕊 7，比花被长；花盘明显；花柱

2，中下部合生，比花被长，柱头头状。瘦果近圆形，双凹，直径 3 ～ 3.5 mm，黑褐色，有光泽，包于宿存花被内。花期 6 ～ 9 月，果期 8 ～ 10 月。

| 生境分布 | 生于海拔 30 ～ 2 100 m 的沟边湿地、村边路旁。湖北有分布。

| 采收加工 | 荭草：晚秋降霜后采收，洗净，将茎切成小段，晒干，将叶置通风处阴干。

水红花子：秋季果实成熟时割取果穗，晒干，打下果实，除去杂质。

荭草根：夏、秋季挖取，洗净，晒干或鲜用。

荭草花：夏季开花时采收，鲜用或晒干。

| 功能主治 | 荭草：祛风除湿，清热解毒，活血，截疟。用于风湿痹痛，痢疾，腹泻，吐泻转筋，水肿，脚气，痈疮疔疖，蛇虫咬伤，疳积，疝气，跌打损伤，疟疾。

水红花子：散血消癥，消积止痛，利水消肿。用于癥瘕痞块，瘿瘤，食积不消，胃脘胀痛，水肿，腹水。

荭草根：清热解毒，除湿通络，生肌敛疮。用于痢疾，肠炎，水肿，脚气，风湿痹痛，跌打损伤，荨麻疹，疮痈肿痛或久溃不敛。

荭草花：行气活血，消积，止痛。用于头痛，心胃气痛，腹中痞积，痢疾，疳积。

蓼科 Polygonaceae 蓼属 Polygonum

草血竭

Polygonum paleaceum Wall. ex Hook.f.

| 药 材 名 | 草血竭。

| 形态特征 | 多年生草本。根茎肥厚，弯曲，直径 2 ~ 3 cm，黑褐色。茎直立，高 40 ~ 60 cm，不分枝，无毛，具细条棱，单生或 2 ~ 3 自根茎生出。基生叶革质，狭长圆形或披针形，长 6 ~ 18 cm，宽 2 ~ 3 cm，先端急尖或微渐尖，基部楔形，稀近圆形，全缘，脉端增厚，微外卷，上面绿色，下面灰绿色，两面无毛，叶柄长 5 ~ 15 cm；茎生叶披针形，较小，具短柄，最上部的叶为线形；托叶鞘筒状，膜质，下部绿色，上部褐色，开裂，无缘毛。总状花序呈穗状，长 4 ~ 6 cm，直径 0.8 ~ 1.2 cm，紧密；苞片卵状披针形，膜质，先端长渐尖；花梗细弱，长 4 ~ 5 mm，开展，比苞片长；花被 5 深裂，淡红色或

白色，花被片椭圆形，长 2 ~ 2.5 mm；雄蕊 8；花柱 3，柱头头状。瘦果卵形，具 3 锐棱，有光泽，长约 2.5 mm，包于宿存花被内。花期 7 ~ 8 月，果期 9 ~ 10 月。

| 生境分布 |　生于海拔 1 000 ~ 2 700 m 的山坡草地、林缘。湖北有分布。

| 采收加工 |　**根茎：** 秋季采挖，除去茎叶和须根，晒干。

| 功能主治 |　活血止血，止痛。用于慢性胃炎，复合性胃和十二指肠溃疡，癥瘕积聚，月经不调，跌打损伤，外伤出血及因血瘀气滞而疼痛。

蓼科 Polygonaceae 蓼属 *Polygonum*

杠板归 *Polygonum perfoliatum* L.

| **药 材 名** | 杠板归、杠板归根。

| **形态特征** | 一年生草本。茎攀缘，多分枝，长 1 ~ 2 m，具纵棱，沿棱具稀疏
的倒生皮刺。叶三角形，长 3 ~ 7 cm，宽 2 ~ 5 cm，先端钝或微尖，
基部截形或微心形，薄纸质，上面无毛，下面沿叶脉疏生皮刺；叶
柄与叶片近等长，具倒生皮刺，盾状着生于叶片近基部；托叶鞘叶
状，草质，绿色，圆形或近圆形，穿叶，直径 1.5 ~ 3 cm。总状花
序呈短穗状，不分枝，顶生或腋生，长 1 ~ 3 cm；苞片卵圆形，每
苞片内具花 2 ~ 4；花被 5 深裂，白色或淡红色，花被片椭圆形，
长约 3 mm，果时增大，肉质，深蓝色；雄蕊 8，略短于花被；花柱 3，
中上部合生，柱头头状。瘦果球形，直径 3 ~ 4 mm，黑色，有光泽，

包于宿存花被内。花期 6 ~ 8 月，果期 7 ~ 10 月。

| **生境分布** | 生于海拔 80 ~ 2 100 m 的田边、路旁、山谷湿地。湖北有分布。

| **采收加工** | 杠板归：夏季开花时采割，晒干。
杠板归根：夏季采挖，除净泥土，鲜用或晒干。

| **功能主治** | 杠板归：清热解毒，利水消肿，止咳。用于咽喉肿痛，肺热咳嗽，小儿顿咳，水肿尿少，湿热泻痢，湿疹，疖肿，蛇虫咬伤。
杠板归根：解毒消肿。用于对口疮，痔疮，肛瘘。

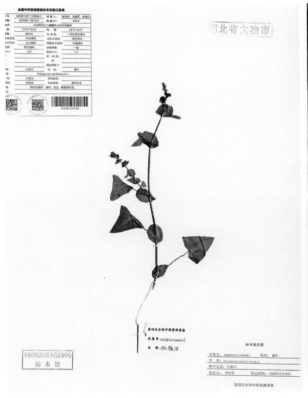

蓼科 Polygonaceae 蓼属 Polygonum

春蓼 *Polygonum persicaria* L.

| 药 材 名 | 马蓼。

| 形态特征 | 一年生草本。茎直立或上升，疏生柔毛或近无毛，高 40 ~ 80 cm。叶披针形或椭圆形，长 4 ~ 15 cm，宽 1 ~ 2.5 cm，先端渐尖或急尖，基部狭楔形，两面疏生短硬伏毛，下面中脉上毛较密，上面近中部有时具黑褐色斑点，边缘具粗缘毛；叶柄长 5 ~ 8 mm，被硬伏毛；托叶鞘筒状，膜质，长 1 ~ 2 cm，疏生柔毛，先端截形，缘毛长 1 ~ 3 mm。总状花序呈穗状，顶生或腋生，较紧密，长 2 ~ 6 cm，数个再集成圆锥状，花序梗具腺毛或无毛；苞片漏斗状，紫红色，具缘毛，每苞内含 5 ~ 7 花；花梗长 2.5 ~ 3 mm；花被通常 5 深裂，紫红色，花被片长圆形，长 2.5 ~ 3 mm，脉明显；雄蕊 6 ~ 7；花

柱 2，偶 3，中下部合生。瘦果近圆形或卵形，双凸透镜状，稀具 3 棱，长 2 ～ 2.5 mm，黑褐色，平滑，有光泽，包于宿存花被内。花期 6 ～ 9 月，果期 7 ～ 10 月。

| 生境分布 | 生于海拔 80 ～ 1 800 m 的沟边湿地。湖北有分布。

| 采收加工 | **全草**：6 ～ 9 月花期采收，晒干。

| 功能主治 | 发汗除湿，消食，杀虫。用于风寒感冒，风寒湿痹，伤食泄泻，肠道寄生虫病。

蓼科 Polygonaceae 蓼属 Polygonum

习见蓼 *Polygonum plebeium* R. Br.

| 药 材 名 |　小萹蓄。

| 形态特征 |　一年生草本。茎平卧，自基部分枝，长 10 ~ 40 cm，具纵棱，沿棱具小突起，通常小枝的节间比叶片短。叶狭椭圆形或倒披针形，长 0.5 ~ 1.5 cm，宽 2 ~ 4 mm，先端钝或急尖，基部狭楔形，两面无毛，侧脉不明显；叶柄极短或近无柄；托叶鞘膜质，白色，透明，长 2.5 ~ 3 mm，先端撕裂。花 3 ~ 6，簇生于叶腋，遍布于全株；苞片膜质；花梗中部具关节，比苞片短；花被 5 深裂，花被片长椭圆形，绿色，背部稍隆起，边缘白色或淡红色，长 1 ~ 1.5 mm；雄蕊 5，花丝基部稍扩展，比花被短；花柱 3，稀 2，极短，柱头头状。瘦果宽卵形，具 3 锐棱或呈双凸透镜状，长 1.5 ~ 2 mm，黑褐色，

平滑，有光泽，包于宿存花被内。花期 5 ~ 8 月，果期 6 ~ 9 月。

| **生境分布** | 生于海拔 30 ~ 2 100 m 的田边、路旁、水边湿地。湖北有分布。

| **采收加工** | **全草**：开花时采收，晒干或鲜用。

| **功能主治** | 利尿通淋，清热解毒，化湿杀虫。用于热淋，石淋，黄疸，痢疾，恶疮疥癣，外阴湿痒，蛔虫病。

丛枝蓼

Polygonum posumbu Buch.-Ham. ex D. Don

| 药 材 名 |

丛枝蓼。

| 形态特征 |

一年生草本。茎细弱，无毛，具纵棱，高
30 ~ 70 cm，下部多分枝，外倾。叶卵状披
针形或卵形，长 3 ~ 6（~ 8）cm，宽 1 ~ 2
（~ 3）cm，先端尾状渐尖，基部宽楔形，
纸质，两面疏生硬伏毛或近无毛，下面中脉
稍凸出，边缘具缘毛；叶柄长 5 ~ 7 mm，
具硬伏毛；托叶鞘筒状，薄膜质，长
4 ~ 6 mm，具硬伏毛，先端截形，缘毛粗壮，
长 7 ~ 8 mm。总状花序呈穗状，顶生或腋生，
细弱，下部间断，花稀疏，长 5 ~ 10 cm；
苞片漏斗状，无毛，淡绿色，边缘具缘毛，
每苞片内含 3 ~ 4 花；花梗短；花被 5 深裂，
淡红色，花被片椭圆形，长 2 ~ 2.5 mm；
雄蕊 8，比花被短；花柱 3，下部合生，柱
头头状。瘦果卵形，具 3 棱，长 2 ~ 2.5 mm，
黑褐色，有光泽，包于宿存花被内。花期 6 ~ 9
月，果期 7 ~ 10 月。

| 生境分布 |

生于海拔 150 ~ 2 100 m 的山坡林下、山谷
水边。湖北有分布。

| **采收加工** | **全草：**花期采收，鲜用或晒干。 |

| **功能主治** | 清热燥湿，健脾消疳，活血调经，解毒消肿。用于泄泻，痢疾，疳积，月经不调，湿疹，足癣，毒蛇咬伤。 |

蓼科 Polygonaceae 蓼属 Polygonum

疏蓼
Polygonum praetermissum Hook. f.

| **药 材 名** | 疏忽蓼。

| **形态特征** | 一年生草本。茎下部仰卧，节部生根上部近直立或上升，分枝，具
稀疏的倒生皮刺。叶披针形或狭长圆形，先端钝或近急尖，基部

箭形，裂片长圆形，先端尖，两面无毛或疏生短柔毛，下面沿中脉具短皮刺，具缘毛；叶柄短，具皮刺，最上部的叶近无柄；托叶鞘 筒状，膜质，无毛或沿纵脉生短刺毛，先端偏斜，通常具短缘毛，基部具倒生皮刺。花序穗状，花排列稀疏，下部间断，花序梗二叉 分枝，具腺毛；苞片漏斗状，包围花序轴，每苞内具 2 ~ 4 花；花梗无毛，比苞片长；花被 4 深裂，淡红色，花被片宽椭圆形；雄蕊 4 ~ 5，比花被短；花柱 3，中下部合生。瘦果近球形，先端微具 3 棱，黑褐色，无光泽，包于宿存花被内。

| **生境分布** | 生于海拔 140 ~ 1 800 m 的沟边湿地、河边。湖北有分布。

| **采收加工** | **全草**：8 ~ 9 月花期采收，鲜用或晒干。

| **功能主治** | 清热解毒，杀虫止痢。

蓼科 Polygonaceae 蓼属 *Polygonum*

伏毛蓼 *Polygonum pubescens* Blume

| 药 材 名 | 伏毛蓼、伏毛蓼根。

| 形态特征 | 一年生草本。茎直立，高 60 ~ 90 cm，疏生短硬伏毛，多分枝，节部膨大。叶卵状披针形或宽披针形，长 5 ~ 10 cm，宽 1 ~ 2.5 cm，先端渐尖或急尖，基部宽楔形，中部具黑褐色斑点，两面密被短硬伏毛，边缘具缘毛，无辛辣味；叶柄稍粗壮，长 4 ~ 7 mm，密生硬伏毛；托叶鞘筒状，膜质，长 1 ~ 1.5 cm，具硬伏毛，先端截形，具粗壮的长缘毛。总状花序呈穗状，顶生或腋生，花稀疏，长 7 ~ 15 cm，上部下垂，下部间断；苞片漏斗状，边缘近膜质，具缘毛，每苞内具 3 ~ 4 花；花梗细弱，比苞片长；花被 5 深裂，绿色，上部红色，密生淡紫色透明腺点，花被片椭圆形，长 3 ~ 4 mm；雄

蕊 8，比花被短；花柱 3，中下部合生。瘦果卵形，具 3 棱，黑色，密生小凹点，长 2.5 ～ 3 mm，包于宿存花被内。花期 8 ～ 9 月，果期 8 ～ 10 月。

| **生境分布** | 生于海拔 50 ～ 1 000 m 的沟边、水旁、田边湿地。湖北有分布。

| **功能主治** | **伏毛蓼**：清热解毒，祛风利湿，消滞，散瘀，止痛，止血，杀虫。用于食滞，痢疾，泄泻，肠炎，胃痛，疟疾，崩漏，乳蛾，风湿关节痛，跌打肿痛；外用于皮肤瘙痒。

伏毛蓼根：用于痢疾。

蓼科 Polygonaceae 蓼属 Polygonum

赤胫散

Polygonum runcinatum Buch.-Ham. ex D. Don var. *sinense* Hemsl.

| 药 材 名 | 赤胫散。

| 形态特征 | 本变种与羽叶蓼的主要区别是：本变种头状花序较小，直径
5 ~ 7 mm，数个再集成圆锥状；叶基部通常具 1 对裂片，两面无毛
或疏生短糙伏毛。

| **生境分布** | 生于海拔 800 ～ 2 100 m 的山坡草地、山谷灌丛。湖北有分布。 |

| **采收加工** | **全草**：夏、秋季采收，扎把，晒干或鲜用。 |

| **功能主治** | 清热解毒，活血舒筋。用于痢疾，泄泻，赤白带下，经闭，痛经，乳痈，疮疖，无名肿毒，毒蛇咬伤，跌打损伤，劳伤腰痛。 |

蓼科 Polygonaceae 蓼属 Polygonum

刺蓼

Polygonum senticosum (Meisn.) Franch. et Sav.

| 药 材 名 | 廊茵。

| 形态特征 | 茎攀缘，长 1 ～ 1.5 m，多分枝，被短柔毛，四棱形，沿棱具倒生皮刺。叶片三角形或长三角形，长 4 ～ 8 cm，宽 2 ～ 7 cm，先端急尖或渐尖，基部戟形，两面被短柔毛，下面沿叶脉具稀疏的倒生皮刺，边缘具缘毛；叶柄粗壮，长 2 ～ 7 cm，具倒生皮刺；托叶鞘筒状，边缘具叶状翅，翅肾圆形，草质，绿色，具短缘毛。花序头状，顶生或腋生，花序梗分枝，密被短腺毛；苞片长卵形，淡绿色，边缘膜质，具短缘毛，每苞内具花 2 ～ 3；花梗粗壮，比苞片短；花被 5 深裂，淡红色，花被片椭圆形，长 3 ～ 4 mm；雄蕊 8，2 轮，比花被短；花柱 3，中下部合生，柱头头状。瘦果近球形，微具 3 棱，黑褐色，

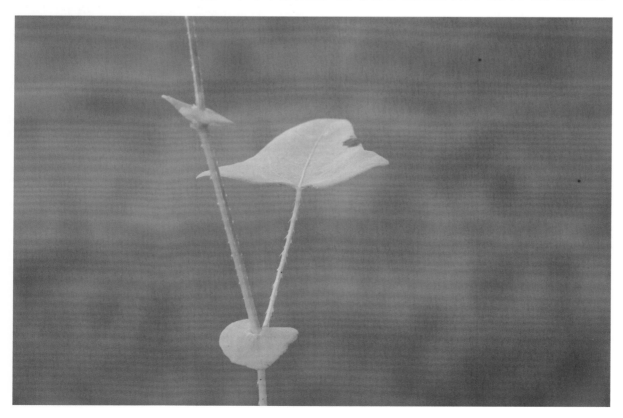

无光泽，长 2.5 ~ 3 mm，包于宿存花被内。花期 6 ~ 7 月，果期 7 ~ 9 月。

| **生境分布** | 生于海拔 120 ~ 1 500 m 的山坡、山谷及林下。湖北有分布。

| **采收加工** | **全草：**夏、秋季采收，洗净，鲜用或晒干。

| **功能主治** | 清热解毒，利湿止痒，散瘀消肿。用于痈疮疔疖，毒蛇咬伤，湿疹，黄水疮，带状疱疹，跌打损伤，痔疮。

箭叶蓼

Polygonum sieboldii Meisn.

| 药 材 名 | 雀翘。

| 形态特征 | 一年生草本。茎基部外倾，上部近直立，有分枝，无毛，四棱形，沿棱具倒生皮刺。叶宽披针形或长圆形，长 2.5 ~ 8 cm，宽 1 ~ 2.5 cm，先端急尖，基部箭形，上面绿色，下面淡绿色，两面无毛，下面沿中脉具倒生短皮刺，全缘，无缘毛；叶柄长 1 ~ 2 cm，具倒生皮刺；托叶鞘膜质，偏斜，无缘毛，长 0.5 ~ 1.3 cm。花序头状，通常成对，顶生或腋生，花序梗细长，疏生短皮刺；苞片椭圆形，先端急尖，背部绿色，边缘膜质，每苞内具 2 ~ 3 花；花梗短，长 1 ~ 1.5 mm，比苞片短；花被 5 深裂，白色或淡紫红色，花被片长圆形，长约 3 mm；雄蕊 8，比花被短；花柱 3，中下部合生。瘦果宽卵形，具 3 棱，

黑色，无光泽，长约 2.5 mm，包于宿存花被内。花期 6 ～ 9 月，果期 8 ～ 10 月。

| **生境分布** | 生于海拔 90 ～ 2 100 m 的山谷、沟旁、水边。湖北有分布。

| **采收加工** | **全草**：夏、秋季采收，扎成束，鲜用或阴干。

| **功能主治** | 祛风除湿，清热解毒。用于风湿关节痛，疮痈疖肿，泄泻，痢疾，毒蛇咬伤。

支柱蓼
Polygonum suffultum Maxim.

| 药 材 名 | 红三七。

| 形态特征 | 多年生草本。根茎粗壮，呈念珠状，黑褐色。茎直立或斜上，细弱，通常数条自根茎发出，高 10 ~ 40 cm。基生叶卵形或长卵形，长5 ~ 12 cm，宽 3 ~ 6 cm，先端渐尖或急尖，基部心形，全缘，疏生短缘毛，两面无毛或疏生短柔毛，叶柄长 4 ~ 15 cm；茎生叶卵形，具短柄，最上部的叶无柄，抱茎；托叶鞘褐色，筒状，长 2 ~ 4 cm，先端偏斜，开裂，无缘毛。总状花序呈穗状，顶生或腋生，长 1 ~ 2 cm；苞片膜质，长卵形，先端渐尖，长约 3 mm，每苞内具 2 ~ 4花；花梗细弱，长 2 ~ 2.5 mm，比苞片短；花被 5 深裂，白色或淡红色，花被片倒卵形或椭圆形，长 3 ~ 3.5 mm；雄蕊 8，比花被

长；花柱 3，基部合生，柱头头状。瘦果宽椭圆形，具 3 锐棱，长 3.5 ～ 4 mm，黄褐色，有光泽，稍长于宿存花被。花期 6 ～ 7 月，果期 7 ～ 10 月。

| **生境分布** | 生于海拔 1 300 ～ 2 100 m 的山坡路旁、林下湿地及沟边。湖北有分布。

| **采收加工** | **根茎：**秋季采挖，除去须根及杂质，洗净，晾干。

| **功能主治** | 止血止痛，活血调经，除湿清热。用于跌打伤痛，外伤出血，吐血，便血，崩漏，月经不调，赤白带下，湿热下痢，痈疮。

蓼科 Polygonaceae 蓼属 Polygonum

细叶蓼
Polygonum taqueti H. Lév.

| 药 材 名 | 细叶蓼。

| 形态特征 | 多年生草本。茎直立，具多数分枝，稀有少量分枝，通常无毛。托叶鞘膜质，微透明，通常无毛；叶狭线形至长圆状线形，边缘常反折，稀扁平，通常无毛，稀具疏长毛，营养枝上部的叶常密生。圆锥花序无叶或下部具叶，疏散，由多数腋生和顶生的花穗组成；苞片膜质，无毛，具 1 ~ 3 花；小花梗无毛，末端具关节；花被白色或乳白色。小坚果褐色，通常不超出花被。

| 生境分布 | 生于海拔 50 ~ 350 m 的山谷湿地、沟边、水边。湖北有分布。

| **采收加工** | **全草**：夏季采收，鲜用或晒干。

| **功能主治** | 散瘀止痛。用于血瘀痹痛，跌扑伤痛。

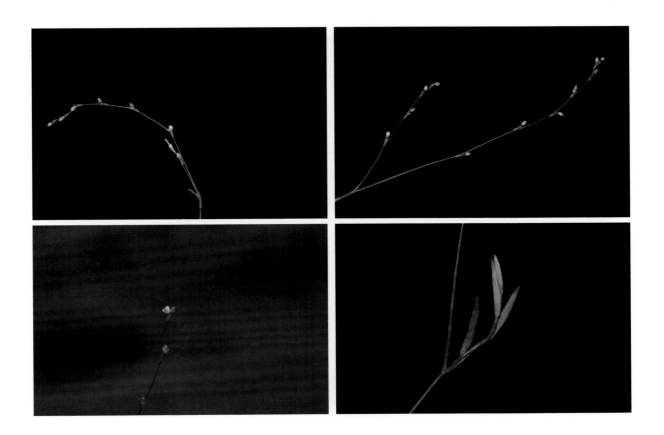

蓼科 Polygonaceae 蓼属 *Polygonum*

戟叶蓼
Polygonum thunbergii Sieb. et Zucc.

| 药 材 名 | 水麻芍。

| 形态特征 | 一年生草本。茎直立或上升，具纵棱，沿棱具倒生皮刺，基部外倾，节部生根，高 30 ~ 90 cm。叶戟形，长 4 ~ 8 cm，宽 2 ~ 4 cm，先端渐尖，基部截形或近心形，两面疏生刺毛，极少具稀疏的星状毛，边缘具短缘毛，中部裂片卵形或宽卵形，侧生裂片较小，卵形；叶柄长 2 ~ 5 cm，具倒生皮刺，通常具狭翅；托叶鞘膜质，边缘具叶状翅，翅近全缘，具粗缘毛。花序头状，顶生或腋生，分枝，花序梗具腺毛及短柔毛；苞片披针形，先端渐尖，具缘毛，每苞内具 2 ~ 3 花；花梗无毛，比苞片短；花被 5 深裂，淡红色或白色，花被片椭圆形，长 3 ~ 4 mm；雄蕊 8，2 轮，比花被短；花柱 3，中下部合生，

柱头头状。瘦果宽卵形，具 3 棱，黄褐色，无光泽，长 3 ~ 3.5 mm，包于宿存花被内。花期 7 ~ 9 月，果期 8 ~ 10 月。

| **生境分布** | 生于海拔 90 ~ 1 850 m 的山谷湿地、山坡草丛。湖北有分布。

| **采收加工** | **全草**：夏季采收，鲜用或晒干。

| **功能主治** | 祛风清热，活血止痛。用于风热头痛，咳嗽，麻疹，痢疾，跌打伤痛，干血痨。

蓼科 Polygonaceae 蓼属 *Polygonum*

香蓼

Polygonum viscosum Buch.-Ham. ex D. Don

| 药 材 名 | 香蓼。

| 形态特征 | 一年生草本，植株具香味。茎直立或上升，多分枝，密被长糙硬毛及腺毛，高 50 ~ 90 cm。叶卵状披针形或椭圆状披针形，长 5 ~ 15 cm，宽 2 ~ 4 cm，先端渐尖或急尖，基部楔形，沿叶柄下延，两面被糙硬毛，叶脉上毛较密，全缘，密生短缘毛；托叶鞘膜质，筒状，长 1 ~ 1.2 cm，密生短腺毛及长糙硬毛，先端截形，具长缘毛。总状花序呈穗状，顶生或腋生，长 2 ~ 4 cm，通常数个再组成圆锥状，花序梗密被开展的长糙硬毛及腺毛；苞片漏斗状，具长糙硬毛及腺毛，边缘疏生长缘毛，每苞内具 3 ~ 5 花；花梗比苞片长；花被 5 深裂，淡红色，花被片椭圆形，长约 3 mm；雄蕊 8，比花被

短；花柱 3，中下部合生。瘦果宽卵形，具 3 棱，黑褐色，有光泽，长约 2.5 mm，包于宿存花被内。花期 7 ~ 9 月，果期 8 ~ 10 月。

| **生境分布** | 生于海拔 30 ~ 1 900 m 的路旁湿地、沟边草丛。湖北有分布。

| **采收加工** | **茎、叶**：花期采收，扎成束，晾干。

| **功能主治** | 理气除湿，健胃消食。用于胃气痛，消化不良，疳积，风湿关节痛。

蓼科 Polygonaceae 蓼属 Polygonum

珠芽蓼 *Polygonum viviparum* L.

| 药 材 名 | 珠芽蓼。

| 形态特征 | 多年生草本。根茎粗壮，弯曲，黑褐色，直径 1 ～ 2 cm。茎直立，高 15 ～ 60 cm，不分枝，通常 2 ～ 4 自根茎发出。基生叶长圆形或卵状披针形，长 3 ～ 10 cm，宽 0.5 ～ 3 cm，先端尖或渐尖，基部圆形、近心形或楔形，两面无毛，边缘脉端增厚。外卷，具长叶柄；茎生叶较小，披针形，近无柄；托叶鞘筒状，膜质，下部绿色，上部褐色，偏斜，开裂，无缘毛。总状花序呈穗状，顶生，紧密，下部生珠芽；苞片卵形，膜质，每苞内具 1 ～ 2 花；花梗细弱；花被 5 深裂，白色或淡红色，花被片椭圆形，长 2 ～ 3 mm；雄蕊 8，花丝不等长；花柱 3，下部合生，柱头头状。瘦果卵形，具 3 棱，深褐色，有光泽，

长约 2 mm，包于宿存花被内。花期 5 ~ 7 月，果期 7 ~ 9 月。

| **生境分布** | 生于海拔 1 200 ~ 2 500 m 的高山草原阴湿地或沟溪边。湖北有分布。

| **采收加工** | **根茎：** 秋季采挖，除去茎叶、细根、泥沙，晒干。

| **功能主治** | 止泻，健胃，调经。用于胃病，消化不良，腹泻，月经不调、崩漏等。

蓼科 Polygonaceae 翼蓼属 Pteroxygonum

翼蓼

Pteroxygonum giraldii Dammer & Diels

| 药 材 名 |　翼蓼。

| 形态特征 |　多年生草本。块根粗壮，近圆形，直径可达 15 cm，横断面暗红色。茎攀缘，圆柱形，中空，具细纵棱，无毛或被疏柔毛，长可达 3 m。叶 2 ～ 4 簇生，叶片三角状卵形或三角形，长 4 ～ 7 cm，宽 3 ～ 6 cm，顶端渐尖，基部宽心形或戟形，基出脉 5 ～ 7，上面无毛，下面沿叶脉疏生短柔毛，具短缘毛；叶柄长 3 ～ 7 cm，无毛，通常基部卷曲；托叶鞘膜质，宽卵形，先端急尖，基部被短柔毛，长 4 ～ 6 mm。花序总状，腋生，直立，长 2 ～ 5 cm，花序梗粗壮，果时长可达 10 cm；苞片狭卵状披针形，淡绿色，长 4 ～ 6 mm，通常每苞内具 3 花；花梗无毛，中下部具关节，长 5 ～ 8 mm；花被 5 深裂，白色，

花被片椭圆形，长 3.5 ～ 4 mm；雄蕊 8，与花被近等长；花柱 3，中下部合生，柱头头状。瘦果卵形，黑色，具 3 锐棱，沿棱具黄褐色膜质翅，基部具 3 黑色角状附属物。果柄粗壮，长可达 2.5 cm，具 3 下延的狭翅。花期 6 ～ 8 月，果期 7 ～ 9 月。

| 生境分布 | 生于高山密林或山坡灌丛中。湖北有分布。

| 资源情况 | 野生资源一般，栽培资源一般。

| 采收加工 | **块根**：秋季采挖，去掉茎叶及须根，洗净泥土，切片，晒干。

| 功能主治 | 清热解毒，凉血止血，除湿止痛。用于咽喉肿痛，疮疖肿毒，烧伤，吐血，衄血，便血，崩漏，痢疾，泄泻，风湿痹痛。

蓼科 Polygonaceae 虎杖属 Reynoutria

虎杖 *Reynoutria japonica* Houtt.

药材名

虎杖、虎杖叶。

形态特征

多年生草本。地下根茎粗壮，横走，木质化，表面棕褐色至黑色，内部黄红色。茎直立，高 50 ~ 200 cm，有分枝，中空，节明显，有纵棱，表面散生红色或紫色斑点，无毛。单叶，叶宽卵形或卵状椭圆形，长 5 ~ 12 cm，宽 4 ~ 9 cm，先端渐尖，全缘，基部圆形或宽楔形，无毛；托叶鞘膜质，褐色，筒状，早落。花单性，雌雄异株；圆锥花序腋生，花序长 3 ~ 8 cm；苞片漏斗状，长 1.5 ~ 2 mm，无毛，每苞含 2 ~ 4 花；花梗长 2 ~ 4 mm；雄花花被片具绿色中脉，无翅，雄蕊 8，比花被长；雌花花被淡绿色，5 深裂，2 轮，外轮 3 花被片背部具翅，果时增大，花柱 3，柱头流苏状。瘦果卵形，具 3 棱，黑褐色，有光泽，包于宿存花被内。花期 8 ~ 9 月，果期 9 ~ 10 月。

生境分布

生于海拔 140 ~ 2 000 m 的山坡灌丛、山谷、路旁、田边湿地。栽培于土层深厚、水资源丰富、质地疏松的土壤中。湖北有分布。

| 采收加工 | 虎杖：春、秋季采挖，除去须根，洗净，趁鲜切短段或厚片，晒干。
虎杖叶：春、夏、秋季均可采收，洗净，鲜用或晒干。

| 功能主治 | 虎杖：利湿退黄，清热解毒，散瘀止痛，止咳化痰。用于湿热黄疸，淋浊，带下，风湿痹痛，痈肿疮毒，烫火伤，经闭，癥瘕，跌打损伤，肺热咳嗽。
虎杖叶：祛风湿，解热毒。用于风湿关节疼痛，蛇咬伤，漆疮。

蓼科 Polygonaceae 大黄属 Rheum

药用大黄
Rheum officinale Baill.

| 药 材 名 | 大黄。

| 形 态 特 征 | 高大草本，高 1.5 ~ 2 m。根及根茎粗壮，内部黄色。茎粗壮，基部直径 2 ~ 4 cm，中空，具细沟棱，被白色短毛，上部及节部较密。基生叶大型；叶片近圆形，稀极宽卵圆形，直径 30 ~ 50 cm，长稍大于宽，先端近急尖形，基部近心形，掌状浅裂，裂片大齿状三角形；基出脉 5 ~ 7，叶上面光滑无毛，偶在脉上有疏短毛，下面具淡棕色短毛；叶柄粗圆柱状，与叶片等长或稍短，具棱线，被短毛；茎生叶向上逐渐变小，上部叶腋具花序分枝；托叶鞘宽大，长可达 15 cm，初时抱茎，后开裂，内面光滑无毛，外面密被短毛。大型圆锥花序，分枝开展；花 4 ~ 10 成簇互生，绿色至黄白色；花梗细长，长 3 ~ 3.5 mm，关节在中下部；花被片 6，内外轮近等大，椭圆形

或窄椭圆形，长 2 ～ 2.5 mm，宽 1.2 ～ 1.5 mm，边缘稍不整齐；雄蕊 9，不外露，花盘薄，瓣状；子房卵形或卵圆形，花柱反曲，柱头圆头状。果实长圆状椭圆形，长 8 ～ 10 mm，宽 7 ～ 9 mm，先端圆，中央微下凹，基部浅心形，翅宽约 3 mm，纵脉靠近翅的边缘。种子宽卵形。花期 5 ～ 6 月，果期 8 ～ 9 月。

| **生境分布** | 生于海拔 1 200 ～ 3 100 m 的山沟或林下。湖北有分布。

| **资源情况** | 野生资源较丰富，栽培资源较丰富。

| **采收加工** | **根茎：**大黄移栽后，一般于第 3 ～ 4 年 7 月种子成熟后采挖，采挖时先把地上部分割去，挖开四周泥土，把根从根茎上割下，洗净泥沙，晒干，刮去粗皮，横切成 7 ～ 10 cm 厚的大块，炕干或晒干。

| **功能主治** | 攻积滞，清湿热，泻火，凉血，祛瘀，解毒。用于便秘，热结胸痞，湿热泻痢，黄疸，淋病，水肿腹满，小便不利，目赤，咽喉肿痛，口舌生疮，胃热呕吐，吐血，咯血，衄血，便血，尿血，闭经，产后瘀滞腹痛，癥瘕积聚，跌打损伤，热毒痈疡，丹毒，烫伤。

| **附　　注** | 煎液可作灌肠剂。

蓼科 Polygonaceae 大黄属 Rheum

掌叶大黄 *Rheum palmatum* L.

| 药 材 名 |　大黄。

| 形态特征 |　高大粗壮草本，高 1.5 ～ 2 m。根及根茎粗壮，木质。茎直立中空。

叶片长宽近相等，长 40 ~ 60 cm，有时长稍大于宽，先端窄渐尖或窄急尖，基部近心形，通常成掌状半 5 裂，每一大裂片又分为近羽状的窄三角形小裂片，基出脉多为 5，叶上面粗糙且具乳突状毛，下面及边缘密被短毛；叶柄粗壮，圆柱状，与叶片近等长，密被锈色乳突状毛；茎生叶向上渐小，柄亦渐短；托叶鞘大，长达 15 cm，内面光滑，外表粗糙。大型圆锥花序，分枝较聚拢，密被粗糙短毛；花小，通常为紫红色，有时黄白色；花梗长 2 ~ 2.5 mm，关节位于中部以下；花被片 6，外轮 3 较窄小，内轮 3 较大，宽椭圆形到近圆形，长 1 ~ 1.5 mm；雄蕊 9，不外露，花盘薄，与花丝基部连合；子房菱状宽卵形，花柱略反曲，柱头头状。果实矩圆状椭圆形至矩圆形，长 8 ~ 9 mm，宽 7 ~ 7.5 mm，两端均下凹，翅宽约 2.5 mm，纵脉靠近翅的边缘；种子宽卵形，棕黑色。花期 6 月，果期 8 月。

| **生境分布** | 生于海拔 1 500 ~ 3 100 m 的山坡或山谷湿地。湖北有分布。

| **资源情况** | 野生资源较丰富。

| **采收加工** | **根茎：**移栽后，一般于第 3 ~ 4 年 7 月种子成熟后采挖，先把地上部分割去，挖开四周泥土，把根从根茎上割下，将外皮刮去，大的开成对半，小的修成蛋形，自然阴干或用火熏干。

| **功能主治** | 同"药用大黄"。

蓼科 Polygonaceae 酸模属 Rumex

酸模
Rumex acetosa L.

| 药 材 名 | 酸模。

| 形态特征 | 多年生草本，高达 1 m。肉质须根，黄色。茎直立，通常不分枝，无毛或稍有毛，具纵沟纹，中空。单叶互生；叶片卵状长圆形，长 5 ~ 15 cm，宽 2 ~ 5 cm，先端钝或尖，基部箭形或近戟形，全缘，有时略呈波状，上面无毛，下面及叶缘常具乳头状突起；茎上部叶较窄小，披针形，具短柄或无柄，抱茎；基生叶有长柄，托叶鞘膜质，筒状，破裂。花单性，雌雄异株；花序顶生，狭圆锥状，稀分枝，花簇生；雄花花被片 6，椭圆形，排成 2 轮，内轮花被片长约 3 mm，外轮稍狭小；雄蕊 6，花丝甚短；雌花的外轮花被片反折向下紧贴花梗，内轮花被片直立，花后增大包被果实，直径约 5 mm，圆形，全缘，各有 1 不明显瘤状突起；子房三棱形，柱头 3，画笔状，

紫红色。瘦果三棱形，黑色，有光泽。花期 5 ~ 6 月，果期 7 ~ 8 月。

| **生境分布** | 生于路边、山坡及湿地。湖北有分布。

| **资源情况** | 野生资源较丰富，栽培资源较丰富。药材主要来源于栽培。

| **采收加工** | 根、叶：夏季采收，洗净，鲜用或晒干。

| **功能主治** | 根：凉血止血，泻热通便，利尿，杀虫。用于吐血，便血，月经过多，热痢，目赤，便秘，小便不通，淋浊，恶疮，疥癣，湿疹等。

叶：泻热通便，利尿，凉血止血，解毒。用于便秘，小便不利，内痔出血，疮疡，丹毒，疥癣，湿疹，烫伤。

蓼科 Polygonaceae 酸模属 *Rumex*

小酸模 *Rumex acetosella* L.

| **药材名** | 小酸模。

| **形态特征** | 多年生草本。根茎横走，木质化。茎数条自根茎发出，高 15 ~ 35 cm，直立或上升，细弱，具沟槽，通常自中上部分枝。茎下部叶戟形，中裂片披针形或线状披针形，长 2 ~ 4 cm，宽 3 ~ 6 mm，先端急尖，基部两侧的裂片伸展或向上弯曲，全缘，两面无毛；叶柄长 2 ~ 5 cm，茎上部叶较小；叶柄短或近无柄；托叶鞘膜质，白色，常破裂。花序圆锥状，顶生，疏松；花单性，雌雄异株；花梗长 2 ~ 2.5 mm，无关节；花簇具 2 ~ 7 花；雄花内花被片椭圆形，长约 1.5 mm，外花被片披针形，较小，雄蕊 6；雌花内花被片果时不增大或稍增大，卵形，长 1.5 ~ 1.8 mm，先端急尖，基部圆形，具网脉，无小瘤，外花被片披针形，长约 1 mm，果时不反折。瘦果

宽卵形，具3棱，长1～1.5 mm，黄褐色，有光泽。花期6～7月，果期7～8月。

| **生境分布** | 生于草甸草原及典型草原地带的沙地、丘陵坡地、砾石地和路旁。湖北有分布。

| **资源情况** | 野生资源一般，栽培资源一般。

| **采收加工** | **根：**秋季地上部分枯黄后采挖，鲜用或晒干。

| **功能主治** | 清热凉血，利尿通便，解毒杀虫。用于肠炎，痢疾，黄疸，便秘，尿路结石，目赤肿痛，疥癣疮疡。

蓼科 Polygonaceae 酸模属 Rumex

皱叶酸模 *Rumex crispus* L.

| 药 材 名 | 皱叶酸模。

| 形态特征 | 多年生草本，高 50 ~ 100 cm。根肥厚，黄色，有酸味。茎直立，通常不分枝，具浅槽。叶互生；托叶鞘膜质，管状，常破裂；叶片披针形或长圆状披针形，长 12 ~ 18 cm，宽 2 ~ 4.5 cm，先端短渐尖，基部渐狭，边缘有波状折皱，两面无毛。花多数聚生于叶腋或形成短的总状花序，合成一狭长的圆锥花序；花被片 6，2 轮，宿存；雄蕊 6；柱头 3，画笔状。瘦果三棱形，有锐棱，长 2 mm，褐色，有光泽。花期 6 ~ 8 月。

| 生境分布 | 生于沟边湿地、河岸及水塘旁。湖北有分布。

| 资源情况 | 野生资源较丰富。

| 采收加工 | 根：4～5月采挖，洗净，鲜用或晒干。

| 功能主治 | 清热解毒，凉血止血，通便杀虫。用于急、慢性肝炎，肠炎，痢疾，慢性支气管炎，吐血，衄血，便血，崩漏，热结便秘，痈疽肿毒，疥癣，白秃疮。

蓼科 Polygonaceae 酸模属 Rumex

齿果酸模 *Rumex dentatus* L.

| 药 材 名 |

齿果酸模。

| 形态特征 |

一年生草本。茎直立，高 30 ～ 70 cm，自基部分枝，枝斜上，具浅沟槽。茎下部叶长圆形或长椭圆形，长 4 ～ 12 cm，宽 1.5 ～ 3 cm，先端圆钝或急尖，基部圆形或近心形，边缘浅波状，茎生叶较小；叶柄长 1.5 ～ 5 cm。花序总状，顶生和腋生，具叶，由数个再组成圆锥状花序，长达 35 cm，多花，轮状排列，花轮间断；花梗中下部具关节；外花被片椭圆形，长约 2 mm，内花被片果时增大，三角状卵形，长 3.5 ～ 4 mm，宽 2 ～ 2.5 mm，先端急尖，基部近圆形，网纹明显，全部具小瘤，小瘤长 1.5 ～ 2 mm，边缘每侧具 2 ～ 4 刺状齿，齿长 1.5 ～ 2 mm。瘦果卵形，具 3 锐棱，长 2 ～ 2.5 mm，两端尖，黄褐色，有光泽。花期 5 ～ 6 月，果期 6 ～ 7 月。

| 生境分布 |

生于路边或水边。湖北有分布。

| **资源情况** | 野生资源一般。

| **采收加工** | 叶：4 ~ 5 月采收，鲜用或晒干。

| **功能主治** | 清热解毒，杀虫止痒。用于乳痈，疮疡肿毒，疥癣。

蓼科 Polygonaceae 酸模属 Rumex

羊蹄
Rumex japonicus Houtt.

| 药 材 名 | 羊蹄。

| 形 态 特 征 | 多年生草本，高 60 ~ 100 cm。根粗大，断面黄色。茎直立，通常不分枝。单叶互生，具柄；叶片长圆形至长圆状披针形，基生叶较大，长 16 ~ 22 cm，宽 4 ~ 9 cm，先端急尖，基部圆形至微心形，边缘微波状折皱。总状花序顶生，每节花簇略下垂；花两性；花被片 6，淡绿色，外轮 3 展开，内轮 3 成果被；果被广卵形，有明显的网纹，背面各具 1 卵形疣状突起，其表面有细网纹，边缘具不整齐的微齿；雄蕊 6，成 3 对；子房具棱，1 室，1 胚珠，花柱 3，柱头细裂。瘦果宽卵形，有 3 棱，先端尖，角棱锐利，长约 2 mm，黑褐色，光亮。花期 4 月，果期 5 月。

| 生境分布 | 生于山野、路旁或湿地。湖北有分布。湖北有栽培。

| 资源情况 | 野生资源一般，栽培资源一般。药材主要来源于栽培。

| 采收加工 | **根及根茎：** 栽种 2 年后，秋季叶变黄时采挖，洗净，鲜用或切片，晒干。

| 功能主治 | 清热通便，凉血止血，杀虫止痒。用于便秘，吐血，衄血，肠风便血，痔血，崩漏，疥癣，白秃疮，痈疮肿毒，跌打损伤。

蓼科 Polygonaceae 酸模属 Rumex

尼泊尔酸模 *Rumex nepalensis* Spreng.

| 药 材 名 | 羊蹄。

| 形态特征 | 多年生草本，高 60 ~ 100 cm。根粗大，断面黄色。茎直立，通常不分枝。单叶互生，具柄；叶片卵状长圆形，下部较宽，先端急尖或钝尖，基部心形或近圆形，两面的叶脉及叶缘均被白色短毛。总状花序顶生，每节花簇略下垂；花两性，花被片 6，淡绿色，外轮 3 展开，内轮 3 成果被；果被广卵形，有明显的网纹，背面各具 1 卵形疣状突起，其表面有细网纹，边缘具不整齐的微齿；雄蕊 6，成 3 对；子房具棱，1 室，1 胚珠，花柱 3，柱头细裂。瘦果宽卵形，有 3 棱，先端尖，角棱锐利，长约 2 mm，黑褐色，光亮；结果时增大的内花被边缘具 7 ~ 10 对针刺，针刺先端呈钩状弯曲。花期 5 ~ 6 月，果期 6 ~ 7 月。

| 生境分布 | 生于山野、路旁或湿地。湖北有分布。湖北有栽培。

| 资源情况 | 野生资源一般，栽培资源一般。药材主要来源于栽培。

| 采收加工 | **根及根茎：**栽种 2 年后，秋季地上叶变黄时采挖，洗净，鲜用或切片，晒干。

| 功能主治 | 清热通便，凉血止血，杀虫止痒。用于便秘，吐血，衄血，痔血，崩漏，痈疮肿毒，跌打损伤。

蓼科 Polygonaceae 酸模属 Rumex

钝叶酸模
Rumex obtusifolius L.

| 药 材 名 |

土大黄。

| 形态特征 |

多年生草本。根肥厚且大，黄色。茎粗壮直立，高约 1 m。根生叶大，有长柄；托叶膜质；叶片卵形或卵状长椭圆形；茎生叶互生，卵状披针形或卵状长椭圆形，上部茎生叶渐小，变为苞叶。圆锥花序，花小，紫绿色至绿色，两性，轮生而呈疏总状排列；花被片 6，淡绿色，2 轮，宿存，外轮 3 花被片披针形，内轮 3 花被片随果增大为果被，边缘有牙齿，背中肋上有瘤状突起；雄蕊 6；子房 1 室，具棱，花柱 3，柱头毛状。瘦果卵形，具 3 棱，茶褐色；种子 1。花果期 5 ~ 7 月。

| 生境分布 |

生于田边路旁、沟边湿地、草甸路边、耕地、山谷、山坡边。湖北有分布。

| 资源情况 |

野生资源较丰富，栽培资源较少。药材主要来源于野生。

| 采收加工 | 叶：春、夏季叶生长茂盛期采收，鲜用或晒干。
根：9 ~ 10 月采挖，除去泥土及杂质，洗净，切片，晾干或鲜用。

| 功能主治 | 清热解毒，凉血止血，祛痰消肿，通便，杀虫。用于肺痨咯血，肺痈，吐血，瘀滞腹痛，跌打损伤，大便秘结，痈疮肿毒，烫伤，疥癣，湿疹。

蓼科 Polygonaceae 酸模属 *Rumex*

巴天酸模 *Rumex patientia* L.

药材名

牛西西。

形态特征

多年生草本，高 1 ~ 1.5 m。根粗壮，黄褐色。茎直立粗壮，单一或分枝。基生叶具长柄，长椭圆形，基部圆形或心形，长 15 ~ 30 cm，全缘或波状；茎生叶较小，长圆状披针形，近无柄，托叶鞘膜质，管状。大型圆锥状花序顶生或腋生；花两性，多数簇状轮生；花梗中部以下具关节；花被片 6，淡绿色，成 2 层，宿存，内层 3 结果时增大，基部有瘤状突起；雄蕊 6；子房上位，花柱 3，柱头细裂。瘦果卵状三棱形，长 3 mm，褐色，包于花被内。花期 5 ~ 6 月，果期 8 ~ 9 月。

生境分布

生于低谷、路旁、草地或沟边。湖北有分布。

资源情况

野生资源较丰富，栽培资源丰富。药材主要来源于栽培。

| 采收加工 | 叶：在植物生长茂盛期采收，鲜用或晒干。
根：全年均可采挖，洗净，切片，鲜用或晒干。

| 功能主治 | 清热解毒，止血消肿，通便，杀虫。用于吐血，衄血，便血，崩漏，赤白带，紫癜，痢疾，肝炎，便秘，小便不利，痈疮肿毒，疥癣，跌打损伤，烫火伤。

蓼科 Polygonaceae 酸模属 Rumex

长刺酸模
Rumex trisetifer Stokes

| 药 材 名 | 长刺酸模。

| 形态特征 | 一年生草本。根粗壮，红褐色。茎直立，高 30 ~ 80 cm，褐色或红褐色，具沟槽，分枝开展。茎下部叶长圆形或披针状长圆形，长 8 ~ 20 cm，宽 2 ~ 5 cm，先端急尖，基部楔形，边缘波状，茎上部的叶较小，狭披针形；叶柄长 1 ~ 5 cm；托叶鞘膜质，早落。花序总状，顶生和腋生，具叶，再组成大型圆锥状花序；花两性，多花轮生，上部较紧密，下部稀疏，间断；花梗细长，近基部具关节；花被片 6，2 轮，黄绿色，外花被片披针形，较小内花被片果时增大，狭三角状卵形，长 3 ~ 4 mm，宽 1.5 ~ 2 mm（不包括针刺），先端狭窄，急尖，基部截形，全部具小瘤，边缘每侧具 1 针刺，针刺长 3 ~ 4 mm，直伸或微弯。瘦果椭圆形，具 3 锐棱，两端尖，长

1.5 ~ 2 mm，黄褐色，有光泽。花期 5 ~ 6 月，果期 6 ~ 7 月。

| 生境分布 | 生于田边路旁、沟边湿地、山坡草地、耕地、山谷或山坡边。湖北有分布。

| 资源情况 | 野生资源较丰富，栽培资源较少。药材主要来源于野生。

| 采收加工 | **全草或根**：全年均可采收，鲜用或晒干。

| 功能主治 | 凉血，解毒，杀虫。用于肺结核咯血，痔疮出血，痈疮肿毒，疥癣，皮肤瘙痒。

藜科 Chenopodiaceae 千针苋属 Acroglochin

千针苋 *Acroglochin persicarioides* (Poir.) Moq.

| **药 材 名** | 千针苋。

| **形态特征** | 一年生草本，高达 80 cm。茎无毛，稍分枝。叶互生；卵形或窄卵形，
长 3 ~ 7 cm，先端尖，基部楔形，具不整齐锯齿；具柄。复二歧聚

伞状花序，腋生，末端分枝针刺状。盖果，半球形，直径约 1.5 mm，顶面平或微凸，果皮革质，周边具稍不厚的环边开裂；种子横生，双凸镜形，直径约 1 mm；种皮壳质，黑色，有光泽；胚环形，具外胚乳。

| **生境分布** | 生于田边、路旁、河边及荒地等。分布于湖北房县、秭归、神农架，以及黄石等。

| **功能主治** | 清热凉血，透疹。

藜科 Chenopodiaceae 藜属 Chenopodium

藜
Chenopodium album L.

| 药 材 名 |

藜。

| 形态特征 |

一年生草本，高 30 ~ 150 cm。茎直立，粗壮，具条棱及绿色或紫红色色条，多分枝；枝条斜升或开展。叶片菱状卵形至宽披针形，长 3 ~ 6 cm，宽 2.5 ~ 5 cm，先端急尖或微钝，基部楔形至宽楔形，上面通常无粉，下面多少有粉，边缘具不整齐锯齿；叶柄与叶片近等长或为叶片长度的 1/2。花两性，花簇生于枝上部，排列成或大或小的穗状圆锥状或圆锥状花序；花被裂片 5，宽卵形至椭圆形，背面具纵隆脊，有粉，先端或微凹，边缘膜质；雄蕊 5，花药伸出花被，柱头 2。果皮与种子贴生；种子横生，双凸镜状，直径 1.2 ~ 1.5 mm，边缘钝，黑色，有光泽，表面具浅沟纹；胚环形。花果期 5 ~ 10 月。

| 生境分布 |

生于路旁、荒地及田间。分布于湖北竹溪、房县、丹江口、兴山、秭归、利川、建始、巴东、咸丰、鹤峰、神农架，以及宜昌、黄石。

| **功能主治** | 止泻痢，止痒。用于痢疾，腹泻。

| **附　　注** | 本种与野菊花煎汤外洗，用于皮肤湿毒及周身发痒。

藜科 Chenopodiaceae 藜属 Chenopodium

刺藜

Chenopodium aristatum L.

| 药 材 名 | 刺藜。

| 形态特征 | 一年生草本，植物体通常呈圆锥形，高 10 ~ 40 cm，无粉，秋后常带紫红色。茎直立，圆柱形或有棱，具色条，无毛或稍有毛，有多

数分枝。叶条形至狭披针形,长达 7 cm,宽约 1 cm,全缘,先端渐尖,基部收缩成短柄;中脉黄白色。复二歧聚伞花序生于枝端及叶腋,最末端的分枝针刺状;花两性,几无柄;花被裂片 5,狭椭圆形,先端钝或骤尖,背面稍肥厚,边缘膜质,果时开展。胞果顶基扁,底面稍凸,圆形;果皮透明,与种子贴生;种子横生,顶基扁,周边平截或具棱。花期 8 ~ 9 月,果期 10 月。

| 生境分布 | 生于田间、山坡、荒地等处。分布于湖北黄石及房县。

| 采收加工 | 夏、秋季采收,洗净,切段,晒干。

| 功能主治 | 祛风止痒。用于荨麻疹,皮肤瘙痒。

藜科 Chenopodiaceae 藜属 *Chenopodium*

杖藜
Chenopodium giganteum D. Don

| 药 材 名 | 杖藜。

| 形态特征 | 一年生大型草本，高可达 3 m，全株呈圆锥形。茎直立，粗壮，具
条棱及绿色和紫色条纹，上部多分枝。叶大形，具长柄；叶片菱形
至卵形，长可达 20 cm，宽可达 16 cm，先端通常钝，基部宽楔形，
边缘具不整齐的波状钝锯齿，表面深绿色，平滑，背面浅绿色，幼
时被紫红色粉粒，老后无粉，上部叶片渐小，卵形至卵状披针形，
有钝锯齿或全缘。大型圆锥花序顶生，果期通常下垂；花两性，在
花序中数个团集或单生；花被片 5，卵形，绿色或暗紫红色，边缘
膜质；雄蕊 5，果皮膜质。种子黑色或棕色，扁圆形，直径约 1.5 mm，
表面具网纹。花期 8 ~ 9 月，果期 9 ~ 10 月。

| 生境分布 | 生于田园或路旁。分布于湖北竹溪、利川，以及武汉、黄石。

| 功能主治 | 止泻止痢，止痒。用于痢疾，腹泻。

藜科 Chenopodiaceae 藜属 Chenopodium

灰绿藜 *Chenopodium glauca* L.

| **药 材 名** | 藜。

| **形态特征** | 一年生草本，株高 20 ~ 40 cm。叶片矩圆状卵形至披针形，长
2 ~ 4 cm，宽 6 ~ 20 mm，肥厚，先端急尖或钝，基部渐狭，边缘

具缺刻状牙齿，上面无粉，平滑，下面有粉而呈灰白色，有的稍带紫红色；中脉明显，黄绿色；叶柄长 5 ~ 10 mm。胞果先端露出于花被外，果皮膜质，黄白色；种子扁球形，直径 0.75 mm，横生、斜生及直立，暗褐色或红褐色，边缘钝，表面有细点纹。

| **生境分布** | 生于农田、菜园、村房、水边等有轻度盐碱的土壤中。湖北有分布。

| **功能主治** | 清热祛湿，解毒消肿，杀虫止痒。用于发热，咳嗽，痢疾，腹泻，腹痛，疝气，龋齿痛，湿疹，疥癣，白癜风，疮痈肿痛，毒虫咬伤。

藜科 Chenopodiaceae 藜属 Chenopodium

细穗藜 *Chenopodium gracilispicum* Kung

| 药 材 名 | 细穗藜。

| 形态特征 | 一年生草本，全株稍有粉粒。茎直立，圆柱形，有条棱及色条，上部有稀疏分枝。叶菱状卵形或卵形，长 3 ~ 5 cm，宽 2 ~ 4 cm，先端尖或短渐尖，基部宽楔形，上面鲜绿色，下面灰绿色，全缘或近基部两侧具浅裂片；叶柄细，长 0.5 ~ 2 cm。花被 5 深裂，裂片窄倒卵形或线形，背面中部稍肉质，具龙骨状突起；雄蕊 5。种子横生，双凸镜形，直径 1.1 ~ 1.5 mm，黑色，有光泽，具洼点状纹饰。

| **生境分布** | 生于山坡草地、林缘或河边。分布于湖北竹溪、房县、兴山、建始、鹤峰，以及荆门、黄石。 |

| **功能主治** | 用于皮肤过敏。 |

藜科 Chenopodiaceae 藜属 Chenopodium

小藜 *Chenopodium serotinum* L.

| 药 材 名 | 灰蓼、灰蓼子。

| 形态特征 | 一年生草本，全株被粉粒。茎直立，高达 50 cm，具条棱及色条。叶卵状长圆形，长 2.5 ~ 5 cm，宽 1 ~ 3.5 cm，常 3 浅裂，中裂片两边近平行，先端具短尖头，具深波状锯齿，中部以下具侧裂片，常各具 2 浅裂齿。花被近球形，5 深裂，裂片宽卵形，不开展，背面具纵脊；雄蕊 5，外伸；柱头 2，丝形。胞果包在花被内，果皮与种子贴生；种子双凸镜形，直径约 1 mm，黑色，有光泽，周边微钝，具六角形细洼状纹饰；胚环形。

| 生境分布 | 生于荒地、道旁、垃圾堆等。湖北有分布。

| 功能主治 | **灰藋：**疏风清热，解毒祛湿，杀虫。用于风热感冒，腹泻，痢疾，荨麻疹，疮疡肿毒，疥癣，湿疮，白癜风，虫咬伤。

灰藋子：杀虫。用于蛔虫病，绦虫病，蛲虫病。

藜科 Chenopodiaceae 地肤属 Kochia

地肤 *Kochia scoparia* (L.) Schrad.

| **药 材 名** | 地肤。

| **形态特征** | 一年生草本；植株被具节长柔毛。茎直立，高达 1 m，基部分枝。叶扁平，线状披针形或披针形，长 2 ~ 5 cm，宽 3 ~ 7 mm，先端短渐尖，基部渐窄成短柄，常具 3 主脉。花被近球形，5 深裂，裂片近角形，翅状附属物角形或倒卵形，边缘微波状或具缺刻；雄蕊 5，花丝丝状，花药长约 1 mm；柱头 2，丝状，花柱极短。胞果扁，果皮膜质，与种子贴伏；种子卵形或近圆形，直径 1.5 ~ 2 mm，稍有光泽。

| **生境分布** | 生于温暖、有阳光、干旱的土壤或碱性土壤。湖北有分布。

| **采收加工** | **全草：** 秋季果实成熟时采收，晒干。

| **功能主治** | 利小便，清湿热。用于小便不利，疝气，疮毒，淋病，风疹，疥癣等。

藜科 Chenopodiaceae 菠菜属 Spinacia

菠菜 Spinacia oleracea L.

| **药 材 名** | 菠菜。

| **形态特征** | 植物高可达 1 m，无粉。根圆锥状，带红色，较少为白色。茎直立，
中空，脆弱多汁，不分枝或有少数分枝。叶戟形至卵形，鲜绿色，
柔嫩多汁，稍有光泽，全缘或有少数牙齿状裂片。雄花集成球形团
伞花序，再于枝和茎的上部排列成有间断的穗状圆锥花序，花被片
通常 4，花丝丝形，扁平，花药不具附属物；雌花团集于叶腋，小
苞片两侧稍扁，先端残留 2 小齿，背面通常各具 1 棘状附属物，子
房球形，柱头 4 或 5，外伸。胞果卵形或近圆形，直径约 2.5 mm，
两侧扁，果皮褐色。

| **生境分布** | 栽培于农田、屋旁等光照充足、温暖湿润处。湖北有分布。

| 资源情况 | 栽培资源丰富。

| 功能主治 | **全草：**滋阴平肝，止咳，润肠。用于头痛，目眩，风火赤眼，消渴，便秘。
果实：祛风明目，通利关窍，利胃肠。
种子：通便。用于痔疮。

苋科 Amaranthaceae 牛膝属 Achyranthes

土牛膝 *Achyranthes aspera* L.

| 药 材 名 | 土牛膝。

| 形态特征 | 多年生草本，高达 1.2 m。茎四棱形，被柔毛，节部稍膨大，分枝对生。叶椭圆形或长圆形，长 1.5 ~ 7 cm，先端渐尖，基部楔形，全缘或波状，两面被柔毛或近无毛；叶柄长 0.5 ~ 1.5 cm，密被柔毛或近无毛。穗状花序顶生，直立，长 10 ~ 30 cm，花在花后反折；花序梗密被白色柔毛；苞片披针形，长 3 ~ 4 mm，小苞片 2，刺状，基部两侧具膜质裂片；花被片披针形，长 3.5 ~ 5 mm，花后硬化锐尖，具 1 脉；雄蕊长 2.5 ~ 3.5 mm，退化雄蕊先端平截，有流苏状长缘毛。胞果卵形，长 2.5 ~ 3 mm；种子卵形，长约 2 mm，褐色。

| 生境分布 | 生于海拔 800 ~ 2 300 m 的山坡疏林或村庄附近空旷处。分布于湖

北巴东、咸丰、神农架。

| **功能主治** | **根：** 清热解毒，利尿。用于感冒发热，扁桃体炎，白喉，流行性腮腺炎，尿路结石，肾炎性水肿。

苋科 Amaranthaceae 牛膝属 Achyranthes

牛膝 *Achyranthes bidentata* Bl.

| 药 材 名 | 牛膝。

| 形态特征 | 多年生草本。高 30 ~ 100 cm。根细长，直径 0.6 ~ 1 cm，外皮土黄色。茎直立，四棱形，具条纹，疏被柔毛，节略膨大，节上分枝对生。叶对生，叶柄长 5 ~ 20 mm；叶片椭圆形或椭圆状披针形，长 2 ~ 10 cm，宽 1 ~ 5 cm，先端长尖，基部楔形或广楔形，全缘，两面被柔毛。穗状花序腋生兼顶生，初时花序短，花紧密，其后伸长，连下部总花梗在内长 15 ~ 20 cm；花皆下折贴近花梗；苞片 1，膜质，宽卵形，上部突尖成粗刺状，另有 2 小苞片针状，先端略向外曲，基部两侧各具，1 卵状膜质小裂片；花被 5 绿色，直立，披针形，有光泽，长 3 ~ 5 mm，具 1 脉，边缘膜质；雄蕊 5，花丝细，基部

合生，花药卵形，2 室，退化雄蕊先端平或呈波状缺刻；子房长圆形，花柱线状，
柱头头状。胞果长圆形，光滑；种子 1，黄褐色。花期 7 ～ 9 月，果期 9 ～ 10 月。

| 生境分布 | 生于海拔 200 ～ 1 750 m 的山坡林下。分布于湖北嘉鱼、巴东、通山、来凤、利川、
咸丰、南漳等。

| 采收加工 | **根：** 冬季茎叶枯萎时采挖，除去须根及泥沙，捆成小把，晒至干瘪后，将先端
切齐，晒干。

| 功能主治 | 逐瘀通经，补肝肾，强筋骨，利尿通淋，引血下行。用于闭经，痛经，腰膝酸痛，
筋骨无力，淋证，水肿，头痛，眩晕，牙痛，口疮，吐血，衄血。

苋科 Amaranthaceae 牛膝属 Achyranthes

柳叶牛膝

Achyranthes longifolia Makino (Makino)

| 药 材 名 | 土牛膝。

| 形态特征 | 多年生草本，高达 1 m。茎疏被柔毛。叶长圆状披针形或宽披针形，长 10 ~ 18 cm，宽 2 ~ 3 cm，先端渐尖，基部楔形，全缘，两面疏被柔毛。叶柄长 0.2 ~ 1 cm，被柔毛。花序穗状，顶生及腋生，细长；花序梗被柔毛；苞片卵形；小苞片 2，针形，基部两侧具耳状膜质裂片；花被片 5，披针形，长约 3 mm；雄蕊 5，花丝基部合生，退化雄蕊方形，先端具不明显牙齿。胞果近椭圆形，长约 2.5 mm。

| 生境分布 | 生于山坡、沟边或路旁。分布于湖北利川、宣恩、来凤、鹤峰。

| 采收加工 | **根及根茎**：冬、春季或秋季采挖，除去茎叶及须根，洗净，晒干或用硫黄熏后晒干。

| **功能主治** | 活血散瘀，祛湿利尿，清热解毒。用于淋病，尿血，闭经，癥瘕，风湿关节痛，脚气，水肿，痢疾，疟疾，白喉，痈肿，跌打损伤。

苋科 Amaranthaceae 莲子草属 Alternanthera

喜旱莲子草
Alternanthera philoxeroides (Mart.) Griseb.

| 药 材 名 | 空心苋。

| 形态特征 | 多年生草本。茎匍匐，上部上升，长达 1.2 m，具分枝，幼茎及叶腋被白色或锈色柔毛，老时无毛。叶长圆形、长圆状倒卵形或倒卵状披针形，长 2.5 ~ 5 cm，先端尖或圆钝，具短尖，基部渐窄，全缘，两面无毛或上面被平伏毛，下面具颗粒状突起；叶柄长 0.3 ~ 1 cm。头状花序具花序梗，单生于叶腋；白色花被片长圆形；花丝基部连成杯状；子房倒卵形，具短柄。

| 生境分布 | 生于池沼或水沟内。分布于湖北麻城、宣恩，以及武汉、荆门、黄石。

| 采收加工 | **全草**：春、夏、秋季均可采收，洗净，鲜用或晒干。

| **功能主治** | 清热利水，凉血解毒。用于麻疹，流行性乙型脑炎，肺结核咯血，淋浊，带状疱疹，疔疖，蛇咬伤。

苋科 Amaranthaceae 莲子草属 Alternanthera

莲子草
Alternanthera sessilis (L.) DC.

| 药 材 名 | 莲子草。

| 形态特征 | 多年生草本，高达 45 cm。叶条状披针形、长圆形、倒卵形或卵状长圆形，长 1 ~ 8 cm，先端尖或圆钝，基部渐窄，全缘或具不明显锯齿，两面无毛或疏被柔毛；叶柄长 1 ~ 4 mm。头状花序 1 ~ 4，腋生；无花序梗；果序圆柱形，直径 3 ~ 6 mm；花序轴密被白色柔毛；苞片卵状披针形，长约 1 mm；花被片卵形，长 2 ~ 3 mm，无毛，具 1 脉；雄蕊 3，花丝长约 0.7 mm，基部连成杯状，花药长圆形，退化雄蕊三角状钻形；花柱极短。胞果倒心形，长 2 ~ 2.5 mm，侧扁，深褐色，包于宿存花被片内；种子卵球形。

| 生境分布 | 生于村庄附近的草坡、水沟、田边或沼泽潮湿处。湖北有分布。

| 功能主治 | 散瘀消毒，清火退热。用于牙痛，痢疾，肠风下血。

苋科 Amaranthaceae 苋属 Amaranthus

尾穗苋
Amaranthus caudatus L.

| 药 材 名 | 老枪谷根。

| 形态特征 | 一年生草本。植株粗壮，幼时被柔毛，后渐脱落。叶菱状卵形或菱状披针形，长 4 ~ 15 cm，先端短渐尖或圆钝，具凸尖，基部宽楔形，全缘，绿色或红色，仅叶脉稍被柔毛，余无毛；叶柄长 1 ~ 15 cm，疏被柔毛。穗状圆锥花序顶生，下垂，分枝多数，中央花穗尾状；雌花和雄花密集成簇；苞片披针形，透明，先端尾尖，疏生齿，具中脉；花被片长 2 ~ 2.5 mm，红色，先端凸尖，具中脉，雄花花被片长圆形，雌花花被片长圆状披针形；雄蕊稍突出；柱头 3，长不及 1 mm。胞果近球形，直径 3 mm，露出花被片；种子近球形，直径 1 mm，淡褐黄色。

| 生境分布 | 生于路旁或山坡旷地。分布于湖北兴山、利川、建始。

| 采收加工 | 根：夏、秋季采挖，除去茎叶，洗净，鲜用或晒干。

| 功能主治 | 滋补强壮，健脾，消疳。用于脾胃虚弱之倦怠乏力、食少，疳积。

苋科 Amaranthaceae 苋属 Amaranthus

繁穗苋 *Amaranthus cruentus* L.

| 药 材 名 | 老枪谷。

| 形态特征 | 一年生草本，高达 2 m。茎直立、单一或分枝，具钝棱，近无毛。叶卵状长圆形或卵状披针形，长 4 ~ 13 cm，先端尖或圆钝，具芒尖，基部楔形。花单性或杂性，穗状圆锥花序直立，后下垂；苞片和小苞片钻形，绿色或紫色，背部中脉突出先端成长芒；花被片膜质，绿色或紫色，先端具短芒；雄蕊较花被片稍长。胞果卵形，盖裂，和宿存花被等长。

| 生境分布 | 生于平地至海拔 2 150 m 处。分布于湖北竹溪、兴山、秭归、五峰、谷城、恩施、建始、巴东、咸丰、鹤峰、神农架，以及武汉、咸宁。

| 资源情况 | 药材来源于野生和栽培。

| 采收加工 | **根、种子**：夏、秋季采收，洗净，晒干。

| 功能主治 | **根**：滋补强壮。用于头昏，四肢无力，疳积。

种子：消肿止痛。用于跌打损伤，骨折肿痛，恶疮肿毒，血崩。

苋科 Amaranthaceae 苋属 Amaranthus

千穗谷 Amaranthus hypochondriacus L.

| 药 材 名 | 千穗谷。

| 形态特征 | 一年生草本，高（10 ~ ）20 ~ 80 cm。茎绿色或紫红色，分枝，无毛或上部微有柔毛。叶片菱状卵形或矩圆状披针形，长 3 ~ 10 cm，宽 1.5 ~ 3.5 cm，先端急尖或短渐尖，具凸尖，基部楔形，全缘或波状缘，无毛，上面常带紫色；叶柄长 1 ~ 7.5 cm，无毛。圆锥花序顶生，直立，圆柱形，长达 25 cm，直径 1 ~ 2.5 cm，不分枝或分枝，由多数穗状花序形成，侧生穗较短，可达 6 cm，花簇在花序上排列极密；花被片矩圆形，长 2 ~ 2.5 mm，先端急尖或渐尖，绿色或紫红色，有 1 深色中脉，具长凸尖；苞片及小苞片卵状钻形，长 4 ~ 5 mm，长为花被片的 2 倍，绿色或紫红色，背部中脉隆起，具长凸尖；柱头 2 ~ 3。胞果近菱状卵形，长 3 ~ 4 mm，环状横裂，绿色，

上部带紫色，超出宿存花被；种子近球形，直径约 1 mm，白色，边缘锐。花期 7～8 月，果期 8～9 月。

| **生境分布** | 生于海拔 700～3 000 m 处。分布于湖北宜昌。

| **功能主治** | 消食健胃，止痒。用于风疹，疮疡，食积腹胀。

凹头苋 *Amaranthus lividus* L.

| 药 材 名 | 凹头苋。

| 形态特征 | 一年生草本，高达 30 cm。茎伏卧上升，基部分枝。叶卵形或菱状卵形，长 1.5 ~ 4.5 cm，先端凹缺，具芒尖或不明显，基部宽楔形，

全缘或稍波状；叶柄长 1 ~ 3.5 cm。花簇腋生，生于茎端及枝端者呈直立穗状或圆锥花序；苞片长圆形，长不及 1 mm；花被片长圆形或披针形，长 1.2 ~ 1.5 mm，淡绿色，背部具隆起中脉；雄蕊较花被片稍短；柱头（2 ~ ）3。胞果扁卵形，长 3 mm，不裂，近平滑，露出宿存花被片；种子圆形，直径约 1.2 mm，黑色或黑褐色，具环状边。

| **生境分布** | 生于田野、居民附近的杂草地上。分布于湖北汉阳、竹溪、兴山、秭归、长阳、五峰、宣恩、鹤峰，以及随州。

| **功能主治** | **全草**：缓和止痛，收敛，利尿，解热。

种子：明目，利二便，去寒热。

根：清热解毒。用于肠炎，痢疾，咽炎，乳腺炎，痔疮肿痛出血，毒蛇咬伤。

苋科 Amaranthaceae 苋属 *Amaranthus*

反枝苋
Amaranthus retroflexus L.

| 药 材 名 | 反枝苋。

| 形态特征 | 一年生草本，高达 1 m。茎密被柔毛。叶菱状卵形或椭圆状卵形，
长 5 ~ 12 cm，先端锐尖或尖凹，具小凸尖，基部楔形，全缘或波状，
两面及边缘被柔毛，下面毛较密；叶柄长 1.5 ~ 5.5 cm，被柔毛。
穗状圆锥花序直径 2 ~ 4 cm，顶生花穗较侧生者长；苞片钻形，长
4 ~ 6 mm；花被片长圆形或长圆状倒卵形，长 2 ~ 2.5 mm，薄膜质，
中脉淡绿色，具凸尖；雄蕊较花被片稍长；柱头（2 ~）3。胞果扁
卵形，长约 1.5 mm，环状横裂，包在宿存花被片内；种子近球形，
直径 1 mm。

| 生境分布 | 生于田园、农地、居民附近的草地上或瓦房上。分布于湖北汉阳、

武昌、五峰、京山、巴东、宣恩，以及荆门、襄阳。

| **功能主治** | **全草：** 用于腹泻，痢疾，痔疮肿痛出血。

苋科 Amaranthaceae 苋属 *Amaranthus*

刺苋
Amaranthus spinosus L.

| 药 材 名 | 簕苋菜。

| 形态特征 | 一年生草本，株高 30 ~ 100 cm。茎直立，圆柱形或钝棱形，多分枝，有纵条纹，绿色或带紫色，无毛或稍有柔毛。叶片菱状卵形或卵状披针形，长 3 ~ 12 cm，宽 1 ~ 5.5 cm，先端圆钝，具微凸头，基部楔形，全缘，无毛或幼时沿叶脉稍有柔毛；叶柄长 1 ~ 8 cm，无毛，在其旁有 2 刺，刺长 5 ~ 10 mm。圆锥花序腋生及顶生，长 3 ~ 25 cm，下部顶生花穗常全部为雄花；苞片在腋生花簇及顶生花穗的基部者变成尖锐直刺，长 5 ~ 15 mm，在顶生花穗的上部者狭披针形，长 1.5 mm，先端急尖，具凸尖，中脉绿色；小苞片狭披针形，长约 1.5 mm；花被片绿色，先端急尖，具凸尖，边缘透明，中脉绿色或带紫色，在雄花者矩圆形，长 2 ~ 2.5 mm，在雌花者矩圆状匙

形，长 1.5 mm；雄蕊花丝略和花被片等长或较短；柱头 3，有时 2。胞果矩圆形，长 1 ~ 1.2 mm，在中部以下不规则横裂，包裹在宿存花被片内；种子近球形，直径约 1 mm，黑色或带棕黑色。

| 生境分布 | 生于旷地、园圃或农耕地等。分布于湖北汉阳、武昌、阳新、鹤峰，以及武汉、十堰、荆门。

| 功能主治 | **全草：**清热解毒，散血消肿。

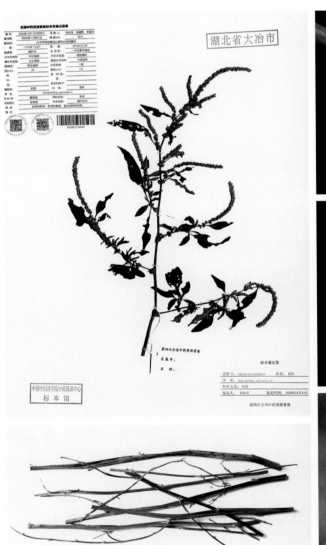

苋科 Amaranthaceae 苋属 Amaranthus

苋

Amaranthus tricolor L.

| 药 材 名 | 苋。

| 形态特征 | 一年生草本，高达 1.5 m。茎粗壮，绿色或红色，常分枝。叶卵形、菱状卵形或披针形，长 4 ～ 10 cm，绿色、带红色、紫色或黄色，先端圆钝，具凸尖，基部楔形，全缘，无毛；叶柄长 2 ～ 6 cm。花成簇腋生，组成下垂穗状花序，花簇球形，直径 0.5 ～ 1.5 cm；雄花和雌花混生；苞片卵状披针形，长 2.5 ～ 3 mm，先端具长芒尖；花被片长圆形，长 3 ～ 4 mm，绿色或黄绿色，先端具长芒尖，背面具绿色或紫色中脉。胞果卵状长圆形，长 2 ～ 2.5 mm，环状横裂，包在宿存花被片内；种子近球形或倒卵形，直径约 1 mm，黑色或黑褐色，边缘钝。

| 生境分布 | 分布于湖北丹江口、秭归。

| 采收加工 | 秋季采收地上部分，晒后搓揉，脱下种子，扬净，晒干。

| 功能主治 | **全草或根、果实：**清肝明目，通利二便。用于青盲翳障，视物昏暗，白浊，尿血，
二便不利。

苋科 Amaranthaceae 苋属 Amaranthus

皱果苋 *Amaranthus viridis* L.

| **药 材 名** | 白苋。

| **形态特征** | 一年生草本，高达 80 cm，全株无毛。茎直立，稍分枝。叶卵形、卵状长圆形或卵状椭圆形，长 3 ~ 9 cm，先端尖凹或凹缺，稀圆钝，具芒尖，基部宽楔形或近平截，全缘或微波状，叶面常有 1 "V" 形白斑；叶柄长 3 ~ 6 cm。穗状圆锥花序顶生，长达 12 cm，圆柱形，细长，直立，顶生花穗较侧生者长；花序梗长 2 ~ 2.5 cm；苞片披针形，长不及 1 mm，具凸尖；花被片长圆形或宽倒披针形，长 1.2 ~ 1.5 mm；雄蕊较花被片短；柱头（2 ~ ）3。胞果扁球形，直径约 2 mm，不裂，皱缩，露出花被片；种子近球形，直径约 1 mm，黑或黑褐色，环状边缘薄且锐。

| 生境分布 | 生于居民附近的杂草地上或田野间。分布于湖北汉阳、武昌、房县、秭归，以及武汉、荆门。

| 采收加工 | **全草或根：** 春、夏、秋季均可采收，洗净，鲜用或晒干。

| 功能主治 | 清热解毒，利尿止痛。用于疮肿，牙疳，虫咬伤。

苋科 Amaranthaceae 青葙属 Celosia

青葙 *Celosia argentea* L.

| 药 材 名 |

青葙。

| 形态特征 |

草本，高达 1 m，全株无毛。叶长圆状披针形、披针形或披针状条形，长 5 ~ 8 cm，宽 1 ~ 3 cm，绿色常带红色，先端尖或渐尖，具小芒尖，基部渐窄；叶柄长 0.2 ~ 1.5 cm 或无叶柄。花塔状或圆柱状穗状花序不分枝，长 3 ~ 10 cm；苞片及小苞片披针形，白色，先端渐尖成细芒，具中脉；花被片长圆状披针形，长 0.6 ~ 1 cm，花初为白色先端带红色或全部粉红色，后白色；花丝长 2.5 ~ 3 mm，花药紫色；花柱紫色，长 3 ~ 5 mm。胞果卵形，长 3 ~ 3.5 mm，包在宿存花被片内；种子肾形，扁平，双凸，直径约 1.5 mm。

| 生境分布 |

生于海拔 1 100 m 的平原或山坡。分布于湖北武昌、竹溪、房县、丹江口、兴山、秭归、罗田、利川、建始、巴东、来凤、鹤峰、神农架，以及武汉、宜昌、黄石。

| **资源情况** | 药材来源于野生和栽培。 |

| **采收加工** | **全草：**夏季采收，鲜用或晒干。 |

| **功能主治** | **种子：**清肝明目，降血压。 |
| | **全草：**清热利湿，燥湿清热，杀虫止痒，凉血止血。用于湿热带下，小便不利，尿浊，泄泻，阴痒，疮疥，风疹瘙痒，痔疮，衄血，创伤出血。 |

苋科 Amaranthaceae 青葙属 Celosia

鸡冠花 *Celosia cristata* L.

| 药 材 名 |

鸡冠花。

| 形 态 特 征 |

一年生直立草本，高 30 ~ 80 cm。全株无毛，粗壮；分枝少，近上部扁平，绿色或带红色，有棱纹凸起。单叶互生，具柄；叶片长 5 ~ 13 cm，宽 2 ~ 6 cm，先端渐尖或长尖，基部渐窄成柄，全缘。中部以下多花；苞片、小苞片和花被片干膜质，宿存。胞果卵形，长约 3 mm，成熟时盖裂，包于宿存花被内；种子肾形，黑色，具光泽。花果期 7 ~ 9 月。

| 生 境 分 布 |

分布于湖北长阳、五峰、罗田、英山、利川、咸丰、来凤，以及宜昌、随州、黄石。

| 采 收 加 工 |

花、种子：白露前后种子逐渐发黑、成熟时采收，晒干。

| 功 能 主 治 |

花、种子：收敛，止血，凉血，止泻。

苋科 Amaranthaceae 腺毛藜属 Dysphania

土荆芥 *Dysphania ambrosioides* L.

| 药 材 名 | 土荆芥。

| 形态特征 | 一年生或多年生草本，高 50 ~ 80 cm，有强烈香味。茎直立，多分枝，有色条及钝条棱。枝通常细瘦，有短柔毛兼有具节的长柔毛，有时近无毛。叶片矩圆状披针形至披针形，先端急尖或渐尖，边缘具稀疏不整齐的大锯齿，基部渐狭，具短柄，上面平滑无毛，下面有散生油点并沿叶脉稍有毛，下部的叶长达 15 cm，宽达 5 cm，上部叶逐渐狭小而近全缘。花通常 3 ~ 5 集生于上部叶腋；花被裂片 5，较少为 3，绿色，果时通常闭合；雄蕊 5，花药长 0.5 mm；花柱不明显，柱头通常 3，较少为 4，丝形，伸出花被外。胞果扁球形，完全包于花被内；种子横生或斜生，黑色或暗红色，平滑，有光泽，边缘钝，直径约 0.7 mm。

| 生境分布 | 生于村旁、路边或河岸等处。分布于湖北秭归、宣恩，以及武汉、黄石。

| 采收加工 | **全草**：8 月下旬至 9 月下旬采收，摊放在通风处，或捆束悬挂阴干。

| 功能主治 | 祛风，杀虫，通经，止痛。用于风湿痹痛，钩虫病，蛔虫病，蛲虫病，痛经，闭经，湿疹，蛇虫咬伤。

| 附　　注 | 身体虚弱、营养不良者应慎用或减量，小儿较成人敏感，有心、肾及肝脏疾病或消化道溃疡者禁用。

苋科 Amaranthaceae 千日红属 Gomphrena

千日红
Gomphrena globosa L.

| 药 材 名 | 千日红。

| 形态特征 | 一年生草本，高达 60 cm。茎粗壮，有分枝，被灰色糙毛。叶纸质，长椭圆形或长圆状倒卵形，长 3.5 ~ 13 cm，先端尖或圆钝，凸尖，基部渐窄，边缘波状，两面被白色长柔毛；叶柄长 1 ~ 1.5 cm，被灰色长柔毛。顶生球形或长圆形头状花序，单一或 2 ~ 3，直径 2 ~ 2.5 cm，常紫红色，有时淡紫色或白色；总苞具 2 绿色对生叶状苞片，卵形或心形，长 1 ~ 1.5 cm，两面被灰色长柔毛；苞片卵形，长 3 ~ 5 mm，白色，先端紫红色；花被片披针形，长 5 ~ 6 mm，密被白色绵毛；雄蕊花丝连成筒状，先端 5 浅裂，花药生于裂片内面，微伸出；花柱条形，较花丝筒短，柱头叉状分枝。胞果近球形，直径 2 ~ 2.5 mm；种子肾形，褐色。

| **生境分布** | 生于温暖湿润、排水良好的向阳处。湖北有分布。

| **采收加工** | **全草或花序**：夏、秋季采收全株或采摘花序，鲜用或晒干。

| **功能主治** | **花序**：止咳定喘，平肝明目。用于支气管哮喘，急、慢性支气管炎，百日咳，肺结核咯血。

紫茉莉科 Nyctaginaceae 叶子花属 Bougainvillea

光叶子花 Bougainvillea glabra Choisy

| **药 材 名** | 叶子花。

| **形态特征** | 藤状灌木。茎粗壮，刺腋生。叶纸质，卵形或卵状披针形，先端尖或渐尖，基部圆或宽楔形。花顶生于枝端 3 苞片内；花梗与苞片中脉贴生，每苞片生 1 花；苞片叶状，紫色或红色，长圆形或椭圆形；花被筒长约 2 cm，淡绿色，疏被柔毛，有棱，5 浅裂；雄蕊 6 ~ 8；花柱侧生，线形；花盘环状，上部撕裂状。

| **生境分布** | 湖北有分布。

| **功能主治** | **花**：调和气血。用于带下，月经不调。

紫茉莉
Mirabilis jalapa L.

| 药 材 名 | 紫茉莉。

| 形态特征 | 一年生草本，高达 1 m。茎多分枝，节稍肿大。叶卵形或卵状三角形，先端渐尖，基部平截或心形，全缘。花常数朵簇生于枝顶；总苞钟形，5 裂；花被紫红色、黄色或杂色，花被筒高脚碟状，檐部 5 浅裂，午后开放，有香气，次日午前凋萎；雄蕊 5。瘦果球形，黑色，革质，具皱纹；胚乳白粉质。

| 生境分布 | 生于水沟边、房前屋后墙脚下或庭院中。湖北有分布。

| 采收加工 | 根：秋后挖根，洗净，切片，晒干。
叶：鲜用。

| 功能主治 |　　　根、叶：清热解毒，活血调经，滋补。

商陆科 Phytolaccaceae 商陆属 Phytolacca

商陆 *Phytolacca acinosa* Roxb.

| 药 材 名 | 商陆。

| 形态特征 | 多年生草本，高达 1.5 m，全株无毛。根肉质，倒圆锥形；茎肉质，绿色或红紫色，多分枝。叶薄纸质，椭圆形或披针状椭圆形，先端尖或渐尖，基部楔形。总状花序圆柱状，直立，多花密生；两性；花被片 5，白色或黄绿色，椭圆形或卵形；雄蕊 8 ～ 10，花丝宿存，花药粉红色，心皮分离。果序直立，浆果扁球形，紫黑色；种子肾形，黑色。

| 生境分布 | 生于海拔 500 ～ 3 100 m 的沟谷、山坡林下或林缘路旁。分布于湖北郧西、房县、丹江口、兴山、秭归、五峰、罗田、崇阳、恩施、利川、建始、巴东、宣恩、咸丰、鹤峰、神农架，以及武汉、十堰、

宜昌、荆门。

| **采收加工** | **根**：秋季至次春采挖，除去须根和泥沙，切成块或片，晒干或阴干。

| **功能主治** | 通利二便，逐水，散结。用于水肿，胀满，脚气，喉痹；外用于痈肿疮毒。

| **附　　注** | 本品以白色肥大者为佳。红根有剧毒，仅供外用。

商陆科 Phytolaccaceae 商陆属 Phytolacca

垂序商陆 *Phytolacca americana* L.

| 药 材 名 | 商陆。

| 形态特征 | 多年生草本，高达 2 m。茎圆柱形，有时带紫红色。叶椭圆状卵形或卵状披针形，先端尖，基部楔形。总状花序顶生或与叶对生，纤细，花较稀少；花白色，微带红晕；花被片 5，雄蕊、心皮及花柱均为 10，心皮连合。果序下垂，浆果扁球形，紫黑色；种子肾圆形。

| 生境分布 | 生于疏林下、路旁和荒地。分布于湖北兴山、秭归、罗田、黄梅、通城、宣恩、神农架，以及武汉、十堰、宜昌、襄阳、黄石、鄂州、荆门。

| 采收加工 | **根**：秋、冬季或春季均可采挖，除去茎叶、须根及泥土，洗净，横切或纵切成片块，晒干或阴干。

| 功能主治 | 逐水消肿，通利二便。用于水肿胀满，二便不通，痈肿疮毒；外用于解毒散结。

番杏科 Aizoaceae 日中花属 Mesembryanthemum

心叶日中花

Mesembryanthemum cordifolium L. f.

| 药 材 名 | 心叶日中花。

| 形态特征 | 多年生常绿草本。稍肉质，无毛，有微小的的颗粒状凸起。茎斜卧，长 30 ~ 60 cm，有分枝。叶对生，心状卵形，长 1 ~ 2 cm，宽约 1 cm，先端急尖或圆钝，具突尖头，基部圆形，全缘；叶柄长 3 ~ 6 mm。花单一，顶生或侧生，直径约 1 cm；萼片 4，2 萼片大，倒圆锥形，2 萼片小，条形，基部合生，宿存；花瓣多数，红紫色，匙形，长约 1 cm；雄蕊多数；子房下位，4 室，无花柱，柱头 4。蒴果肉质，星状开裂成 4 瓣；种子多数。花期 7 ~ 8 月。

| **生境分布** | 湖北有栽培。 |

| **功能主治** | 清热解毒，祛湿止痛。 |

番杏科 Aizoaceae 粟米草属 Mollugo

粟米草
Mollugo stricta L.

| 药 材 名 | 粟米草。

| 形态特征 | 一年生铺散草本，高达 30 cm。茎纤细，多分枝，具棱，无毛，老茎常淡红褐色。叶 3 ~ 5 近轮生或对生，茎生叶披针形或线状披针形，长 1.5 ~ 4 cm，基部窄楔形，全缘，中脉明显；叶柄短或近无柄。花小，聚伞花序梗细长，顶生或与叶对生；花梗长 1.5 ~ 6 mm；花被片 5，淡绿色，椭圆形或近圆形，长 1.5 ~ 2 mm；雄蕊 3，花丝基部稍宽；子房 3 室，花柱短线形。蒴果近球形，与宿存花被等长，3 瓣裂；种子多数，肾形，深褐色，具多数颗粒状突起。

| 生境分布 | 生于空旷荒地或农田。湖北有分布。

| 采收加工 | **全草：**秋季采收，鲜用或晒干。

| 功能主治 | 清热化湿，解毒消肿。用于腹痛泄泻，痢疾，感冒咳嗽，中暑，热疹，目赤肿痛，疮疖肿毒，毒蛇咬伤，烫火伤。

| 附　　注 | 另有同属植物星毛粟米草 *Mollugo lotoides* (L.) Kuntze. 的全草也与本种同等入药用。

马齿苋科 Portulacaceae 马齿苋属 Portulaca

大花马齿苋 *Portulaca grandiflora* Hook.

| 药 材 名 | 午时花。

| 形态特征 | 一年生草本，高达 30 cm。茎平卧或斜升，紫红色，多分枝，节有簇生毛。叶密集生于枝顶，较下部分的叶不规则互生，叶细圆柱形，有时微弯，长 1 ~ 2.5 cm，直径 2 ~ 3 mm，先端钝圆，无毛；叶柄极短或近无柄，叶腋常簇生白色长柔毛。花单生或数朵簇生于枝顶，直径 2.5 ~ 4 cm，日开夜闭；叶状总苞 8 ~ 9，轮生，被白色长柔毛；萼片 2，淡黄绿色，卵状三角形，长 5 ~ 7 mm，稍具龙骨状突起，无毛；花瓣 5 或重瓣，倒卵形，先端微凹，长 1.2 ~ 3 cm，红色、紫色、黄色或白色；雄蕊多数，长 5 ~ 8 mm，花丝紫色，基部连合；花柱长 5 ~ 8 mm，柱头 5 ~ 9，线形。蒴果近椭圆形，盖裂；种子圆肾形，直径不及 1 mm，深灰色、灰褐色或灰黑色，有光泽，被小瘤。

| 生境分布 | 湖北有分布。

| 功能主治 | **全草**：散瘀止痛，清热，解毒消肿。用于咽喉肿痛，烫伤，跌打损伤，疮疖肿毒。

马齿苋科 Portulacaceae 马齿苋属 *Portulaca*

马齿苋 *Portulaca oleracea* L.

| 药 材 名 | 马齿苋。

| 形态特征 | 一年生草，全株无毛。茎平卧或斜倚，铺散，多分枝，圆柱形，长 10 ~ 15 cm，淡绿色或带暗红色。叶互生或近对生，扁平，肥厚，倒卵形，长 1 ~ 3 cm，先端钝圆或平截，有时微凹，基部楔形，全缘，上面暗绿色，下面淡绿色或带暗红色，中脉微隆起；叶柄粗短。花无梗，直径 4 ~ 5 mm，常 3 ~ 5 簇生于枝顶，午时盛开；叶状膜质苞片 2 ~ 6，近轮生；萼片 2，对生，绿色，盔形，长约 4 mm，背部具龙骨状突起，基部连合；花瓣（4 ~）5，黄色，长 3 ~ 5 mm，基部连合；雄蕊 8 或更多，长约 1.2 cm，花药黄色；子房无毛，花柱较雄蕊稍长。蒴果长约 5 mm；种子黑褐色，直径不及 1 mm，具小疣。

| 生境分布 | 生于菜园、农田或路旁。分布于湖北武昌、竹溪、兴山、鄂城、石首、罗田、巴东，以及武汉、荆门、黄石。

| 功能主治 | **全草**：清热利湿，解毒消肿，消炎，止渴，利尿。
　　　　　种子：明目。

马齿苋科 Portulacaceae 马齿苋属 Portulaca

四瓣马齿苋 *Portulaca quadrifida* L.

| 药 材 名 | 四瓣马齿苋。

| 形态特征 | 一年生柔弱肉质草本。茎匍匐，节上生根。叶对生，扁平，卵形、
倒卵形或卵状椭圆形，长 4 ～ 8 mm，基部窄楔形，腋间疏被开展长
柔毛；无柄或具短柄。花单生于枝顶，具 4 ～ 5 轮生叶及白色长柔
毛；萼片膜质，倒卵状长圆形，长 2.5 ～ 3 mm，具脉纹；花瓣 4，
黄色，长 3 ～ 6 mm，长圆形或宽椭圆形，基部连合；雄蕊 8 ～ 10；
子房被长柔毛，柱头（3 ～）4 裂。蒴果黄色，球形，直径约 2.5 mm，
果皮膜质；种子黑色，近球形，侧扁，被小瘤。

| **生境分布** | 生于空旷沙地、河谷田边、山坡草地、路旁向阳处或水沟边。湖北有分布。

| **功能主治** | 止痢杀菌。用于肠炎，腹泻，内痔出血。

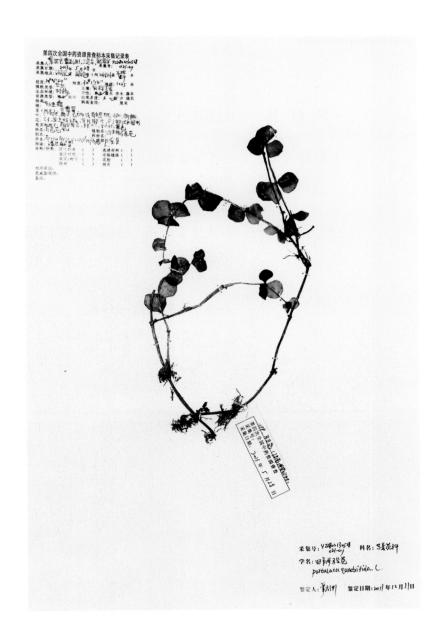

马齿苋科 Portulacaceae 土人参属 Talinum

土人参
Talinum paniculatum (Jacq.) Gaertn.

| 药 材 名 | 土人参。

| 形态特征 | 一年生或多年生草本,全株无毛,高 30 ~ 100 cm。主根粗壮,圆锥形,有少数分枝,根皮黑褐色,断面乳白色。茎直立,肉质,基部近木质,多少分枝,圆柱形,有时具槽。叶互生或近对生,具短柄或近无柄;叶片稍肉质,倒卵形或倒卵状长椭圆形,长 5 ~ 10 cm,宽 2.5 ~ 5 cm,先端急尖,有时微凹,具短尖头,基部狭楔形,全缘。圆锥花序顶生或腋生,较大形,常二叉状分枝,具长花序梗;花小,直径约 6 mm;总苞片绿色或近红色,圆形,先端圆钝,长 3 ~ 4 mm;苞片 2,膜质,披针形,先端急尖,长约 1 mm;花梗长 5 ~ 10 mm;萼片卵形,紫红色,早落;花瓣粉红色或淡紫红色,长椭圆形、倒卵形或椭圆形,长 6 ~ 12 mm,先端圆钝,稀微凹;

雄蕊（10 ~）15 ~ 20，比花瓣短；花柱线形，长约 2 mm，基部具关节；柱头 3 裂，稍开展，子房卵球形，长约 2 mm。蒴果近球形，直径约 4 mm，3 瓣裂，坚纸质；种子多数，扁圆形，直径约 1 mm，黑褐色或黑色，有光泽。花期 6 ~ 8 月，果期 9 ~ 11 月。

| **生境分布** | 生于阴湿处或山坡岩石缝中。湖北有分布。

| **采收加工** | **根**：8 ~ 9 月采挖，洗净，除去细根，晒干或刮去表皮，蒸熟，晒干。

| **功能主治** | **根**：补中益气，润肺生津，止咳，调经。用于气虚困倦，食少，泄泻，肺痨咯血，眩晕，潮热，盗汗，自汗，月经不调，带下，乳汁不足。

落葵科 Basellaceae 落葵薯属 Anredera

落葵薯 *Anredera cordifolia* (Tenore) Steenis

| 药 材 名 | 藤三七。

| 形 态 特 征 | 缠绕草质藤本，根茎粗壮。叶卵形或近圆形，先端尖，基部圆形或心形，稍肉质，腋生珠芽。总状花序具多花，苞片宿存；花托杯状，花被片白色，渐变黑色，卵形至椭圆形；雄蕊白色；花柱白色，3叉裂。

| 生 境 分 布 | 生于海拔 1 200 m 以下的路边或岩石上。湖北有分布。

| 采 收 加 工 | 藤上的干燥瘤块状珠芽：在珠芽形成后采摘，除去杂质，鲜用或晒干。

| 功 能 主 治 | 补肾强腰，散瘀消肿。用于腰膝痹痛，病后体弱，跌打损伤，骨折。

落葵科 Basellaceae 落葵属 Basella

落葵 *Basella alba* L.

| **药材名** | 落葵。 |

| **形态特征** | 一年生缠绕草本，长达 4 m；无毛，肉质，绿色或稍紫红色。叶卵形或近圆形，长 3 ～ 9 cm，先端短尾尖，基部微心形或圆形，全缘；叶柄长 1 ～ 3 cm。穗状花序腋生，长 3 ～ 15（～ 20）cm；苞片极小，早落，小苞片 2，萼状，长圆形，宿存；花被片淡红色或淡紫色，卵状长圆形，全缘，先端内折，下部白色，连合成筒；雄蕊着生于花被筒口，花丝短，基部宽扁，白色，花药淡黄色；柱头椭圆形。果实球形，直径 5 ～ 6 mm，红色、深红色至黑色，多汁液，外包宿存小苞片及花被。 |

| **生境分布** | 生于海拔 2 000 m 以下的地区。分布于湖北宜昌。 |

| **采收加工** | 全草或叶：夏、秋季采收，洗净，除去杂质，鲜用或晒干。

| **功能主治** | 全草或叶：缓泻，滑肠通便，清热利湿，凉血解毒，接骨止痛。用于阑尾炎，痢疾，便秘，膀胱炎；外用于骨折，跌打损伤，外伤出血，烫火伤。
花：清热解毒。外用于痈毒，乳头破裂。

石竹科 Caryophyllaceae 麦仙翁属 Agrostemma

麦仙翁 Agrostemma githago L.

| 药 材 名 | 麦仙翁。

| 形态特征 | 一年生草本，高 60 ～ 90 cm；全株密被白色长硬毛。茎单生，直立，
不分枝或上部分枝。叶片线形或线状披针形，长 4 ～ 13 cm，宽
（2 ～）5 ～ 10 mm，基部微合生，抱茎，先端渐尖；中脉明显。花单生，
直径约 30 mm；花梗极长；花萼长椭圆状卵形，长 12 ～ 15 mm，后
期微膨大，萼裂片线形，呈叶状，长 20 ～ 30 mm；花瓣紫红色，比
花萼短，爪狭楔形，白色，无毛，瓣片倒卵形，微凹缺；雄蕊微外露，
花丝无毛；花柱外露，被长毛。蒴果卵形，长 12 ～ 18 mm，微长于
宿存萼，裂齿 5，外卷；种子呈不规则卵形或圆肾形，长 2.5 ～ 3 mm，

黑色，具棘凸。花期 6 ~ 8 月，果期 7 ~ 9 月。

| **生境分布** | 生于麦田中或路旁草地。湖北有分布。

| **功能主治** | 止咳平喘，温经止血。

石竹科 Caryophyllaceae 无心菜属 Arenaria

老牛筋 *Arenaria juncea* M. Bieb.

| 药 材 名 | 山银柴胡。

| 形态特征 | 多年生草本。根圆锥状，肉质，直径 0.5 ～ 3 cm，灰褐色或灰白色，上部具环纹，下部分枝。茎高 30 ～ 60 cm，基部宿存较硬的淡褐色枯萎叶茎，硬而直立，下部无毛，接近花序部分被腺柔毛。叶片细线形，长 10 ～ 25 cm，宽约 1 mm，基部较宽，呈鞘状抱茎，具疏齿状短缘毛，常内卷或扁平，先端渐尖，具 1 脉。聚伞花序，具多花；苞片卵形，长 3 ～ 4 mm，宽约 2 mm，先端尖，边缘宽膜质，外面被腺柔毛；花梗长 1 ～ 2 cm，密被腺柔毛；萼片 5，卵形，长约 5 mm，宽约 2 mm，先端渐尖或急尖，边缘宽膜质，具 1 ～ 3 脉，外面无毛或被腺柔毛；花瓣 5，白色，稀椭圆状矩圆形或倒卵形，

长 8 ~ 10 mm，先端钝圆，基部具短爪；雄蕊 10，花丝线形，长约 4 mm，与萼片对生者基部具腺体，花药黄色，椭圆形；子房卵圆形，长约 2 mm，花柱 3，长约 3 mm，柱头头状。蒴果卵圆形，黄色，稍长于宿存花萼或与宿存花萼等长，先端 3 瓣裂，裂片 2 裂；种子三角状肾形，褐色或黑色，背部具疣状突起。花果期 7 ~ 9 月。

| **生境分布** | 生于海拔 2 000 m 以下的石山坡干燥处、海滨荒山及沙坡地。分布于湖北宜昌。

| **资源情况** | 野生资源丰富。药材主要来源于野生。

| **采收加工** | 春、秋季采挖，去净泥土，切片，晒干。

| **功能主治** | 凉血，清虚热。用于阴虚肺痨，骨蒸潮热，盗汗，小儿疳热，久疟不止。

石竹科 Caryophyllaceae 无心菜属 Arenaria

无心菜 *Arenaria serpyllifolia* L.

| 药 材 名 | 无心菜。

| 形态特征 | 一年生或二年生草本，高 10 ～ 30 cm。主根细长，支根较多而纤细。茎丛生，直立或铺散，密生白色短柔毛，节间长 0.5 ～ 2.5 cm。叶片卵形，长 4 ～ 12 mm，宽 3 ～ 7 mm，基部狭，无柄，边缘具缘毛，先端急尖，两面近无毛或疏生柔毛，下面具 3 脉，茎下部的叶较大，茎上部的叶较小。聚伞花序，具多花；苞片草质，卵形，长 3 ～ 7 mm，通常密生柔毛；花梗长约 1 cm，纤细，密生柔毛或腺毛；萼片 5，披针形，长 3 ～ 4 mm，边缘膜质，先端尖，外面被柔毛，具显著的 3 脉；花瓣 5，白色，倒卵形，长为萼片的 1/3 ～ 1/2，先端钝圆；雄蕊 10，短于萼片；子房卵圆形，无毛，花柱 3，线形。蒴果卵圆形，与宿存萼等长，先端 6 裂；种子小，肾形，表面粗糙，

淡褐色。花期 6 ~ 8 月，果期 8 ~ 9 月。

| **生境分布** | 生于山坡路旁荒地或田野中。分布于湖北竹溪、兴山、麻城、巴东、宣恩、鹤峰、神农架，以及宜昌。

| **资源情况** | 野生资源丰富。

| **采收加工** | **全草：** 夏季采收，鲜用或晒干。

| **功能主治** | 清热，明目，止咳。用于肝热目赤，翳膜遮睛，肺痨咳嗽，咽喉肿痛，牙龈炎。

长叶实蕨 *Bolbitis heteroclita* (Presl) Ching

| **药 材 名** | 长叶实蕨。

| **形态特征** | 植株高 35 ~ 85 cm。根茎长而横生，密被褐色、卵状披针形鳞片，盾状着生。叶近生，二型；营养叶的叶柄长 10 ~ 35 cm，禾秆色，

基部被疏鳞片，向上无毛；叶片薄草质，形式多样，或为披针形的单叶、二出或一回羽状；羽片 1 ~ 3 对，顶生羽片特大，披针形，长 30 ~ 40 cm，宽 5 ~ 8 cm，先端长尾尖，能着地生根，产生新株，侧生羽片 1 ~ 5 对，长圆形或长圆状披针形，长 6 ~ 15 cm，宽 2 ~ 4 cm，渐尖头，基部楔形或圆楔形，全缘或浅波状；叶脉网状，无内藏小脉；孢子叶与营养叶同形而较小；叶柄长 25 ~ 40 cm；叶片较小；叶脉网状，网眼四角形或六角形，在侧脉之间排成 2 行。孢子囊群幼时沿网脉着生，成熟后满布于叶背；无囊群盖。

| 生境分布 | 生于阴湿的林下沟谷、溪边石上。湖北有分布。

| 采收加工 | 秋、冬季采收，去须根，洗净，晒干。

| 功能主治 | 清热止咳，凉血止血。用于肺热咳嗽，咯血，痢疾，烫火伤，毒蛇咬伤。

石竹科 Caryophyllaceae 卷耳属 *Cerastium*

簇生卷耳

Cerastium fontanum Baumg. subsp. *triviale* (Link) Jalas

| 药 材 名 | 小白棉参。

| 形态特征 | 一年生、二年生或多年生草本。高 15 ～ 30 cm。茎单生或丛生，近直立，被白色短柔毛和腺毛。基生叶叶片近匙形或倒卵状披针形，基部渐狭成柄状，两面被短柔毛；茎生叶近无柄，叶片卵形、狭卵状长圆形或披针形，长 1 ～ 3（～ 4）cm，宽 3 ～ 10（～ 12）mm，先端急尖或钝尖，两面均被短柔毛，边缘具缘毛。聚伞花序顶生；苞片草质；花梗细，长 5 ～ 25 mm，密被长腺毛，花后弯垂；萼片5，长圆状披针形，长 5.5 ～ 6.5 mm，外面密被长腺毛，边缘中部以上膜质；花瓣5，白色，倒卵状长圆形，等长或微短于萼片，先端2浅裂，基部渐狭，无毛；雄蕊短于花瓣，花丝扁线形，无毛；花柱5，短线形。蒴果圆柱形，长 8 ～ 10 mm，长为宿存萼的 2 倍，先端 10

齿裂；种子褐色，具瘤状突起。花期 5 ～ 6 月，果期 6 ～ 7 月。

| **生境分布** | 生于海拔 1 200 ～ 2 300 m 的山地林缘杂草中或疏松砂壤土上。分布于湖北秭归、保康、鄂城、利川、宣恩，以及武汉。

| **资源情况** | 野生资源丰富。

| **采收加工** | **全草：**夏季采收，鲜用或晒干。

| **功能主治** | 清热，解毒，消肿。用于感冒发热，小儿高热惊风，痢疾，乳痈初起，疔疮肿毒。

石竹科 Caryophyllaceae 卷耳属 *Cerastium*

簇生泉卷耳

Cerastium fontanum Baumg. subsp. *vulgare* (Hartman.) Greuter & Burdet

| 药 材 名 | 簇生泉卷耳。

| 形态特征 | 一年生、二年生或多年生草本，高 15 ~ 30 cm。茎单生或丛生，近直立，被白色短柔毛和腺毛。基生叶叶片近匙形或倒卵状披针形，基部渐狭呈柄状，两面被短柔毛；茎生叶近无柄，叶片卵形、狭卵状长圆形或披针形，长 1 ~ 3（~ 4）cm，宽 3 ~ 10（~ 12）mm，先端急尖或钝尖，两面均被短柔毛，具缘毛。聚伞花序顶生；苞片草质；花梗细，长 5 ~ 25 mm，密被长腺毛，花后弯垂；萼片 5，长圆状披针形，长 5.5 ~ 6.5 mm，外面密被长腺毛，边缘中部以上膜质；花瓣 5，白色，倒卵状长圆形，与萼片等长或微短于萼片，先端 2 浅裂，基部渐狭，无毛；雄蕊短于花瓣，花丝扁线形，无毛；

花柱 5，短线形。蒴果圆柱形，长 8 ~ 10 mm，长为宿存萼的 2 倍，先端 10 齿裂；种子褐色，具瘤状突起。花期 5 ~ 6 月，果期 6 ~ 7 月。

| **生境分布** | 生于海拔 1 200 ~ 2 300 m 的山地林缘杂草间或疏松砂质土壤。湖北有分布。

| **功能主治** | 清热解毒，消肿止痛。

石竹科 Caryophyllaceae 卷耳属 Cerastium

球序卷耳 Cerastium glomeratum Thuill.

| 药 材 名 | 婆婆指甲菜。

| 形态特征 | 一年生草本，高 10 ~ 20 cm。茎单生或丛生，密被长柔毛，上部混生腺毛。茎下部叶匙形，先端钝，基部渐狭成柄状；上部茎生叶倒卵状椭圆形，长 1.5 ~ 2.5 cm，宽 5 ~ 10 mm，先端急尖，基部渐狭成短柄状，两面皆被长柔毛，边缘具缘毛，中脉明显。聚伞花序呈簇生状或头状；花序轴密被腺柔毛；苞片草质，卵状椭圆形，密被柔毛；花梗细，长 1 ~ 3 mm，密被柔毛；萼片 5，披针形，长约 4 mm，先端尖，外面密被长腺毛，边缘狭膜质；花瓣 5，白色，线状长圆形，与萼片近等长或微长，先端 2 浅裂，基部被疏柔毛；雄蕊明显短于萼；花柱 5。蒴果长圆柱形，长于宿存萼 0.5 ~ 1 倍，先端 10 齿裂；种子褐色，扁三角形，具疣状突起。花期 3 ~ 4 月，果

期 5 ~ 6 月。

| **生境分布** | 生于海拔 3 000 m 以下的山坡草地。分布于湖北汉阳、武昌、竹溪、巴东、神
农架，以及武汉、宜昌。

| **资源情况** | 野生资源丰富。

| **采收加工** | **全草**：春、夏季采收，鲜用或晒干。

| **功能主治** | 清热，利湿，凉血解毒。用于感冒发热，湿热泄泻，肠风下血，乳痈，疔疮，
高血压。

石竹科 Caryophyllaceae 卷耳属 Cerastium

毛蕊卷耳

Cerastium pauciflorum Stev. ex Ser. var. *oxalidiflorum* (Makino) Ohwi

| 药 材 名 | 毛蕊卷耳。

| 形态特征 | 多年生草本，高 20 ~ 60 cm。根细长，有分枝。茎丛生，直立或基
部上升，被短柔毛，上部被腺柔毛。基生叶叶片小而狭，匙形；中
部茎生叶叶片披针形或卵状长圆形，长 3 ~ 6 cm，宽 1 ~ 2 cm，先
端急尖或渐尖，基部渐狭，疏生缘毛，两面有毛。聚伞花序顶生，
具 5 ~ 15 花；苞片草质，卵状披针形；花梗细，长 5 ~ 30 mm，
密被腺柔毛；花直径 15 ~ 18 mm；萼片 5，卵状长圆形，长约
6 mm，宽约 2 mm，外面被腺柔毛，边缘膜质；花瓣白色，无毛，
倒卵形或倒卵状长圆形，长 10 ~ 13 mm，全缘，基部无毛；雄蕊
无毛，与花萼等长或较之稍长；花柱 5，线形。蒴果圆柱形，比宿

存萼长 1 ~ 1.5 倍，先端 10 裂齿；种子三角状扁肾形，淡黄褐色，具疣状突起。花期 5 ~ 6 月，果期 7 ~ 8 月。

| 生境分布 | 生于海拔 250 ~ 800 m 的林下、山区路旁湿润处及草甸中。湖北有分布。

| 功能主治 | 清热解毒。用于腮腺炎，乳腺炎，肾炎等。

石竹科 Caryophyllaceae 卷耳属 Cerastium

鄂西卷耳

Cerastium wilsonii Takeda

| 药 材 名 | 鄂西卷耳。

| 形态特征 | 多年生草本，高 25 ~ 35 cm。根细长。茎上升，近无毛。基生叶叶片匙形，基部渐狭成长柄状；茎生叶叶片卵状椭圆形，无柄，长 1.5 ~ 2.5 cm，宽 8 ~ 12 mm，先端急尖，沿中脉和基部被长毛。聚伞花序顶生，具多数花；花序梗细长，具腺柔毛；苞片草质，小型，被柔毛；花梗细，具腺柔毛，长短不等，可达 3 cm；萼片 5，披针形或宽披针形，长约 6 mm，先端急尖，边缘膜质，外面被短柔毛；花瓣 5，白色，狭倒卵形，长为萼片 2 倍，2 裂至中部，裂片披针形，先端尖，无毛；雄蕊稍长于萼片，无毛；花柱 5，线形。蒴果圆柱形，长为宿存萼片的 1/2，裂齿 10，直伸；种子近三角状球形，直径约

1 mm，稍扁，褐色，具疣状突起。花期4～5月，果期6～7月。

| 生境分布 | 生于海拔 1 170～2 000 m 的山坡或林缘。分布于湖北竹溪、兴山、巴东、神农架。

| 资源情况 | 野生资源较少。药材主要来源于野生。

| 功能主治 | 清热泻火。用于火疮。

石竹科 Caryophyllaceae 狗筋蔓属 Cucubalus

狗筋蔓 Cucubalus baccifer L.

药 材 名

狗筋蔓。

形态特征

多年生草本，全株被逆向短绵毛。根簇生，长纺锤形，白色，断面黄色，稍肉质；根茎粗壮，多头。茎铺散，俯仰，长 50 ~ 150 cm，多分枝。叶片卵形、卵状披针形或长椭圆形，长 1.5 ~ 5（ ~ 13）cm，宽 0.8 ~ 2（ ~ 4）cm，基部渐狭成柄状，先端急尖，边缘具短缘毛，两面沿脉被毛。圆锥花序疏松；花梗细，具 1 对叶状苞片；花萼宽钟形，长 9 ~ 11 mm，草质，后期膨大成半圆球形，沿纵脉多少被短毛，萼齿卵状三角形，与萼筒近等长，边缘膜质，果期反折；雌雄蕊柄长约 1.5 mm，无毛；花瓣白色，倒披针形，长约 15 mm，宽约 2.5 mm，爪狭长，瓣片叉状 2 浅裂；副花冠片不明显微呈乳头状；雄蕊不外露，花丝无毛；花柱细长，不外露。蒴果圆球形，呈浆果状，直径 6 ~ 8 mm，成熟时薄壳质，黑色，具光泽，不规则开裂；种子圆肾形，肥厚，长约 1.5 mm，黑色，平滑，有光泽。花期 6 ~ 8 月，果期 7 ~ 9（ ~ 10）月。

| 生境分布 | 生于森林灌丛中、湿地及河边。分布于湖北竹溪、房县、兴山、秭归、五峰、南漳、恩施、建始、巴东、宣恩、鹤峰、神农架，以及随州、宜昌。

| 资源情况 | 野生资源丰富。

| 采收加工 | **全草或根**：秋末冬初采收，洗净泥沙，鲜用或晒干。

| 功能主治 | 活血定痛，接骨生肌。用于跌打损伤，骨折，风湿骨痛，月经不调，瘰疬，痈疽。

须苞石竹 *Dianthus barbatus* L.

| **药 材 名** | 须苞石竹。

| **形态特征** | 多年生草本，高 30 ~ 60 cm，全株无毛。茎直立，有棱。叶片披针形，长 4 ~ 8 cm，宽约 1 cm，先端急尖，基部渐狭，合生成鞘，全缘，中脉明显。花多数，集成头状，有数枚叶状总苞片；花梗极短；苞片 4，卵形，先端尾状尖，边缘膜质，具细齿，与花萼等长或稍长；花萼筒状，长约 1.5 cm，裂齿锐尖；花瓣具长爪，瓣片卵形，通常红紫色，有白点斑纹，先端齿裂，喉部具髯毛；雄蕊稍露于外；子房长圆形，花柱线形。蒴果卵状长圆形，长约 1.8 cm，先端 4 裂至中部；种子褐色，扁卵形，平滑。花果期 5 ~ 10 月。

| 生境分布 |　　湖北有分布。

| 功能主治 |　　活血调经，通络，利尿通淋。用于月经不调，小便淋痛不利。

石竹科 Caryophyllaceae 石竹属 Dianthus

石竹
Dianthus chinensis L.

| 药 材 名 |

石竹。

| 形态特征 |

多年生草本，高 30 ~ 50 cm，全株无毛，带粉绿色。茎由根茎生出，疏丛生，直立，上部分枝。叶片线状披针形，长 3 ~ 5 cm，宽 2 ~ 4 mm，先端渐尖，基部稍狭，全缘或有细小齿，中脉较显。花单生于枝端或数花集成聚伞花序；花梗长 1 ~ 3 cm；苞片 4，卵形，先端长渐尖，长达花萼的 1/2，边缘膜质，有缘毛；花萼圆筒形，长 15 ~ 25 mm，直径 4 ~ 5 mm，有纵条纹，萼齿披针形，长约 5 mm，直伸，先端尖，有缘毛；花瓣长 16 ~ 18 mm，瓣片倒卵状三角形，长 13 ~ 15 mm，紫红色、粉红色、鲜红色或白色，顶缘不整齐齿裂，喉部有斑纹，疏生髯毛；雄蕊露出喉部外，花药蓝色；子房长圆形，花柱线形。蒴果圆筒形，包于宿存萼内，先端 4 裂；种子黑色，扁圆形。花期 5 ~ 6 月，果期 7 ~ 9 月。

| 生境分布 |

生于山坡草地。分布于湖北汉阳、罗田、麻城、通城、赤壁、巴东、神农架，以及武汉、十堰、荆门。

| **资源情况** | 野生资源丰富。

| **采收加工** | **全草：**夏、秋季采收，除去杂草和泥土，切段或不切段，晒干。

| **功能主治** | 利小便，清湿热，活血通经。用于小便不通，热淋，血淋，石淋，闭经，目赤肿痛，痈肿疮毒，湿疮瘙痒。

石竹科 Caryophyllaceae 石竹属 Dianthus

瞿麦

Dianthus superbus L.

| **药材名** | 瞿麦。

| **形态特征** | 多年生草本，高 50 ~ 60 cm，有时更高。茎丛生，直立，绿色，无毛，上部分枝。叶片线状披针形，长 5 ~ 10 cm，宽 3 ~ 5 mm，先端锐尖，中脉特显，基部合生成鞘状，绿色，有时带粉绿色；叶对生，多皱缩，展平叶片呈条形至条状披针形。茎圆柱形，上部有分枝，长 30 ~ 60 cm，表面淡绿色或黄绿色，光滑无毛，节明显，略膨大，断面中空。花 1 或 2 生于枝端，有时顶下腋生；苞片 2 ~ 3 对，倒卵形，长 6 ~ 10 mm，约为花萼的 1/4，宽 4 ~ 5 mm，先端长尖；花萼圆筒形，长 2.5 ~ 3 cm，直径 3 ~ 6 mm，常染紫红色晕，萼齿披针形，长 4 ~ 5 mm；花瓣长 4 ~ 5 cm，爪长 1.5 ~ 3 cm，包于萼筒内，瓣片宽倒卵形，边缘缝裂至中部或中部以上，通常淡红色

或带紫色，稀白色，喉部具丝毛状鳞片；雄蕊和花柱微外露。蒴果圆筒形，与宿存萼等长或微长，先端 4 裂；种子扁卵圆形，长约 2 mm，黑色，有光泽。花期 6 ~ 9 月，果期 8 ~ 10 月。

| 生境分布 | 生于海拔 400 ~ 3 100 m 的丘陵山地疏林下、林缘、草甸、沟谷溪边。分布于湖北兴山、五峰、罗田、通城、通山、巴东、神农架，以及武汉、黄石。

| 资源情况 | 野生资源丰富。

| 采收加工 | **全草：**夏、秋季采收，除去杂草和泥土，切段或不切段，晒干。

| 功能主治 | 利小便，清湿热，活血通经。用于小便不通，热淋，血淋，石淋，闭经，目赤肿痛，痈肿疮毒，湿疮瘙痒。

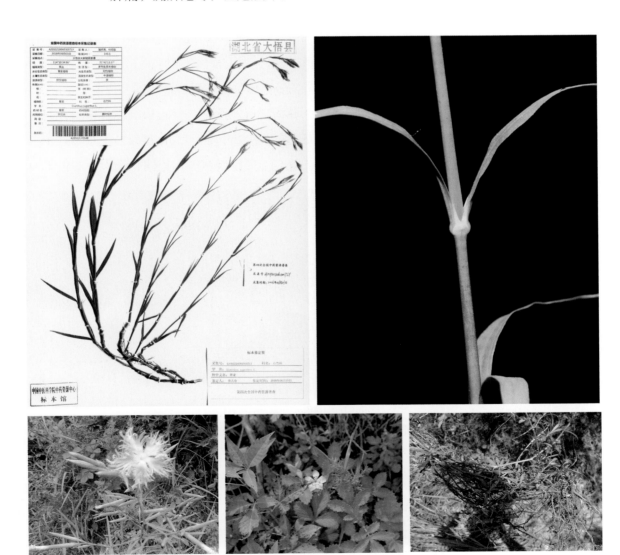

石竹科 Caryophyllaceae 石头花属 Gypsophila

长蕊石头花
Gypsophila oldhamiana Miq.

| 药 材 名 | 山银柴胡。

| 形态特征 | 多年生草本，高 60 ～ 100 cm。根粗壮，木质化，淡褐色至灰褐色。茎数个由根茎处生出，二叉或三叉分枝，开展，老茎常红紫色。叶片近革质，稍厚，长圆形，长 4 ～ 8 cm，宽 5 ～ 15 mm，先端短凸尖，基部稍狭，2 叶基相连成短鞘状，微抱茎，3 ～ 5 脉，中脉明显，上部叶较狭，近线形。伞房状聚伞花序较密集，顶生或腋生，无毛；花梗长 2 ～ 5 mm，直伸，无毛或疏生短柔毛；苞片卵状披针形，长渐尖尾状，膜质，大多具缘毛；花萼钟形或漏斗状，长 2 ～ 3 mm，萼齿卵状三角形，略急尖，脉绿色，伸达齿端，边缘白色，膜质，具缘毛；花瓣粉红色，倒卵状长圆形，先端截形或微凹，长于花萼 1 倍；雄蕊长于花瓣；子房倒卵球形，花柱长线形，伸出。蒴果卵

球形，稍长于宿存萼，先端 4 裂；种子近肾形，长 1.2 ～ 1.5 mm，灰褐色，两侧压扁，具条状突起，脊部具短尖的小疣状突起。花期 6 ～ 9 月，果期 8 ～ 10 月。

| **生境分布** | 生于海拔 2 000 m 以下的石山坡干燥处及沙坡地。分布于湖北宜昌。

| **资源情况** | 野生资源丰富。

| **采收加工** | **根：** 春、秋季采挖，去净泥土，切片，晒干。

| **功能主治** | 凉血，清虚热。用于阴虚肺痨，骨蒸潮热，盗汗，小儿疳热，久疟不止。

| **附　注** | 气血虚泄者忌用。

剪春罗
Lychnis coronata Thunb.

| **药 材 名** | 剪春罗。

| **形态特征** | 多年生草本，高 50 ~ 80 cm。根茎横生，竹节状，表面黄色，内面
白色，具条状根；茎直立，丛生，微有棱，节略膨大，光滑。单叶

对生；无柄；叶片卵状椭圆形，长 6 ~ 10 cm，宽 2 ~ 4 cm，先端渐尖或长渐尖，基部圆形或阔楔形，边缘有浅细锯齿。花 1 ~ 5 集成聚伞花序；花萼长筒形，先端 5 裂，裂片尖卵形；脉 10；花瓣 5，橙红色，先端有不规则浅裂，呈锯齿状，基部狭窄成爪状，瓣片与爪之间有鳞片 2；雄蕊 10，与花瓣互生；子房圆锥形，花柱 5；蒴果具宿存萼，先端 5 齿裂；种子多数。花期 7 月，果期 8 月。

| 生境分布 |　生于山坡疏林内或林缘草丛中的较阴湿处。湖北有分布。

| 采收加工 |　春季采收，鲜用或晒干。

| 功能主治 |　清热除湿，泻火解毒。用于感冒发热，缠腰火丹，风湿痹痛，泄泻。

石竹科 Caryophyllaceae 剪秋罗属 Lychnis

剪秋罗

Lychnis fulgens Fisch.

药材名

剪秋罗。

形态特征

多年生草本，高 50 ~ 80 cm，全株被柔毛。根簇生，纺锤形，稍肉质。茎直立，不分枝或上部分枝。叶片卵状长圆形或卵状披针形，长 4 ~ 10 cm，宽 2 ~ 4 cm，基部圆形，稀宽楔形，不呈柄状，先端渐尖，两面和边缘均被粗毛。二歧聚伞花序具数花，稀多数花，紧缩成伞房状；花直径 3.5 ~ 5 cm，花梗长 3 ~ 12 mm；苞片卵状披针形，草质，密被长柔毛和缘毛；花萼筒状棒形，长 15 ~ 20 mm，直径 3 ~ 3.5 cm，后期上部微膨大，被稀疏白色长柔毛，沿脉较密，萼齿三角状，先端急尖；雌雄蕊柄长约 5 mm；花瓣深红色，爪不露出花萼，狭披针形，具缘毛，瓣片倒卵形，2 深裂达瓣片的 1/2，裂片椭圆状条形，有时先端具不明显的细齿，瓣片两侧中下部各具 1 线形小裂片；副花冠片长椭圆形，暗红色，呈流苏状；雄蕊微外露，花丝无毛。蒴果长椭圆状卵形，长 12 ~ 14 mm；种子肾形，长约 1.2 mm，肥厚，黑褐色，具乳突。花期 6 ~ 7 月，果期 8 ~ 9 月。

| 生境分布 | 生于低山疏林下、灌丛中或草甸阴湿处。分布于湖北兴山、保康、罗田、黄梅、通山。 |

| 资源情况 | 野生资源较丰富。 |

| 采收加工 | **全草或根：** 秋后采收，除去杂质。 |

| 功能主治 | 清热利尿，健脾，安神。用于小便不利，疳积，盗汗，头痛，失眠。 |

石竹科 Caryophyllaceae 剪秋罗属 Lychnis

剪红纱花

Lychnis senno Sieb. et Zucc.

| 药 材 名 | 剪红纱花。

| 形态特征 | 多年生草本，高 50 ~ 100 cm，全株被粗毛。根簇生，细圆柱形，黄白色，稍肉质。茎单生，直立，不分枝或上部分枝。叶片椭圆状披针形，长（4 ~）8 ~ 12 cm，宽 2 ~ 3 cm，基部楔形，先端渐尖，两面被柔毛，边缘具缘毛。二歧聚伞花序具多数花；花直径 3.5 ~ 5 cm，花梗长 5 ~ 15 mm，比花萼短；苞片卵状披针形或披针形，被柔毛；花萼筒状，长（20 ~）25 ~ 30 mm，直径 2.5 ~ 3.5 mm，后期上部微膨大，沿脉被稀疏长柔毛，萼齿三角形，长 2 ~ 4 mm，先端急尖或渐尖，边缘具短缘毛；雌雄蕊柄无毛，长 10 ~ 15 mm；花瓣深红色，爪不露或微露出花萼，狭楔形，无毛，瓣片三角状倒卵形，不规则深裂，裂片具缺刻状钝齿；雄蕊与花萼

近等长，花丝无毛，花药暗紫色。蒴果椭圆状卵形，长 10 ～ 15 mm，微长于宿存萼；种子肾形，长约 1 mm，红褐色，具小瘤。花期 7 ～ 8 月，果期 8 ～ 9 月。

| **生境分布** | 生于山林草地。分布于湖北竹山、竹溪、房县、丹江口、兴山、保康、罗田、麻城、通山、巴东、神农架，以及荆门。

| **资源情况** | 野生资源较丰富。

| **采收加工** | **全草**：8 月采收，抖去泥沙，晒干。

| **功能主治** | 清热利尿，散瘀止痛。用于外感发热，热淋，泄泻，蛇串疮，风湿痹痛，跌打损伤。

石竹科 Caryophyllaceae 孩儿参属 Pseudostellaria

蔓孩儿参 *Pseudostellaria davidii* (Franch.) Pax

| 药 材 名 | 太子参。

| 形态特征 | 多年生草本。块根纺锤形。茎匍匐，细弱，长 60 ~ 80 cm，稀疏分
枝，被 2 列毛。叶片卵形或卵状披针形，长 2 ~ 3 cm，宽 1.2 ~ 2 cm，
先端急尖，基部圆形或宽楔形，具极短柄，具缘毛。开花受精花单
生于茎中部以上叶腋；花梗细，长 3.8 cm，被 1 列毛；萼片 5，披
针形，长约 3 mm，外面沿中脉被柔毛；花瓣 5，白色，长倒卵形，
全缘，比萼片长 1 倍；雄蕊 10，花药紫色，比花瓣短；花柱 3，稀
2；闭花受精花通常 1 ~ 2，匍匐枝多时则花超过 2，腋生；花梗长
约 1 cm，被毛；萼片 4，狭披针形，长约 3 mm，宽 0.8 ~ 1 mm，
被柔毛；雄蕊退化，花柱 2。蒴果宽卵圆形，稍长于宿存萼；种子

圆肾形或近球形，直径约 1.5 mm，表面具棘凸。花期 5 ～ 7 月，果期 7 ～ 8 月。

| **生境分布** | 生于海拔 3 000 m ～ 3 100 m 的混交林、杂木林下、溪旁或林缘石质坡。主要分布于湖北竹溪。

| **资源情况** | 野生资源丰富。药材主要来源于野生。

| **采收加工** | **根：**6 ～ 7 月茎叶大部分枯萎时，采挖根（以根呈黄色为宜，过早未成熟，过晚浆汁易渗出，遇暴雨易造成腐烂），洗净，放入有 100 ℃开水的锅中焯 1 ～ 3 分钟，捞起，摊晒至足干。或不经开水焯，直接晒至七八成干，搓去须根，使参根光滑无毛，再晒至足干。

| **功能主治** | 益气生津，补脾润肺。用于脾胃虚弱，食欲不振，倦怠无力，气阴两伤，干咳痰少，自汗气短，温病后期气虚津伤，内热口渴，神经衰弱，心悸失眠，头昏健忘，小儿夏季热。

石竹科 Caryophyllaceae 孩儿参属 Pseudostellaria

孩儿参 *Pseudostellaria heterophylla* (Miq.) Pax

| 药 材 名 | 孩儿参。

| 形态特征 | 多年生草本，高 15 ~ 20 cm。块根长纺锤形，白色，稍带灰黄色。茎直立，单生，被 2 列短毛。茎下部叶常 1 ~ 2 对，叶片倒披针形，先端钝尖，基部渐狭成长柄状；上部叶 2 ~ 3 对，叶片宽卵形或菱状卵形，长 3 ~ 6 cm，宽 2 ~ 17（~ 20）mm，先端渐尖，基部渐狭，上面无毛，下面沿脉疏生柔毛。开花受精花 1 ~ 3，腋生或呈聚伞花序；花梗长 1 ~ 2 cm，有时长达 4 cm，被短柔毛；萼片 5，狭披针形，长约 5 mm，先端渐尖，外面及边缘疏生柔毛；花瓣 5，白色，长圆形或倒卵形，长 7 ~ 8 mm，先端 2 浅裂；雄蕊 10，短于花瓣；子房卵形，花柱 3，微长于雄蕊；柱头头状。闭花受精花具短梗，萼片疏生多细胞毛。蒴果宽卵形，含少数种子，先端不裂或 3 瓣裂；

种子褐色，扁圆形，长约 1.5 mm，具疣状突起。花期 4 ～ 7 月，果期 7 ～ 8 月。

| **生境分布** | 生于海拔 800 ～ 2 700 m 的山谷林下阴湿处。分布于湖北随州及麻城。

| **资源情况** | 药材主要来源于栽培。

| **采收加工** | **块根：** 6 ～ 7 月茎叶大部分枯萎时采收，洗净，放于 100 ℃ 开水锅中焯水 1 ～ 3 分钟，捞起，摊晒至足干，或不经开水焯，直接晒至七八成干，搓去须根，再晒至足干。

| **功能主治** | 益气生津，补脾润肺。用于脾胃虚弱，食欲不振，倦怠无力，气阴两伤，干咳痰少，自汗气短，温病后期气虚津伤，内热口渴，神经衰弱，心悸失眠，头昏健忘，小儿夏季热。

| **附　　注** | 凡邪实之证者禁服。

石竹科 Caryophyllaceae 孩儿参属 Pseudostellaria

细叶孩儿参 *Pseudostellaria sylvatica* (Maxim.) Pax

| 药 材 名 | 太子参。

| 形态特征 | 多年生草本，高 15 ~ 25 cm。块根长卵形或短纺锤形，通常数个串生。茎直立，近4棱，被2列柔毛。叶无柄，叶片线状或披针状线形，长 3 ~ 5（~ 7）cm，宽 2 ~ 3（~ 5）mm，先端渐尖，基部渐狭，质薄，近基部有缘毛，下面粉绿色，中脉明显。开花受精花单生于茎顶或成二歧聚伞花序；花梗纤细，长 0.5 ~ 1.5 cm；萼片披针形，绿色，先端渐尖，边缘白色，膜质，外面被柔毛；花瓣白色，倒卵形，稍长于萼片，先端2浅裂；雄蕊短于花瓣，花药近圆形，极小，褐色；花柱 2 ~ 3，长线形，常露出于花瓣；闭花受精花着生于下部叶腋或短枝先端；萼片狭披针形，先端渐尖，外面被柔毛。蒴果卵圆形，

稍长于宿存萼，3 瓣裂；种子肾形，长 1.5 mm，具棘状突起。花期 4 ~ 5 月，果期 6 ~ 8 月。

| 生境分布 | 生于海拔 2 400 ~ 2 800（~ 3 100）m 的松林或混交林下。湖北有分布。

| 资源情况 | 栽培资源较丰富。药材主要来源于栽培。

| 采收加工 | 根：6 ~ 7 月茎叶大部分枯萎时，采挖根（以根呈黄色为宜，过早未成熟，过晚浆汁易渗出，遇暴雨易造成腐烂），洗净，放入有 100 ℃开水的锅中焯 1 ~ 3 分钟，捞起，摊晒至足干。或不经开水焯，直接晒至七八成干，搓去须根，使参根光滑无毛，再晒至足干。

| 功能主治 | 益气生津，补脾润肺。用于脾胃虚弱，食欲不振，倦怠无力，气阴两伤，干咳痰少，自汗气短，温病后期气虚津伤，内热口渴，神经衰弱，心悸失眠，头昏健忘，小儿夏季热。

石竹科 Caryophyllaceae 漆姑草属 Sagina

漆姑草
Sagina japonica (Sw.) Ohwi

| 药 材 名 | 漆姑草。

| 形态特征 | 一年生小草本，高 5 ~ 20 cm，上部被稀疏腺柔毛。茎丛生，稍铺散。叶片线形，长 5 ~ 20 mm，宽 0.8 ~ 1.5 mm，先端急尖，无毛。花小形，单生于枝端；花梗细，长 1 ~ 2 cm，被稀疏短柔毛；萼片 5，卵状椭圆形，长约 2 mm，先端尖或钝，外面疏生短腺柔毛，边缘膜质；花瓣 5，狭卵形，稍短于萼片，白色，先端圆钝，全缘；雄蕊 5，短于花瓣；子房卵圆形，花柱 5，线形。蒴果卵圆形，微长于宿存萼，5 瓣裂；种子细，圆肾形，微扁，褐色，表面具尖瘤状突起。花期 3 ~ 5 月，果期 5 ~ 6 月。

| 生境分布 | 生于海拔 600 ~ 1 900 m 的河岸沙地、撂荒地或路旁草地。湖北有分布。

| 资源情况 | 野生资源丰富。

| 采收加工 | **全草**：4 ~ 5 月采收，洗净，鲜用或晒干。

| 功能主治 | 息风止痉，清热利湿。用于破伤风，黄疸。

石竹科 Caryophyllaceae 肥皂草属 Saponaria

肥皂草
Saponaria officinalis L.

| 药 材 名 | 肥皂草。

| 形 态 特 征 | 多年生草本，高 30 ~ 70 cm。主根肥厚，肉质；根茎细，多分枝。茎直立，不分枝或上部分枝，常无毛。叶片椭圆形或椭圆状披针形，长 5 ~ 10 cm，宽 2 ~ 4 cm，基部渐狭成短柄状，微合生，半抱茎，先端急尖，边缘粗糙，两面均无毛，具 3 或 5 基出脉。聚伞圆锥花序，小聚伞花序有 3 ~ 7 花；苞片披针形，长渐尖，边缘和中脉被稀疏短粗毛；花梗长 3 ~ 8 mm，被稀疏短毛；花萼筒状，长 18 ~ 20 mm，直径 2.5 ~ 3.5 mm，绿色，有时暗紫色，初期被毛，纵脉 20，不明显，萼齿宽卵形，具突尖；雌、雄蕊梗长约 1 mm；花瓣白色或淡红色，爪狭长，无毛，瓣片楔状倒卵形，长

10 ~ 15 mm，先端微凹缺；副花冠片线形；雄蕊和花柱外露。蓇葖果长圆状卵形，长约 15 mm；种子圆肾形，长 1.8 ~ 2 mm，黑褐色，具小瘤。花期 6 ~ 9 月。

| **生境分布** |　生于开阔林地、路边等。湖北有栽培。

| **功能主治** |　祛痰，利尿。用于气管炎，淋证。

石竹科 Caryophyllaceae 蝇子草属 Silene

女娄菜
Silene aprica Turcz. ex Fisch. et Mey.

| 药 材 名 | 女娄菜。

| 形态特征 | 一年生或二年生草本，高 30 ~ 70 cm，全株密被灰色短柔毛。主根较粗壮，稍木质。茎单生或数个，直立，分枝或不分枝。基生叶倒披针形或狭匙形，长 4 ~ 7 cm，宽 4 ~ 8 mm，基部渐狭成长柄状，先端急尖，中脉明显；茎生叶倒披针形、披针形或线状披针形，比基生叶稍小。圆锥花序较大型；花梗长 5 ~ 20（ ~ 40）mm，直立；苞片披针形，草质，渐尖，具缘毛；花萼卵状钟形，长 6 ~ 8 mm，近草质，密被短柔毛，果实长达 12 mm，纵脉绿色，脉端多少联结，萼齿三角状披针形，边缘膜质，具缘毛；雌雄蕊柄极短或近无，被短柔毛；花瓣白色或淡红色，倒披针形，长 7 ~ 9 mm，微露出花萼或与花萼近等长，爪具缘毛，瓣片倒卵形，2 裂；副花冠片舌状；

雄蕊不外露，花丝基部具缘毛；花柱不外露，基部具短毛。蒴果卵形，长 8 ～ 9 mm，与宿存萼近等长或微长；种子圆肾形，灰褐色，长 0.6 ～ 0.7 mm，肥厚，具小瘤。花期 5 ～ 7 月，果期 6 ～ 8 月。

| **生境分布** | 生于海拔 3 100 m 以下的山坡草地或旷野路旁草丛中。分布于湖北武汉、宜昌、荆门。

| **资源情况** | 野生资源丰富。

| **采收加工** | **全草**：夏、秋季采收，除去泥沙，鲜用或晒干。
根、果实：夏、秋季采挖根，秋季采收果实，晒干。

| **功能主治** | **全草**：活血调经，下乳，健脾，利湿，解毒。用于月经不调，乳汁不足，疳积，脾虚浮肿，疔疮肿毒。
根、果实：利尿，催乳。用于小便短赤，乳汁不足。

石竹科 Caryophyllaceae 蝇子草属 Silene

高雪轮 Silene armeria L.

| 药 材 名 | 高雪轮。

| 形态特征 | 一年生草本，高 30 ~ 50 cm，常带粉绿色。茎单生，直立，上部分枝，无毛或被疏柔毛，上部具黏液。基生叶匙形，花期枯萎；茎生

叶卵状心形至披针形，长 2.5 ~ 7 cm，宽 7 ~ 35 mm，基部半抱茎，先端急尖或钝，两面均无毛。复伞房花序较紧密；花梗长 5 ~ 10 mm，无毛；苞片披针形，膜质，长 3 ~ 5（~ 7）mm，无毛；花萼筒状棒形，长 12 ~ 15 mm，直径约 2 mm，带紫色，无毛，纵脉紫色，萼齿短，宽三角状卵形，先端钝，边缘膜质；雌雄蕊柄无毛，长约 5 mm；花瓣淡红色，爪倒披针形，不露出花萼，无毛，耳不明显，瓣片倒卵形，微凹缺或全缘；副花冠片披针形，长约 3 mm；雄蕊微外露；花柱微外露。蒴果长圆形，长 6 ~ 7 mm，比宿存萼短；种子圆肾形，长约 0.5 mm，红褐色。花期 5 ~ 6 月，果期 6 ~ 7 月。

| 生境分布 |　　湖北有分布。

| 功能主治 |　　清热解毒。

石竹科 Caryophyllaceae 蝇子草属 Silene

坚硬女娄菜 *Silene firma* Siebold et Zucc.

| 药 材 名 |

坚硬女娄菜。

| 形态特征 |

一年生或二年生草本，高 50 ~ 100 cm；全株无毛，有时仅基部被短毛。茎单生或疏丛生，粗壮，直立，不分枝，稀分枝，有时下部暗紫色。叶片椭圆状披针形或卵状倒披针形，长 4 ~ 10（~ 16）cm，宽 8 ~ 25（~ 50）mm，基部渐狭成短柄状，先端急尖，具缘毛。假轮伞状间断式总状花序；花梗长 5 ~ 18（~ 30）mm，直立，常无毛；苞片狭披针形；花萼卵状钟形，长 7 ~ 9 mm，无毛，果期微膨大，长 10 ~ 12 mm，脉绿色，萼齿狭三角形，先端长渐尖，边缘膜质，具缘毛；雌、雄蕊梗极短或近无；花瓣白色，不露出花萼，爪倒披针形，无毛和耳，瓣片倒卵形，2 裂；副花冠片小，具不明显齿；雄蕊内藏，花丝无毛；花柱不外露。蒴果长卵形，长 8 ~ 11 mm，比宿存花萼短；种子圆肾形，长约 1 mm，灰褐色，具棘凸。花期 6 ~ 7 月，果期 7 ~ 8 月。

| 生境分布 |

生于海拔 300 ~ 2 500 m 的草坡、灌丛或林

缘草地。分布于湖北兴山、神农架，以及武汉、荆门、恩施。

| 资源情况 |　野生资源丰富。药材主要来源于野生。

| 采收加工 |　**种子**：8 ~ 9 月种子成熟时采收，晒干。

| 功能主治 |　清热解毒，利尿，调经。用于咽喉肿痛，聤耳出脓，小便不利。

石竹科 Caryophyllaceae 蝇子草属 Silene

鹤草
Silene fortunei Vis.

| **药 材 名** | 鹤草。

| **形态特征** | 多年生草本，高 50 ~ 80（~ 100）cm。根粗壮，木质化。茎丛生，直立，多分枝，被短柔毛或近无毛，分泌黏液。基生叶倒披针形或披针形，长 3 ~ 8 cm，宽 7 ~ 12（~ 15）mm，基部渐狭，下延成柄状，先端急尖，两面无毛或早期被微柔毛，边缘具缘毛，中脉明显。聚伞状圆锥花序，小聚伞花序对生，具 1 ~ 3 花；花梗细，长 3 ~ 12（~ 15）mm；苞片线形，长 5 ~ 10 mm，被微柔毛；花萼长筒状，长（22 ~）25（~ 30）mm，直径约 3 mm，无毛，基部截形，果期上部微膨大成筒状棒形，长 25 ~ 30 mm，纵脉紫色，萼齿三角状卵形，长 1.5 ~ 2 mm，先端圆钝，边缘膜质，具短缘毛；雌雄蕊柄无毛，果期长 10 ~ 15（~ 17）mm；花瓣淡红色，爪微露出花萼，

倒披针形，长 10 ~ 15 mm，无毛，瓣片平展，楔状倒卵形，长约 15 mm，2 裂
达瓣片的 1/2 或更深，裂片呈撕裂状条裂；副花冠片小，舌状；雄蕊微外露，
花丝无毛；花柱微外露。蒴果长圆形，长 12 ~ 15 mm，直径约 4 mm，比宿存
萼短或近等长；种子圆肾形，微侧扁，深褐色，长约 1 mm。花期 6 ~ 8 月，
果期 7 ~ 9 月。

| 生境分布 | 生于山坡、林下及杂草丛中。分布于湖北郧西、竹溪、房县、丹江口、兴山、
秭归、长阳、钟祥、罗田、英山、黄梅、麻城、通山、建始、巴东、神农架，
以及武汉、荆门、宜昌。

| 资源情况 | 野生资源丰富。

| 采收加工 | **全草：**夏、秋季采收，洗净，鲜用或晒干。

| 功能主治 | 清热利湿，活血解毒。用于痢疾，肠炎，热淋，带下，咽喉肿痛，劳伤发热，
跌打损伤，毒蛇咬伤。

石竹科 Caryophyllaceae · 蝇子草属 Silene

蝇子草 *Silene gallica* L.

| **药 材 名** | 蝇子草。

| **形态特征** | 一年生草本，高 15 ～ 45 cm，全株被柔毛。茎单生，直立或上升，不分枝或分枝，被短柔毛和腺毛。叶片长圆状匙形或披针形，长1.5 ～ 3 cm，宽 5 ～ 10 mm，先端圆或钝，有时急尖，两面被柔毛和腺毛。单歧式总状花序；花梗长 1 ～ 5 mm；苞片披针形，草质，长达 10 mm；花萼卵形，长约 8 mm，直径约 2 mm，被稀疏长柔毛和腺毛，纵脉先端多少联结，萼齿线状披针形，长约 2 mm，先端急尖，被腺毛；雌雄蕊柄几无；花瓣淡红色至白色，爪倒披针形，无毛，无耳，瓣片露出花萼，卵形或倒卵形，全缘，有时微凹缺；副花冠片小，线状披针形；雄蕊不外露或微外露，花丝下部具缘毛。蒴果卵形，长 6 ～ 7 mm，比宿存萼微短或近等长；种子肾形，两侧耳状

凹，长约 1 mm，暗褐色。花期 5 ~ 6 月，果期 6 ~ 7 月。

| **生境分布** | 生于山坡、林下及杂草丛中。湖北有分布。

| **资源情况** | 野生资源丰富。

| **采收加工** | **全草**：夏、秋季采收，洗净，鲜用或晒干。

| **功能主治** | 清热利湿，活血解毒。用于痢疾，肠炎，热淋，带下，咽喉肿痛，劳伤发热，跌打损伤，毒蛇咬伤。

石竹科 Caryophyllaceae 蝇子草属 Silene

湖北蝇子草 *Silene hupehensis* C. L. Tang

| 药 材 名 | 蝇子草。

| 形态特征 | 多年生草本，高 10 ~ 30 cm；全株无毛。茎丛生，直立或上升，不分枝，基部常簇生不育茎。基生叶叶片线形，长 5 ~ 8 cm，宽 2 ~ 3.5 mm，基部微抱茎，先端渐尖，具缘毛，中脉明显；茎生叶少数，

较小。聚伞花序常具 2 ~ 5 花，稀多数或单生；花直立，直径 15 ~ 20 mm；花梗细，长 2 ~ 5 cm；苞片线状披针形，具缘毛；花萼钟形，长 12 ~ 15 mm，直径 3.5 ~ 7 mm，无毛，基部圆形，纵脉紫色，不明显，连合在萼齿脉端，萼齿三角状卵形，长 2 ~ 4 mm，先端圆或钝头，边缘膜质，具短缘毛；雌、雄蕊梗被柔毛，长 3 ~ 4 mm；花瓣淡红色，长 15 ~ 20 mm，爪倒披针形，长 8 ~ 10 mm，不露或微露出花萼，无缘毛，耳不明显，瓣片倒心形或宽倒卵形，长 7 ~ 9 mm，2 浅裂，稀深达瓣片的中部，裂片近卵形，微波状或具不明显的缺刻，有时瓣片两侧基部各具 1 线形小裂片或钝齿；副花冠片近肾形或披针形，长 1 ~ 3 mm，常具不规则裂齿；雄蕊微外露，花丝无毛；花柱微外露。蒴果卵形，长 6 ~ 8 mm；种子圆肾形，长约 1.5 mm，黑褐色。花期 7 月，果期 8 月。

| 生境分布 | 生于海拔 1 200 ~ 2 700 m 的草坡或林间岩石缝中。分布于湖北丹江口、巴东、神农架。

| 资源情况 | 野生资源较丰富。

| 采收加工 | 夏、秋季采收，洗净，鲜用或晒干。

| 功能主治 | 清热利湿，活血解毒。用于痢疾，肠炎，热淋，带下，咽喉肿痛，劳伤发热，跌打损伤，毒蛇咬伤。

石竹科 Caryophyllaceae 蝇子草属 Silene

石生蝇子草 *Silene tatarinowii* Regel

| 药 材 名 | 石生蝇子草。

| 形态特征 | 多年生草本，全株被短柔毛。根圆柱形或纺锤形，黄白色。茎上升或俯仰，长 30 ~ 80 cm，分枝稀疏，有时基部节上生不定根。叶片披针形或卵状披针形，稀卵形，长 2 ~ 5 cm，宽 5 ~ 15（~ 20）mm，基部宽楔形或渐狭成柄状，先端长渐尖，两面被稀疏短柔毛，边缘具短缘毛，基出脉 1 或 3。二歧聚伞花序疏松，大型；花梗细，长 8 ~ 30（~ 50）mm，被短柔毛；苞片披针形，草质；花萼筒状棒形，长 12 ~ 15 mm，直径 3 ~ 5 mm，纵脉绿色，稀紫色，无毛或沿脉被稀疏短柔毛，萼齿三角形，先端急尖或渐尖，稀钝头，边缘膜质，具短缘毛；雌雄蕊柄无毛，长约 4 mm；花瓣白色，倒披针形，爪不露或微露出花萼，无毛，无耳，瓣片倒卵形，长约 7 mm，2 浅裂达

瓣片的 1/4，两侧中部具 1 线形小裂片或细齿；副花冠片椭圆状，全缘；雄蕊明显外露，花丝无毛；花柱明显外露。蒴果卵形或狭卵形，长 6 ~ 8 mm，比宿存萼短；种子肾形，长约 1 mm，红褐色至灰褐色，脊圆钝。花期 7 ~ 8 月，果期 8 ~ 10 月。

| **生境分布** | 生于海拔 800 ~ 2 900 m 的灌丛、疏林下多石质的山坡或岩石缝中。分布于湖北竹溪、兴山、秭归、建始、巴东、神农架，以及荆门、宜昌。

| **资源情况** | 野生资源较丰富。

| **采收加工** | **全草**：春、夏季采收，洗净，晒干。

| **功能主治** | 用于温热病，热入营血，身上热，口渴，舌质红绛，心神不宁，失眠多梦，心悸健忘。

石竹科 Caryophyllaceae 繁缕属 Stellaria

雀舌草 *Stellaria alsine* Grimm.

| 药 材 名 | 天蓬草。

| 形态特征 | 一年生草本，无毛。茎丛生，铺散，高 15 ~ 25（~ 35）cm，多分枝。叶无柄，披针形至长圆状披针形，长（0.2 ~）0.5 ~ 2 cm，宽（1 ~）2 ~ 4 mm，疏生缘毛，带粉红色的稍绿色，基部楔形，半拳卷，边缘软骨质，稍波状，先端渐尖的两面的基部。聚伞花序单生、顶生或腋生，花 3 ~ 5；花梗 0.5 ~ 2 cm，在果期细长，无毛，有点下倾，萼片 5，披针形，长 2 ~ 4 mm，宽约 1 mm，无毛，中脉凸起，边缘膜质，先端渐尖；花瓣 5，短于或近等长于萼片，2 瓣裂近基部；裂片线形，先端钝；雄蕊 5（~ 10），稍短于花瓣；子房卵球形，花柱 3，有时线形，短。蒴果卵球形圆形，近相等或稍长于宿存萼片，6 瓣裂；种子多数，棕色，肾形，稍压扁，微皱。花期 5 ~ 6 月，

果期 7 ~ 8 月。

| **生境分布** | 生于田间、溪岸或潮湿处。分布于湖北武昌、竹溪、鄂城、巴东、宣恩，以及武汉、十堰、宜昌。

| **资源情况** | 野生资源丰富。

| **采收加工** | **全草**：春季至秋季初采收，洗净，鲜用或晒干。

| **功能主治** | 祛风除湿，活血消肿，解毒止血。用于伤风感冒，泄泻，痢疾，风湿骨痛，跌打损伤，骨折，痈疮肿毒，痔漏，毒蛇咬伤，吐血，衄血，外伤出血。

石竹科 Caryophyllaceae 繁缕属 *Stellaria*

鹅肠菜 *Stellaria aquatica* (L.) Scop.

| **药 材 名** | 鹅肠菜。

| **形态特征** | 二年生或多年生草本，具须根。茎上升，多分枝，长 50 ～ 80 cm，上部被腺毛。叶片卵形或宽卵形，长 2.5 ～ 5.5 cm，宽 1 ～ 3 cm，先端急尖，基部稍心形，有时边缘具毛；叶柄长 5 ～ 15 mm，上部叶常无柄或具短柄，疏生柔毛。顶生二歧聚伞花序；苞片叶状，边缘具腺毛；花梗细，长 1 ～ 2 cm，花后伸长并向下弯，密被腺毛；萼片卵状披针形或长卵形，长 4 ～ 5 mm，果期长达 7 mm，先端较钝，边缘狭膜质，外面被腺柔毛，脉纹不明显；花瓣白色，2 深裂至基部，裂片线形或披针状线形，长 3 ～ 3.5 mm，宽约 1mm；雄蕊 10，稍短于花瓣；子房长圆形，花柱短，线形。蒴果卵圆形，稍长于宿存萼；

种子近肾形，直径约 1 mm，稍扁，褐色，具小疣。花期 5 ～ 8 月，果期 6 ～ 9 月。

| 生境分布 | 生于海拔 350 ～ 2 700 m 的河流两旁冲积沙地的低湿处或灌丛林缘和水沟旁。湖北有分布

| 采收加工 | **全草：** 翌年苗高 20cm 左右时采收，晒干。

| 功能主治 | 清热通淋，消肿止痛，消积通乳。用于牙痛，痢疾，痔疮肿痛，小便不利，尿路感染，乳汁不通等。

石竹科 Caryophyllaceae 繁缕属 Stellaria

中国繁缕 *Stellaria chinensis* Regel

| 药 材 名 | 中国繁缕。

| 形态特征 | 多年生草本，高 30 ~ 100 cm。茎细弱，铺散或上升，具 4 棱，无毛。叶片卵形至卵状披针形，长 3 ~ 4 cm，宽 1 ~ 1.6 cm，先端渐尖，基部宽楔形或近圆形，全缘，两面无毛，有时带粉绿色，下面中脉明显凸起；叶柄短或近无，被长柔毛。聚伞花序疏散，具细长花序梗；苞片膜质；花梗细，长约 1 cm 或更长；萼片 5，披针形，长 3 ~ 4 mm，先端渐尖，边缘膜质；花瓣 5，白色，2 深裂，与萼片近等长；雄蕊 10，稍短于花瓣；花柱 3。蒴果卵圆形，比宿存萼稍长或等长，6 齿裂；种子卵圆形，稍扁，褐色，具乳头状突起。花期 5 ~ 6 月，果期 7 ~ 8 月。

| 生境分布 | 生于海拔（160 ～）500 ～ 1 300（～ 2 500）m 的灌丛或冷杉林下、石缝或湿地。分布于湖北兴山、罗田、麻城、通山、巴东、宣恩、神农架，以及宜昌。

| 资源情况 | 野生资源丰富。

| 采收加工 | **全草**：春、夏、秋季均可采收，除去泥土，鲜用或晒干。

| 功能主治 | 清热解毒，活血止痛。用于乳痈，肠痈，疖肿，跌打损伤，产后瘀痛，风湿骨痛，牙痛。

石竹科 Caryophyllaceae 繁缕属 Stellaria

银柴胡

Stellaria dichotoma L. var. *lanceolata* Bunge

| 药 材 名 | 银柴胡。

| 形态特征 | 多年生草本，高 20 ~ 40 cm。主根圆柱形，直径 1 ~ 3 cm，外皮淡黄色，根头处有许多疣状的茎部残基。茎直立而纤细，上部二叉状分枝，密被短毛或腺毛；节略膨大。单叶对生；无柄；叶片披针形，长 4 ~ 30 mm，宽 1.5 ~ 4 mm，先端锐尖，基部圆形，全缘，上面疏被短毛或几无毛，下面被短毛。花单生于叶腋，直径约 3 mm；花梗长约 2 cm；萼片 5，披针形，长约 4 mm，绿色，边缘白色膜质；花瓣 5，较萼片短，白色，全缘，先端 2 深裂；雄蕊 10，2 轮，花丝基部合生，黄色；子房上位，花柱 3，细长。蒴果近球形，外被宿萼，成熟时先端 6 齿裂；种子通常 1，椭圆形，深棕色，种皮有多数小突起。花期 6 ~ 7 月，果期 8 ~ 9 月。

| 生境分布 | 生于海拔 1 250 ～ 3 100 m 的石质山坡或石质草原。湖北有分布。

| 资源情况 | 野生资源较丰富。

| 采收加工 | **根：**秋季采挖，洗净，晒干。

| 功能主治 | 清虚热，除疳热。用于阴虚发热，骨蒸劳热，疳积发热。

| 附　　注 | 血虚无热者慎服。

石竹科 Caryophyllaceae 繁缕属 Stellaria

禾叶繁缕 Stellaria graminea L.

| **药 材 名** | 禾叶繁缕。

| **形态特征** | 多年生草本，高 10 ~ 30 cm，全株无毛。茎细弱，密丛生，近直立，具 4 棱。叶无柄；叶片线形，长 0.5 ~ 4（~ 5）cm，宽 1.5 ~ 3（~ 4）mm，先端尖，基部稍狭，微粉绿色，边缘基部有疏缘毛，中脉不明显，下部叶腋生出不育枝。聚伞花序顶生或腋生，有时具少数花；苞片披针形，长 2（~ 5）mm，边缘膜质，中脉明显；花梗纤细，长 0.5 ~ 2.5 cm；花直径约 8 mm；萼片 5，披针形或狭披针形，长 4 ~ 4.5 mm，具 3 脉，绿色，有光泽，先端渐尖，边缘膜质；花瓣 5，稍短于萼片，白色，2 深裂；雄蕊 10，花丝丝状，无毛，长 4 ~ 4.5 mm，花药带褐色，小，宽椭圆形，长 0.3 mm；

子房卵状长圆形，花柱 3，稀 4，长约 2 mm。蒴果卵状长圆形，显著长于宿存萼，长 3.5 mm；种子近扁圆形，深栗褐色，具粒状钝突起，长约 1 mm。花期 5 ~ 7 月，果期 8 ~ 9 月。

| **生境分布** | 生于海拔 1 400 ~ 3 100 m 的山坡草地、林下或石隙中。湖北有分布。

| **功能主治** | 祛风除湿，提脓拔毒。用于颈淋巴结结核，筋骨疼痛等。

石竹科 Caryophyllaceae 繁缕属 Stellaria

繁缕
Stellaria media (L.) Cyr.

| 药 材 名 | 繁缕。

| 形态特征 | 一年生或二年生草本，高 10 ～ 30 cm。茎俯仰或上升，基部多少分枝，常带淡紫红色，被 1（～ 2）列毛。叶片宽卵形或卵形，先端渐尖或急尖，基部渐狭或近心形，全缘；基生叶具长柄，上部叶常无柄或具短柄。疏聚伞花序顶生，花梗细弱。蒴果卵形，稍长于宿存萼，先端 6 裂，具多数种子；种子卵圆形至近圆形，稍扁，红褐色，直径 1 ～ 1.2 mm，表面具半球形瘤状突起，脊较显著。花期 6 ～ 7 月，果期 7 ～ 8 月。

| 生境分布 | 生于田间路边或溪旁草地。分布于湖北武昌、郧西、竹溪、京山、通城、通山、恩施、利川、巴东、来凤、鹤峰、神农架，以及武汉、

十堰、宜昌、荆门。

| **资源情况** | 野生资源丰富。

| **采收加工** | **全草：**春、夏、秋季花开时采收，去除泥土，晒干。

| **功能主治** | 清热解毒，凉血消痈，活血止痛，下乳。用于痢疾，肠痈，肺痈，乳痈，疔疮肿毒，痔疮肿痛、出血，跌打伤痛，产后瘀滞腹痛，乳汁不下。

| **附　　注** | 孕妇慎服。

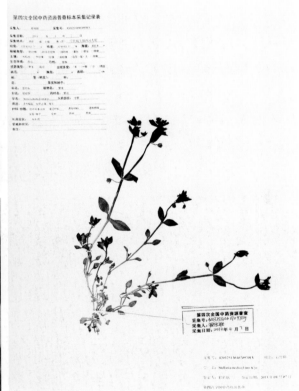

██ 石竹科 ██ Caryophyllaceae ██ 繁缕属 ██ *Stellaria*

鸡肠繁缕
Stellaria neglecta Weihe

| 药 材 名 | 繁缕。

| 形态特征 | 一年生或二年生草本，高 30 ~ 80 cm，淡绿色，被柔毛。根纤细。茎丛生，被 1 列柔毛。叶具短柄或无柄；叶片卵形或狭卵形，长（1.5 ~ ）2 ~ 3 cm，宽 5 ~ 13 mm，先端急尖，基部楔形，稍抱茎，边缘基部和两叶基间茎上被长柔毛。二歧聚伞花序顶生；苞片披针形，草质，被腺柔毛；花梗细，长 1 ~ 1.5 cm，密被 1 列柔毛，花后下垂；萼片 5，卵状椭圆形至披针形，长 3 ~ 4（ ~ 5）mm，边缘膜质，先端急尖，内折，外面密被多细胞腺柔毛；花瓣 5，白色，与萼片近等长或微露出，稀稍短于萼片，2 深裂；雄蕊（6 ~ ）8 ~ 10，微长于花瓣；花柱 3。蒴果卵形，长于宿存萼，6 齿裂，裂齿反卷；种子多数，近扁圆形，直径约 1.5 mm，褐色，表面疏具

圆锥状突起。花期 4 ~ 6 月，果期 6 ~ 8 月

| **生境分布** | 生于海拔 900 ~ 1 200（~ 3 100）m 的杂木林内。分布于湖北武昌、竹溪。

| **资源情况** | 野生资源较丰富。

| **采收加工** | **全草**：春、夏、秋季花开时采收，除去泥土，晒干。

| **功能主治** | 清热解毒，凉血消痈，活血止痛，下乳。用于痢疾，肠痈，肺痈，乳痈，疔疮肿毒，痔疮肿痛、出血，跌打伤痛，产后瘀滞腹痛，乳汁不下。

■石竹科■ Caryophyllaceae ■繁缕属■ Stellaria

峨眉繁缕 *Stellaria omeiensis* C. Y. Wu et Y. W. Tsui ex P. Ke

| 药 材 名 | 中国繁缕。

| 形态特征 | 一年生草本，高 20 ~ 30 cm。根纤细。茎单生，具 4 棱，上部分枝，被疏长柔毛。叶片卵形、卵圆形或卵状披针形，长 1.5 ~ 2.5（~ 4.5）cm，宽 8 ~ 12（~ 15）mm，先端渐尖，基部圆形，无柄，基部具缘毛，上面近无毛，下面被疏毛；中脉明显凸起，沿中脉毛较密。聚伞花序顶生，疏散，具多数花；苞片卵形，膜质；花梗长 1 ~ 2 cm，近无毛；萼片 5，披针形，长 2 ~ 2.5 mm，先端渐尖，边缘膜质，中脉明显；花瓣 5，白色，先端 2 深裂，短于萼片；雄蕊 10，短于花瓣；花柱 3。蒴果长圆状卵形，长为宿存萼片的 1.5 倍，6 齿裂；种子扁圆形，褐紫色，具不明显小疣。花期 4 ~ 7 月，

果期 6 ~ 8 月。

| **生境分布** | 生于海拔（1 200 ~）1 450 ~ 2 850 m 的林内或草丛中。分布于湖北巴东、宣恩以及恩施。

| **资源情况** | 野生资源较丰富。药材主要来源于野生。

| **采收加工** | 春、夏、秋季采收，去净泥土，鲜用或晒干。

| **功能主治** | 清热解毒，活血止痛。用于乳痈，肠痈，疖肿，跌打损伤，产后瘀痛，风湿痹痛，牙痛。

石竹科 Caryophyllaceae 繁缕属 Stellaria

箐姑草
Stellaria vestita Kurz

| 药 材 名 | 箐姑草。

| 形态特征 | 多年生草本，高 30 ~ 60（~ 90）cm，全株被星状毛。茎疏丛生，铺散或俯仰，下部分枝，上部密被星状毛。叶片卵形或椭圆形，长 1 ~ 3.5 cm，宽 8 ~ 20 mm，先端急尖，稀渐尖，基部圆形，稀急狭成短柄状，全缘，两面均被星状毛，下面中脉明显。聚伞花序疏散，具长花序梗，密被星状毛；苞片草质，卵状披针形，边缘膜质；花梗细，长短不等，长 10 ~ 30 mm，密被星状毛；萼片 5，披针形，长 4 ~ 6 mm，先端急尖，边缘膜质，外面被星状柔毛，显灰绿色，具 3 脉；花瓣 5，2 深裂近基部，短于萼片或近等长；裂片线形；雄蕊 10，较花瓣短或近等长；花柱 3，稀为 4。蒴果卵萼形，长 4 ~ 5 mm，6 齿裂；种子多数，肾形，细扁，长约 1.5 mm，脊具疣状突起。

花期 4 ~ 6 月，果期 6 ~ 8 月。

| **生境分布** | 生于海拔 600 ~ 2 300 m 的河谷草丛及旷野山地、田间、路边。分布于湖北竹溪、房县、丹江口、兴山、恩施、建始、巴东、宣恩、来凤、鹤峰、神农架，以及宜昌。

| **资源情况** | 野生资源较丰富。药材主要来源于野生。

| **采收加工** | **全草**：夏、秋季采收，鲜用或晒干。

| **功能主治** | 平肝，舒筋活血，利湿，解毒。用于中风不语，口眼歪斜，肢体麻木，风湿痹痛，跌打损伤，黄疸性肝炎，带下，疮疖。

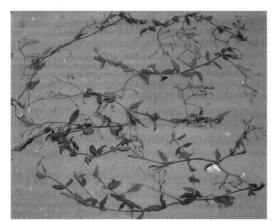

石竹科 Caryophyllaceae 繁缕属 Stellaria

巫山繁缕

Stellaria wushanensis Williams

| 药 材 名 | 巫山繁缕。

| 形态特征 | 一年生草本，高 10 ~ 20 cm。茎疏丛生，基部近匍匐，上部直立，多分枝，无毛。叶片卵状心形至卵形，长 2 ~ 3.5 cm，宽 1.5 ~ 2 cm，先端尖或急尖，基部近心形或急狭成长柄状，常左右不对称；叶柄长 1 ~ 2 cm。聚伞花序具 1 ~ 3 花，顶生或腋生；苞片草质；花梗长 2 ~ 6 cm，长为花萼的 4 倍，无毛或被疏柔毛；萼片 5，披针形，长 5.5 ~ 6 mm，具 1 脉，先端急尖，边缘膜质；花瓣 5，倒心形，长约 8 mm，先端 2 裂深达花瓣的 1/3；雄蕊 10，有时 7 ~ 9，短于花瓣；花柱 3，线形，有时为 2 或 4；中下部的腋生花为雌花，常无雄蕊，有时缺花瓣和雄蕊，而只有 2 花柱。蒴果卵圆形，与宿存萼

等长，具 3 ~ 5 种子；种子圆肾形，褐色，具尖瘤状突起。花期 4 ~ 6 月，果期 6 ~ 7 月。

| **生境分布** |　生于山地或丘陵。湖北有分布。

| **功能主治** |　用于疳积。

石竹科 Caryophyllaceae 麦蓝菜属 Vaccaria

麦蓝菜

Vaccaria segetalis (Neck.) Garcke

| 药 材 名 | 王不留行。

| 形态特征 | 一年生或二年生草本，高 30 ～ 70 cm，全株无毛，微被白粉，呈灰绿色。根为主根系。茎单生，直立，上部分枝。叶片卵状披针形或披针形，长 3 ～ 9 cm，宽 1.5 ～ 4 cm，基部圆形或近心形，微抱茎，先端急尖，具 3 基出脉。伞房花序稀疏；花梗细，长 1 ～ 4 cm；苞片披针形，着生于花梗中上部；花萼卵状圆锥形，长 10 ～ 15 mm，宽 5 ～ 9 mm，后期微膨大成球形，棱绿色，棱间绿白色，近膜质，萼齿小，三角形，先端急尖，边缘膜质；雌雄蕊柄极短；花瓣淡红色，长 14 ～ 17 mm，宽 2 ～ 3 mm，爪狭楔形，淡绿色，瓣片狭倒卵形，斜展或平展，微凹缺，有时具不明显的缺刻；雄蕊内藏；花柱线形，微外露。蒴果宽卵形或近圆球形，长 8 ～ 10 mm；种子近圆球形，

直径约 2 mm，红褐色至黑色。花期 5 ~ 7 月，果期 6 ~ 8 月。

| **生境分布** | 生于草坡、撂荒地或麦田中。湖北有分布。

| **资源情况** | 野生资源丰富。

| **采收加工** | **种子：**芒种前后在种子接近成熟时采收，晒干，打下种子，去净杂质。

| **功能主治** | 行血通经，催生下乳，消肿敛疮。用于闭经，乳汁不通，难产，血淋，痈肿，
金疮出血。

| **附　　注** | 孕妇慎用。

睡莲科 Nymphaeaceae 莼属 Brasenia

莼菜
Brasenia schreberi J. F. Gmel.

| 药 材 名 | 莼菜。

| 形态特征 | 多年生水生草本。根茎具叶及匍匐枝，后者在节部生根，并生具叶枝条及其他匍匐枝。叶椭圆状矩圆形，长 3.5 ~ 6 cm，宽 5 ~ 10 cm，下面蓝绿色，两面无毛，从叶脉处皱缩；叶柄长 25 ~ 40 cm，和花梗均有柔毛。花直径 1 ~ 2 cm，暗紫色；花梗长 6 ~ 10 cm；萼片及花瓣条形，长 1 ~ 1.5 cm，先端圆钝；花药条形，约长 4 mm；心皮条形，具微柔毛。坚果矩圆卵形，有 3 或更多成熟心皮；种子 1 ~ 2，卵形。花期 6 月，果期 10 ~ 11 月。

| 生境分布 | 生于池塘、河湖或沼泽地。湖北有分布。

| **资源情况** | 野生资源一般，栽培资源稀少。药材来源于野生。

| **采收加工** | 茎叶：5 ~ 7 月采收，洗净，鲜用或晒干。

| **功能主治** | 利水消肿，清热解毒。用于湿热痢疾，黄疸，水肿，小便不利，热毒痈肿。

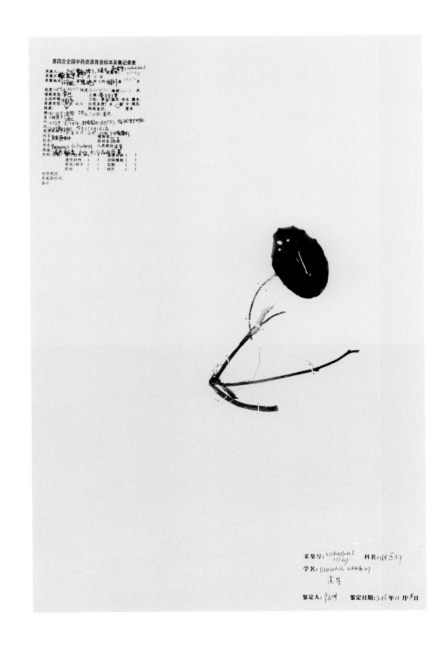

芡实

Euryale ferox Salisb. ex Konig et Sims

| **药 材 名** | 芡实。

| **形态特征** | 一年生大型水生草本。沉水叶箭形或椭圆肾形，长 4 ~ 10 cm，两面无刺，叶柄无刺；浮水叶革质，椭圆肾形至圆形，直径 10 ~ 130 cm，盾状，有或无弯缺，全缘，下面带紫色，有短柔毛，两面在叶脉分枝处有锐刺。叶柄及花梗粗壮，长可达 25 cm，皆有硬刺。花长约 5 cm；萼片披针形，长 1 ~ 1.5 cm，内面紫色，外面密生稍弯硬刺；花瓣矩圆状披针形或披针形，长 1.5 ~ 2 cm，紫红色，成数轮排列，向内渐变成雄蕊；无花柱，柱头红色，成凹入的柱头盘。浆果球形，直径 3 ~ 5 cm，污紫红色，外面密生硬刺；种子球形，直径超过 10 mm，黑色。花期 7 ~ 8 月，果期 8 ~ 9 月。

| **生境分布** | 生于池塘、湖沼中。湖北有分布。

| **采收加工** | **成熟种仁：** 视果实成熟情况分 5 ～ 6 次采收。当果柄变软、果实发红而光滑时，即可采收。采收时，首先用竹刀划去老、残叶、形成采收通道，尽量保护幼嫩叶、当家叶，不伤叶柄，行走时防止踩伤根系。将成熟果实从水中轻轻拉起，用刀从基部将果实切下，保留果柄，以免进水腐烂。每次采收须走原通道，减少根系和叶片损伤。

| **功能主治** | 益肾固精，补脾止泻，除湿止带。用于遗精，滑精，遗尿，尿频，脾虚久泻，白浊，带下。

睡莲科 Nymphaeaceae 莲属 Nelumbo

莲

Nelumbo nucifera Gaertn.

| 药 材 名 | 莲。

| 形态特征 | 多年生水生草本。根茎横生，粗壮。叶漂浮或高出水面，近圆形，盾状，全缘，叶脉放射状。花大，美丽，伸出水面；萼片 4 ~ 5；花瓣大，黄色、红色、粉红色或白色，内轮渐变成雄蕊；雄蕊药隔先端成 1 细长内曲附属物；花柱短，柱头顶生；花托海绵质，果期膨大。坚果矩圆形或球形；种子无胚乳，子叶肥厚。

| 生境分布 | 生于水泽、池塘、湖沼或水田内。湖北有分布。

| 功能主治 | **种子：** 补脾止泻，益肾固精。用于脾虚久泻，久痢，肾虚遗精，滑泄，小便不禁，崩漏，带下，心神不宁，惊悸，失眠。

种皮： 收涩止血。用于吐血，衄血，下血。

花蕾： 散瘀止血，祛湿消风。用于跌伤呕血，血淋，崩漏下血，天疱疮，疥癣瘙痒。

花托： 散瘀止血。用于崩漏，月经过多，便血，尿血，痔漏。

睡莲科 Nymphaeaceae 萍蓬草属 Nuphar

萍蓬草 *Nuphar pumilum* (Hoffm.) DC.

| **药 材 名** | 萍蓬草子、萍蓬草根。

| **形态特征** | 多年生水生草本。根茎肥大，横卧，直径 2 ~ 3 cm。叶漂浮，纸质；阔卵形，长 6 ~ 17 cm，宽 6 ~ 12 cm，先端圆钝，基部弯曲呈深心形，上面光亮，绿色，下面紫红色，密生柔毛，侧脉羽状；叶柄长 20 ~ 50 cm，有柔毛。花梗长 40 ~ 50 cm；花单生于梗端，漂浮在水面，直径 3 ~ 4 cm；萼片 5，黄色；革质，长圆形或椭圆形，长 1 ~ 2 cm；花瓣小，窄楔形，长 5 ~ 7 mm，先端微凹，背面有蜜腺，雄蕊多数；子房上位，柱头盘状，通常具 8 ~ 10 辐射状浅裂，淡黄色或带红色。浆果卵形，长约 3 cm，基部狭窄，具宿存萼片和柱头；种子多数，矩圆形，长 5 mm，褐色，革质，假种皮肉质。花期 2 ~ 7

月，果期 7 ～ 9 月。

| **生境分布** | 生于湖沼中。湖北有分布。

| **资源情况** | 野生资源一般，栽培资源稀少。药材来源于野生。

| **采收加工** | 萍蓬草子：秋季果实成熟时采收果实，取出种子。
萍蓬草根：秋季采挖，鲜用或晒干。

| **功能主治** | 萍蓬草子：健脾胃，活血调经。用于脾虚食少，月经不调。
萍蓬草根：健脾益肺，活血调经。用于脾虚食少难消，阴虚咳嗽，血瘀，月经不调，痛经，跌打损伤。

睡莲
Nymphaea tetragona Georgi

| 药 材 名 | 睡莲。

| 形态特征 | 多年生水生草本。根茎短粗。叶纸质，心状卵形或卵状椭圆形，长
5 ～ 12 cm，宽 3.5 ～ 9 cm，基部具深弯缺，约占叶片全长的 1/3，
裂片急尖，稍开展或几重合，全缘，上面光亮，下面带红色或紫色，
两面皆无毛，具小点；叶柄长达 60 cm。花直径 3 ～ 5 cm；花梗细长；
花萼基部四棱形，萼片革质，宽披针形或窄卵形，长 2 ～ 3.5 cm，
宿存；花瓣白色，宽披针形、长圆形或倒卵形，长 2 ～ 2.5 cm，内
轮不变成雄蕊；雄蕊比花瓣短，花药条形，长 3 ～ 5 mm；柱头
具 5 ～ 8 辐射线。浆果球形，直径 2 ～ 2.5 cm，为宿存萼片包裹；
种子椭圆形，长 2 ～ 3 mm，黑色。花期 6 ～ 8 月，果期 8 ～ 10 月。

| **生境分布** | 生于池塘或水田内。湖北有栽培。

| **资源情况** | 野生资源稀少，栽培资源丰富。药材来源于栽培。

| **采收加工** | 夏季采收，洗净，除去杂质，晒干。

| **功能主治** | 消暑，解酒，定惊。用于中暑，醉酒烦渴，小儿惊风。

金鱼藻 *Ceratophyllum demersum* L.

| 药 材 名 | 金鱼藻。

| 形态特征 | 多年生沉水草本。茎长 40 ~ 150 cm，平滑，具分枝。叶 4 ~ 12 轮生，1 ~ 2 次 2 叉状分歧，裂片丝状或丝状条形，长 1.5 ~ 2 cm，宽 0.1 ~ 0.5 mm，先端带白色软骨质，边缘仅一侧有数细齿。花直径约 2 mm；苞片 9 ~ 12，条形，长 1.5 ~ 2 mm，浅绿色，透明，先端有 3 齿及带紫色毛；雄蕊 10 ~ 16，微密集；子房卵形，花柱钻状。坚果宽椭圆形，长 4 ~ 5 mm，宽约 2 mm，黑色，平滑，边缘无翅，有 3 刺，顶生刺（宿存花柱）长 8 ~ 10 mm，先端具钩，基部 2 刺向下斜伸，长 4 ~ 7 mm，先端渐细成刺状。花期 6 ~ 7 月，果期 8 ~ 10 月。

生境分布	生于海拔 2 700 m 以下的淡水池沼、湖泊及河沟中；常生于 1～3 m 深的水域中，形成密集的水下群落。湖北有分布。
资源情况	野生资源一般，栽培资源稀少。药材来源于野生。
采收加工	全年均可采收，洗净，晒干。
功能主治	凉血止血，清热利水。用于血热吐血、咯血，热淋涩痛。

领春木科 Eupteleaceae 领春木属 Euptelea

领春木
Euptelea pleiospermum Hook. f. et Thoms

| 药 材 名 | 领春木。

| 形态特征 | 落叶灌木或小乔木，高 2 ~ 15 m；树皮紫黑色或棕灰色。小枝无毛，紫黑色或灰色；芽卵形，鳞片深褐色，光亮。叶纸质，卵形或近圆形，少数椭圆状卵形或椭圆状披针形，长 5 ~ 14 cm，宽 3 ~ 9 cm，先端渐尖，有 1 突生尾尖，长 1 ~ 1.5 cm，基部楔形或宽楔形，边缘疏生先端加厚的锯齿，下部或近基部全缘，上面无毛或散生柔毛后脱落、仅在脉上残存，下面无毛或脉上有伏毛，脉腋具丛毛，侧脉 6 ~ 11 对；叶柄长 2 ~ 5 cm，有柔毛，后脱落。花丛生；花梗长 3 ~ 5 mm；苞片椭圆形，早落；雄蕊 6 ~ 14，长 8 ~ 15 mm，花药红色，比花丝长，药隔附属物长 0.7 ~ 2 mm；心皮 6 ~ 12，子

房歪斜，长 2 ~ 4 mm，柱头面在腹面或远轴，斧形，具微小黏质突起，有 1 ~ 3
（~ 4）胚珠。翅果长 5 ~ 10 mm，宽 3 ~ 5 mm，棕色，子房柄长 7 ~ 10 mm，
果柄长 8 ~ 10 mm；种子 1 ~ 3，卵形，长 1.5 ~ 2.5 mm，黑色。花期 4 ~ 5 月，
果期 7 ~ 8 月。

| 生境分布 | 生于海拔 900 ~ 2 000 m 的溪边杂木林中。湖北有分布。

| 功能主治 | 清热，泻火，消痈，接骨。

连香树科 Cercidiphyllaceae 连香树属 Cercidiphyllum

连香树

Cercidiphyllum japonicum Sieb. et Zucc.

| **药 材 名** | 连香树果。

| **形态特征** | 落叶大乔木，高 10 ～ 20 m，少数达 40 m。树皮灰色或棕灰色。小枝无毛，短枝在长枝上对生。芽鳞片褐色。生于短枝上的叶近圆形、宽卵形或心形，生于长枝上的叶椭圆形或三角形，长 4 ～ 7 cm，宽 3.5 ～ 6 cm，先端圆钝或急尖，基部心形或截形，边缘有圆钝锯齿，先端具腺体，两面无毛，下面灰绿色带粉霜，掌状脉 7 直达边缘；叶柄长 1 ～ 2.5 cm，无毛。雄花常 4 丛生，近无梗；苞片在花期红色，膜质，卵形；花丝长 4 ～ 6 mm，花药长 3 ～ 4 mm；雌花 2 ～ 6（～ 8），丛生；花柱长 1 ～ 1.5 cm，上端为柱头面。蓇葖果 2 ～ 4，荚果状，长 10 ～ 18 mm，宽 2 ～ 3 mm，褐色或黑色，微弯曲，先端渐细，有宿存花柱，果柄长 4 ～ 7 mm；种子数个，扁平四角形，

长 2 ~ 2.5 mm（不连翅长），褐色，先端有透明翅，长 3 ~ 4 mm。花期 4 月，果期 8 月。

| **生境分布** | 生于山谷边缘或林中开阔地的杂木林中。湖北有分布。

| **资源情况** | 野生资源一般，栽培资源稀少。药材来源于野生。

| **采收加工** | **果实**：秋季果实成熟时采收，鲜用或晒干。

| **功能主治** | 祛风，定惊止痉。用于小儿惊风，抽搐肢冷。

毛茛科 Ranunculaceae 乌头属 Aconitum

乌头 *Aconitum carmichaeli* Debx.

| 药 材 名 | 川乌、附子。

| 形态特征 | 块根倒圆锥形，长 2 ~ 4 cm，直径 1 ~ 1.6 cm。茎高 60 ~ 150
（~ 200）cm，中部之上疏被反曲的短柔毛，等距离生叶，分枝。
茎下部叶在开花时枯萎，茎中部叶有长柄；叶片薄革质或纸质，五
角形，长 6 ~ 11 cm，宽 9 ~ 15 cm，基部浅心形 3 裂达或近基部，
中央全裂片宽菱形，有时倒卵状菱形或菱形，急尖，有时短渐尖近
羽状分裂，2 回裂片约 2 对，斜三角形，生 1 ~ 3 牙齿，间或全缘，
侧全裂片不等 2 深裂，表面疏被短伏毛，背面通常只沿脉疏被短
柔毛；叶柄长 1 ~ 2.5 cm，疏被短柔毛。顶生总状花序长 6 ~ 10
（~ 25）cm；轴及花梗多少密被反曲而紧贴的短柔毛；下部苞
片 3 裂，其他的狭卵形至披针形；花梗长 1.5 ~ 3（~ 5.5）cm；

小苞片生于花梗中部或下部，长 3 ～ 5（～ 10）mm，宽 0.5 ～ 0.8（～ 2）mm；萼片蓝紫色，外面被短柔毛，上萼片高盔形，高 2 ～ 2.6 cm，自基部至喙长 1.7 ～ 2.2 cm，下缘稍凹，喙不明显，侧萼片长 1.5 ～ 2 cm；花瓣无毛，瓣片长约 1.1 cm，唇长约 6 mm，微凹，距长（1 ～）2 ～ 2.5 mm，通常拳卷；雄蕊无毛或疏被短毛，花丝有 2 小齿或全缘；心皮 3 ～ 5，子房疏或密被短柔毛，稀无毛。蓇葖果长 1.5 ～ 1.8 cm；种子长 3 ～ 3.2 mm，三棱形，只在 2 面密生横膜翅。9 ～ 10 月开花。

| **生境分布** | 生于海拔 1 000 ～ 2 400 m 的山地草坡或疏林中。湖北有分布。

| **资源情况** | 野生资源一般，栽培资源一般。药材主要来源于栽培。

| **采收加工** | 川乌：6 月下旬至 8 月上旬采挖，除去子根、须根及泥沙，晒干。
附子：6 月下旬至 8 月上旬采挖，除去母根、须根及泥沙。

| **功能主治** | 川乌：祛风除湿，温经止痛。用于风寒湿痹，关节疼痛，心腹冷痛，寒疝作痛。
附子：回阳救逆，补火助阳，散寒止痛。用于亡阳虚脱，肢冷脉微，心阳不足，胸痹心痛，虚寒吐泻，脘腹冷痛，肾阳虚衰，阳痿宫冷，阴寒水肿，阳虚外感，寒湿痹痛。

毛茛科 Ranunculaceae 乌头属 Aconitum

紫乌头
Aconitum episcopale H. Lév.

| 药 材 名 | 紫乌头。

| 形态特征 | 块根倒圆锥形，长约 5 cm，直径约 1.8 cm。茎缠绕，长，上部疏被伸展的或反曲的短柔毛，分枝。中部茎生叶的叶片圆五角形，长达 7.5 cm，宽达 10 cm，基部心形，3 裂达基部或至距基部约 1.5 mm 处，中央全裂片菱形或卵状菱形，渐尖，近羽状深裂，2 回裂片 3 ~ 4 对，斜三角形或近线形，全缘或具 1 ~ 3 小裂片，两面疏被短柔毛或几无毛；叶柄与叶片近等长，被反曲的短柔毛或几无毛，无鞘。总状花序有 4 ~ 8 花；轴和花梗密被伸展的淡黄色微硬毛；苞片线形；花梗斜展，长 1.5 ~ 3 cm；小苞片生于花梗中部或下部，线形，长 3 ~ 8 mm，宽 0.3 ~ 0.5 mm，密被伸展的短柔毛；萼片蓝紫色，

外面疏被短柔毛，上萼片高盔形或圆筒状盔形，高 2 ~ 2.4 cm，自基部至喙长 1.4 ~ 1.6 cm，下缘稍凹，外缘直或在下部稍缢缩，并与下缘形成短喙，侧萼片长 1.2 ~ 1.4 cm；花瓣无毛，唇长约 4.5 mm，距长约 3 mm，向后弯曲；雄蕊无毛，花丝全缘或有 2 小齿；心皮（3 ~ ）5，子房被淡黄色柔毛或无毛。蓇葖果长 1.1 ~ 1.4 cm；种子三棱形，长约 2.5 mm，密生横膜翅。花期 7 ~ 11 月。

| **生境分布** | 生于海拔 2 400 ~ 3 100 m 的山地。湖北有分布。

| **资源情况** | 野生资源稀少，栽培资源稀少。药材主要来源于野生。

| **采收加工** | 秋季采挖，除去残茎及泥土，晒干或烘干。

| **功能主治** | 祛风湿，解毒，醒酒。用于风湿痹痛，跌打伤痛。

毛茛科 Ranunculaceae 乌头属 Aconitum

赣皖乌头
Aconitum finetianum Hand.-Mazz.

| 药 材 名 |

破叶莲。

| 形态特征 |

根圆柱形，长约 8 cm，直径 3 ~ 4 mm。茎缠绕，长约 1 m，疏被反曲的短柔毛，中部以下几无毛。下部茎生叶具长柄；叶片形状与两色乌头极为相似，五角状肾形，长 6 ~ 10 cm，宽 10 ~ 18 cm，两面疏被紧贴的短毛；叶柄长达 30 cm，几无毛；上部茎生叶渐变小，叶柄与叶片近等长或稍短。总状花序具 4 ~ 9 花；轴和花梗均密被淡黄色反曲的小柔毛；花梗长 3.5 ~ 8 mm；小苞片小，线形，生于花梗的中部或近基部处；萼片白色带淡紫色，外面被紧贴的短柔毛，上萼片圆筒形，高 1.3 ~ 1.5 cm，中部直径 2.5 ~ 3（~ 5）mm，直或稍向内弯曲，外缘在中部以下向外下方斜展成短喙，下缘长约 1 cm，侧萼片倒卵形，下萼片狭椭圆形；花瓣与上萼片等长，无毛，距与唇近等长或稍长，细，先端稍拳卷；雄蕊无毛，花丝全缘；心皮 3，子房疏被紧贴的淡黄色短柔毛。蓇葖果长 0.8 ~ 1.1 cm；种子倒圆锥状三棱形，长约 1.5 mm，生横狭翅。花期 8 ~ 9 月，果期 10 月。

| 生境分布 | 生于海拔 850 ~ 1 600 m 的山地阴湿处。湖北有分布。

| 资源情况 | 野生资源稀少，栽培资源稀少。药材主要来源于栽培。

| 采收加工 | 春、秋季采挖，除去残茎及须根，洗净，晒干。

| 功能主治 | 祛风止痛，和血败毒。用于风湿痹痛，跌打损伤。

| 毛茛科 | Ranunculaceae | 乌头属 | *Aconitum* |

伏毛铁棒锤

Aconitum flavum Hand.-Mazz.

| 药 材 名 |

铁棒锤茎叶、铁棒锤。

| 形态特征 |

块根胡萝卜形，长约 4.5 cm，直径约 8 mm。茎高 35 ~ 100 cm，中部以下无毛，在中部或上部被反曲而紧贴的短柔毛，密生多数叶，通常不分枝。下部茎生叶在开花时枯萎，中部茎生叶有短柄；叶片宽卵形，长 3.8 ~ 5.5 cm，宽 3.6 ~ 4.5 cm，基部浅心形，3 全裂，全裂片细裂，末回裂片线形，两面无毛，边缘干时稍反卷，疏被短缘毛；叶柄长 3 ~ 4 mm。顶生总状花序狭长，长为茎的 1/5 ~ 1/4，有 12 ~ 25 花；轴及花梗密被紧贴的短柔毛；下部苞片似叶，中部以上的苞片线形；花梗长 4 ~ 8 mm；小苞片生于花梗顶部，线形，长 3 ~ 6 mm；萼片黄色带绿色或暗紫色，外面被短柔毛，上萼片盔状船形，具短爪，高 1.5 ~ 1.6 cm，下缘斜升，上部向下弧状弯曲，外缘斜，侧萼片长约 1.5 cm，下萼片斜长圆状卵形；花瓣疏被短毛，瓣片长约 7 mm，唇长约 3 mm，距长约 1 mm，向后弯曲；花丝无毛或疏被短毛，全缘；心皮 5，无毛或疏被短毛。蓇葖果无毛，长 1.1 ~ 1.7 cm；种子倒卵状三棱形，长约 2.5 mm，光滑，沿棱具狭翅。花期 8 月。

| 生境分布 | 生于海拔 2 000 ~ 3 100 m 的山地草坡或疏林下。湖北有分布。

| 资源情况 | 野生资源稀少，栽培资源稀少。药材主要来源于野生。

| 采收加工 | **铁棒锤茎叶：** 7 ~ 8 月采收，洗净，鲜用或晒干。
铁棒锤： 秋季采收，去须根，洗净，晒干。

| 功能主治 | **铁棒锤茎叶：** 用于跌打损伤，痈肿，疮疖。
铁棒锤： 祛风止痛，散瘀止血，消肿拔毒。用于风湿关节痛，腰腿痛，跌打损伤；
外用于淋巴结结核（未破），痈疮肿毒。

毛茛科 Ranunculaceae 乌头属 Aconitum

瓜叶乌头
Aconitum hemsleyanum E. Pritz.

| 药 材 名 | 藤乌头。

| 形态特征 | 块根圆锥形，长 1.6 ～ 3 cm，直径达 1.6 cm。茎缠绕，无毛，常带紫色，分枝。茎中部叶的叶片五角形或卵状五角形，长 6.5 ～ 12 cm，宽 8 ～ 13 cm，基部心形，3 深裂至距基部 0.9 ～ 3.2 cm 处，中央深裂片梯状菱形或卵状菱形，短渐尖，不明显 3 浅裂，浅裂片具少数小裂片或卵形粗牙齿，侧深裂片斜扇形，不等 2 浅裂；叶柄比叶片稍短，疏被短柔毛或几无毛。总状花序生于茎或分枝先端，有 2 ～ 6（～ 12）花；轴和花梗无毛或被贴伏的短柔毛；下部苞片叶状或不分裂而为宽椭圆形，上部苞片小，线形；花梗常下垂，弧状弯曲，长 2.2 ～ 6 cm；小苞片生于花梗下部或上部，线形，长 3 ～ 5 mm，宽约 0.5 mm，无毛；萼片深蓝色，外面无毛或变无毛，上萼片高盔

形或圆筒状盔形，几无爪，高 2 ~ 2.4 cm，下缘长 1.7 ~ 1.8 cm，直或稍凹，喙不明显，侧萼片近圆形，长 1.5 ~ 1.6 cm；花瓣无毛，瓣片长约 10 mm，宽约 4 mm，唇长 5 mm，距长约 2 mm，向后弯；雄蕊无毛，花丝有 2 小齿或全缘；心皮 5，无毛或偶尔子房有柔毛。蓇葖果直，长 1.2 ~ 1.5 cm，喙长约 2.5 mm；种子三棱形，长约 3 mm，沿棱有狭翅并有横膜翅。花期 8 ~ 10 月。

| **生境分布** | 生于海拔 1 700 ~ 2 200 m 的山地林中或灌丛中。湖北有分布。

| **资源情况** | 野生资源稀少，栽培资源稀少。药材主要来源于栽培。

| **采收加工** | **块根：**秋、冬季采挖，洗净泥沙，剪去须根，切片，晒干。

| **功能主治** | 镇痉，降血压，发汗，利尿。用于腰腿疼痛，无名肿毒，跌打损伤，癣疮。

| **附　注** | 本品毒性甚烈，不经炮制，不宜内服。

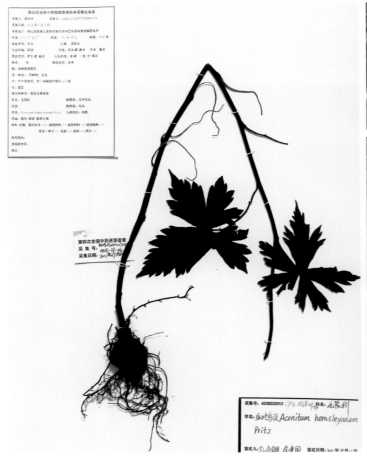

毛茛科 Ranunculaceae 乌头属 Aconitum

川鄂乌头 *Aconitum henryi* Pritz.

| 药 材 名 | 草乌。

| 形态特征 | 块根胡萝卜形或倒圆锥形，长 1.5 ～ 3.8 cm。茎缠绕，无毛，分枝。中部茎生叶有短或稍长柄；叶片坚纸质，卵状五角形，长 4 ～ 10 cm，宽 6.5 ～ 12 cm，3 全裂，中央全裂片披针形或菱状披针形，渐尖，边缘疏生或稍密生钝牙齿，两面无毛，或表面疏被紧贴的短柔毛；叶柄长为叶片的 1/3 ～ 2/3，无毛。花序有（1 ～）3 ～ 6 花，轴和花梗无毛或有极稀疏的反曲短柔毛；苞片线形；花梗长 1.8 ～ 3.5（～ 5）cm；小苞片生于花梗中部，线状钻形，长 3.5 ～ 6.5 mm；萼片蓝色，外面疏被短柔毛或几无毛，上萼片高盔形，高 2 ～ 2.5 cm，中部直径 6 ～ 9 mm，下缘长 1.4 ～ 1.9 cm，稍凹，外缘垂直，在

中部或中部之下稍缢缩，继向外下方斜展与下缘形成尖喙，侧萼片长 1.3 ～ 1.8 cm；花瓣无毛，唇长约 8 mm，微凹，距长 4 ～ 5 mm，向内弯曲；雄蕊无毛，花丝全缘；心皮 3，子房无毛或疏被短柔毛。花期 9 ～ 10 月。

| 生境分布 | 生于海拔 1 000 ～ 2 000 m 的山地丛林中。湖北有分布。

| 功能主治 | 祛风胜湿，活血行瘀。用于跌打损伤，风湿痹痛。

毛茛科 Ranunculaceae 乌头属 Aconitum

北乌头 *Aconitum kusnezoffii* Rchb.

药 材 名

草乌。

形态特征

块根呈圆锥形或胡萝卜形，长 2.5 ～ 5 cm，直径 7 ～ 10 cm。茎高（65 ～）80 ～ 150 cm，无毛，等距离生叶，通常分枝。茎下部叶有长柄，在开花时枯萎，茎中部叶有稍长柄或短柄；叶片纸质或近革质，五角形，长 9 ～ 16 cm，宽 10 ～ 20 cm，基部心形，3 全裂，中央全裂片菱形，渐尖，近羽状分裂，小裂片披针形，侧全裂片斜扇形，不等 2 深裂，表面疏被短曲毛，背面无毛；叶柄长约为叶片的 1/3 ～ 2/3，无毛。顶生总状花序具 9 ～ 22 花，通常与其下的腋生花序形成圆锥花序；轴和花梗无毛；下部苞片 3 裂，其他苞片长圆形或线形；下部花梗长 1.8 ～ 3.5（～ 5）cm；小苞片生于花梗中部或下部，线形或钻状线形，长 3.5 ～ 5 mm，宽 1 mm；萼片紫蓝色，外面有疏曲柔毛或几无毛，上萼片盔形或高盔形，高 1.5 ～ 2.5 cm，有短或长喙，下缘长约 1.8 cm，侧萼片长 1.4 ～ 1.6（～ 2.7）cm，下萼片长圆形；花瓣无毛，瓣片宽 3 ～ 4 mm，唇长 3 ～ 5 mm，距长 1 ～ 4 mm，向后弯曲或近拳卷；雄蕊无毛，花丝全缘或有 2 小齿；心皮（4 ～）5，无毛。蓇葖果直，长（0.8 ～）1.2 ～ 2 cm；种子长约 2.5 mm，扁椭圆球形，沿棱具狭翅，只在一面生横膜翅。花期 7 ～ 9 月。

| 生境分布 | 生于海拔 1 000 ～ 2 400 m 的山地草坡或疏林中。湖北有分布。

| 资源情况 | 野生资源一般，栽培资源一般。药材主要来源于栽培。

| 采收加工 | **块根：** 秋季茎叶枯萎时采挖，除去须根及泥沙，干燥。

| 功能主治 | 祛风除湿，温经止痛。用于风寒湿痹，关节疼痛，心腹冷痛，寒疝作痛，麻醉止痛。

| 附　　注 | 本品因有剧毒，一般外用。

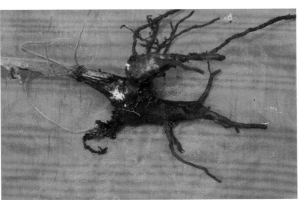

| 毛茛科 | Ranunculaceae | 乌头属 | *Aconitum*

花葶乌头

Aconitum scaposum Franch.

| 药 材 名 | 墨七。

| 形态特征 | 根近圆柱形，长约 10 cm，直径约 0.8 cm。茎高 35 ~ 67 cm，稍密被反曲（偶尔开展）的淡黄色短毛，分枝或不分枝。基生叶 3 ~ 4，具长柄，叶片肾状五角形，长 5.5 ~ 11 cm，宽 8.5 ~ 22 cm，基部心形，3 裂稍超过中部，中裂片倒梯状菱形，急尖，稀渐尖，不明显 3 浅裂，边缘有粗齿，侧裂片斜扇形，不等 2 浅裂，两面有短伏毛，叶柄长 13 ~ 40 cm，基部有鞘；茎生叶小，2 ~ 4，有时无，集中在近茎基部处，长达 7 cm，叶片长达 2 cm 或完全退化，叶柄鞘状。总状花序长（20 ~）25 ~ 40 cm，有 15 ~ 40 花；苞片披针形或长圆形；花梗长 1.4 ~ 3.4 cm，被开展的淡黄色长毛；小苞片生于花梗基部，似苞片，但较短；萼片蓝紫色，外面疏被开展的微糙毛，

上萼片圆筒形，高 1.3 ~ 1.8 cm，外缘近直，与向下斜展的下缘形成尖喙；花瓣的距疏被短毛或无毛，比瓣片长 2 ~ 3 倍，拳卷；雄蕊无毛，花丝全缘；心皮 3，子房疏被长毛。蓇葖果不等大，长 0.75 ~ 1.3 cm；种子倒卵形，长约 1.5 mm，白色，密生横狭翅。花期 8 ~ 9 月。

| 生境分布 | 生于海拔 1 200 ~ 2 000 m 的山谷地中或林中阴湿处。湖北有分布。

| 资源情况 | 野生资源稀少，栽培资源稀少。药材主要来源于栽培。

| 采收加工 | **根**：夏、秋季采挖，洗净，晒干。

| 功能主治 | 活血调经，散瘀止痛。用于月经不调，跌打损伤，骨折疼痛，风湿关节痛，胃痛，无名肿毒。

毛茛科 Ranunculaceae 乌头属 Aconitum

聚叶花葶乌头 *Aconitum scaposum* Franch. var. *vaginatum* (E. Pritz.) Rapaics

| 药 材 名 | 墨七。

| 形态特征 | 根近圆柱形，长约 10 cm，直径约 0.8 cm。茎高 35 ~ 67 cm，稍密被反曲（偶尔开展）的淡黄色短毛，分枝或不分枝。基生叶 3 ~ 4，具长柄，叶片肾状五角形，长 5.5 ~ 11 cm，宽 8.5 ~ 22 cm，基部心形，3 裂稍超过中部，中裂片倒梯状菱形，急尖，稀渐尖，不明显 3 浅裂，边缘有粗齿，侧裂片斜扇形，不等 2 浅裂，两面有短伏毛，叶柄长 13 ~ 40 cm，基部有鞘；茎生叶 3 ~ 5，最下部的茎生叶距茎基部 6 ~ 20 cm，其他茎生叶在花序之下密集，有发育的叶鞘，最上部的 1 ~ 3 叶的叶片极小，长 0.5 ~ 2 cm 或完全退化。总状花序长（20 ~ ）25 ~ 40 cm，有 15 ~ 40 花；苞片披针形或长圆形；花梗长 1.4 ~ 3.4 cm，被开展的淡黄色长毛；小苞片生于花梗基部，

似苞片，但较短；萼片紫色，偶尔黄色，外面疏被开展的微糙毛，上萼片圆筒形，高 1.3 ～ 1.8 cm，外缘近直，与向下斜展的下缘形成尖喙；花瓣的距疏被短毛或无毛，比瓣片长 2 ～ 3 倍，拳卷；雄蕊无毛，花丝全缘；心皮 3，子房疏被长毛。蓇葖果不等大，长 0.75 ～ 1.3 cm；种子倒卵形，长约 1.5 mm，白色，密生横狭翅。花期 8 ～ 9 月。

| 生境分布 | 生于海拔 1 850 ～ 2 000 m 的山地林中或林边。分布于湖北西部。

| 资源情况 | 野生资源稀少，栽培资源稀少。药材主要来源于栽培。

| 采收加工 | **根**：夏、秋季采挖，洗净，晒干。

| 功能主治 | 活血调经，散瘀止痛。用于月经不调，跌打损伤，骨折疼痛，风湿关节痛，胃痛，无名肿毒。

毛茛科 Ranunculaceae 乌头属 Aconitum

高乌头 *Aconitum sinomontanum* Nakai

| **药 材 名** | 麻布七。

| **形态特征** | 根长达 20 cm，圆柱形，直径达 2 cm。茎高（60 ～）95 ～ 150 cm，中部以下几无毛，上部近花序处被反曲的短柔毛，生 4 ～ 6 叶，不分枝或分枝。基生叶 1，与茎下部叶具长柄；叶片肾形或圆肾形，长 12 ～ 14.5 cm，宽 20 ～ 28 cm，基部宽心形，3 深裂约至本身长度的 6/7 处，中深裂片较小，楔状狭菱形，渐尖，3 裂边缘有不整齐的三角形锐齿，侧深裂片斜扇形，不等 3 裂稍超过中部，两面疏被短柔毛或变无毛；叶柄长 30 ～ 50 cm，具浅纵沟，几无毛。总状花序长（20 ～）30 ～ 50 cm，具密集的花；轴及花梗多少密被紧贴的短柔毛；苞片比花梗长，下部苞片叶状，其他的苞片不分裂，线形，长 0.7 ～ 1.8 cm；下部花梗长 2 ～ 5（～ 5.5）cm，中部以上的

长 0.5 ~ 1.4 cm；小苞片通常生于花梗中部，狭线形，长 3 ~ 9 mm；萼片蓝紫色或淡紫色，外面密被短曲柔毛，上萼片圆筒形，高 1.6 ~ 2（~ 3）cm，直径 4 ~ 7（~ 9）mm，外缘在中部之下稍缢缩，下缘长 1.1 ~ 1.5 cm；花瓣无毛，长达 2 cm，唇舌形，长约 3.5 mm，距长约 6.5 mm，向后拳卷；雄蕊无毛，花丝大多具 1 ~ 2 小齿；心皮 3，无毛。蓇葖果长 1.1 ~ 1.7 cm；种子倒卵形，具 3 棱，长约 3 mm，褐色，密生横狭翅。花期 6 ~ 9 月。

| 生境分布 | 生于山坡草地或林中。分布于湖北西部。

| 资源情况 | 野生资源稀少，栽培资源稀少。药材主要来源于栽培。

| 采收加工 | **根：**夏、秋季采挖，鲜用，或除去残茎及须根，洗净泥土，或将根撕开，除去内附黑皮，晒干。

| 功能主治 | 祛风除湿，理气止痛，活血散瘀。用于风湿腰腿痛，关节肿痛，跌打损伤，胃痛，胸腹胀满，瘰疬，疮疖。

毛茛科 Ranunculaceae 乌头属 Aconitum

狭盔高乌头
Aconitum sinomontanum Nakai var. *angustius* W. T. Wang

| **药 材 名** | 狭盔高乌头。

| **形态特征** | 根长达 20 cm，圆柱形，直径达 2 cm。茎高（60 ～）95 ～ 150 cm，中部以下几无毛，上部近花序处被反曲的短柔毛，生 4 ～ 6 叶，不

分枝或分枝。基生叶 1，与下部茎生叶具长柄；叶片深裂至本身长度 3/4 处，中央裂片较宽，多为菱形。花梗较短，长 4 ~ 10 mm；上萼片很细，中部直径 2.5 ~ 4 mm；花瓣无毛，长达 2 cm，唇舌形，长约 3.5 mm，距长约 6.5 mm，向后拳卷；雄蕊无毛，花丝大多具 1 ~ 2 小齿；心皮 3，无毛。蓇葖果长 1.1 ~ 1.7 cm；种子倒卵形，具 3 棱，长约 3 mm，褐色，密生横狭翅。花期 6 ~ 9 月。

| 生境分布 | 生于海拔 1 400 ~ 1 600 m 的山谷较阴湿处。湖北有分布。

| 资源情况 | 野生资源稀少，栽培资源稀少。药材主要来源于野生。

| 功能主治 | 用于风湿痹痛，跌扑损伤，痈疮肿毒。

毛茛科 Ranunculaceae 类叶升麻属 Actaea

类叶升麻 *Actaea asiatica* Hara

| **药 材 名** | 绿豆升麻。

| **形态特征** | 根茎横走，质坚实，外皮黑褐色，生多数细长的根。茎高 30 ~
80 cm，圆柱形，直径 4 ~（6 ~ 9）mm，微具纵棱，下部无毛，
中部以上被白色短柔毛，不分枝。叶 2 ~ 3，茎下部的叶为三回三
出近羽状复叶，具长柄；叶片三角形，宽达 27 cm；顶生小叶卵形
至宽卵状菱形，长 4 ~ 8.5 cm，宽 3 ~ 8 cm，3 裂，边缘有锐锯
齿，侧生小叶卵形至斜卵形，表面近无毛，背面变无毛；叶柄长
10 ~ 17 cm；茎上部叶的形状似茎下部叶，但较小，具短柄。总状
花序长 2.5 ~ 4（~ 6）cm；轴和花梗密被白色或灰色短柔毛；苞
片线状披针形，长约 2 mm；花梗长 5 ~ 8 mm；萼片倒卵形，长
约 2.5 mm，花瓣匙形，长 2 ~ 2.5 mm，下部渐狭成爪；花药长约

0.7 mm，花丝长 3 ~ 5 mm；心皮与花瓣近等长。果序长 5 ~ 17 cm，与茎上部叶等长或超出上部叶，果柄直径约 1 mm，果实紫黑色，直径约 6 mm；种子约 6，卵形，有 3 纵棱，长约 3 mm，宽约 2 mm，深褐色。花期 5 ~ 6 月，果期 7 ~ 9 月。

| **生境分布** | 生于海拔 350 ~ 3 100 m 的山地林下、沟边阴湿处或河边湿草地。湖北有分布。

| **资源情况** | 野生资源一般，栽培资源稀少。药材来源于野生。

| **采收加工** | **根茎：**春、秋季采挖，洗净泥土，切片，晒干。

| **功能主治** | 散风热，祛风湿，透疹，解毒。用于风热头痛，咽喉肿痛，风湿疼痛，风疹块，麻疹不透，百日咳，子宫脱垂，犬咬伤。

毛茛科 Ranunculaceae 类叶升麻属 *Actaea*

升麻 *Actaea cimicifuga* L.

| **药材名** | 升麻。

| **形态特征** | 多年生草本。高 1 ~ 2 m。根茎粗壮，坚实，表面黑色，有许多内陷的圆洞状老茎残迹。茎直立，上部有分枝，被短柔毛。叶为二至三回三出羽状复叶；叶柄长达 15 cm；茎下部叶的顶生小叶具长柄，菱形，长 7 ~ 10 cm，宽 4 ~ 7 cm，常 3 浅裂，边缘有锯齿；侧生小叶具短柄或无柄，斜卵形，比顶生小叶略小，边缘有锯齿。复总状花序具分枝 3 ~ 20，长达 45 cm，下部的分枝长达 15 cm；花序轴密被灰色或锈色腺毛；苞片钻形，比花梗短；花两性；萼片 5，花瓣状，倒卵状圆形，白色或绿白色，早落；无花瓣；退化雄蕊宽椭圆形，先端凹或 2 浅裂；雄蕊多数；心皮 2 ~ 5，密被灰色柔毛。蓇葖果长圆形，密被贴伏柔毛，喙短；种子椭圆形，褐色，四周有

膜质鳞翅。

| **生境分布** | 生于海拔 1 700 ~ 2 300 m 的山地林缘、林中或路旁草丛中。湖北有分布。

| **采收加工** | **根茎：**野生品春、秋季采挖，栽培品于栽培后翌年或第 3 年秋季采挖根茎，晒至八、九成干后，烧去外面须根，再用竹筐撞擦干净，晒干；亦有不再撞擦而直接晒干者。

| **功能主治** | 破血行气，通经止痛。用于胸胁刺痛，胸痹心痛，痛经，闭经，癥瘕，风湿肩臂疼痛，跌扑肿痛。

毛茛科 Ranunculaceae 侧金盏花属 Adonis

蜀侧金盏花 *Adonis sutchuenensis* Franch.

| 药 材 名 | 毛黄连。

| 形态特征 | 多年生草本。茎高（15 ～）25 ～ 40 cm，分枝或不分枝，无毛，基部有膜质鞘。叶无毛，卵状五角形，长 3.5 ～ 6.8 cm，宽 5 ～ 8 cm，3 全裂，全裂片有柄，2 回羽状全裂或深裂，小裂片有锐齿；叶柄长达 5 cm，鞘先端有叶状裂片。花直径（2 ～）3.5 ～ 4（～ 4.8）cm；萼片约 6，淡绿色，多为倒披针形，长 7 ～ 12 mm，无毛或外面有稀疏短柔毛；花瓣 8 ～ 12，黄色，倒披针形或长圆状倒披针形，长（1 ～）1.5 ～ 2（～ 2.4）cm；雄蕊长约为花瓣的 1/3；心皮多数，子房疏被短柔毛，花柱短或近不存在，柱头小，球形。瘦果。花期 4 ～ 6 月，果期 5 ～ 8 月。

| 生境分布 | 生于海拔 1 100 ～ 3 100 m 的山地林中、灌丛中或草坡上。湖北有分布。

| 资源情况 | 野生资源一般，栽培资源稀少。药材主要来源于野生。

| 采收加工 | **全草**：夏季采收，洗净，阴干。

| 功能主治 | 清热燥湿解毒，强心镇静。用于痈疮肿毒，目赤肿毒，呕吐，泄泻，痢疾，心悸失眠，癫痫。

毛茛科 Ranunculaceae 银莲花属 Anemone

裂苞鹅掌草

Anemone flaccida F. Schmidt var. *hofengensis* Wuzhi

| 药 材 名 | 裂苞鹅掌草。

| 形态特征 | 植株常较高大，高达 63 cm。根茎斜，近圆柱形，直径（2.5 ~）5 ~ 10 mm，节间缩短。基生叶长达 6.2 cm，宽达 12 cm；叶片较厚，草质，脉在背面隆起，五角形，长 3.5 ~ 7.5 cm，宽 6.5 ~ 14 cm，基部深心形，3 全裂，中全裂片菱形，3 裂，末回裂片卵形或宽披针形，有 1 ~ 3 齿或全缘，侧裂片不等 2 深裂，表面有疏毛，背面通常无毛或近无毛，脉平；叶柄和花葶只在上部疏被短柔毛。花序有（4 ~）5 ~ 6 花；苞片深裂，裂片多少细裂；花葶只在上部有疏柔毛；苞片 3，似基生叶，无柄，不等大，菱状三角形或菱形，长 4.5 ~ 6 cm，3 深裂；花梗 2 ~ 3，长 4.2 ~ 7.5 cm，有疏柔毛；萼片 5，白色，倒卵形或椭圆形，长 7 ~ 10 mm，宽 4 ~ 5.5 mm，

先端钝或圆形，外面有疏柔毛；雄蕊长约为萼片的 1/2，花药椭圆形，长约 0.8 mm，花丝丝形；心皮约 8，子房密被淡黄色短柔毛，无花柱，柱头近三角形。花期 4 ～ 6 月。

| **生境分布** | 生于海拔 1 200 ～ 1 400 m 的山地沟边或草坡。分布于湖北西南部。

| **资源情况** | 野生资源稀少，栽培资源稀少。药材主要来源于野生。

| **功能主治** | 抗炎，抗菌，镇痛镇静，抗惊厥，抗组胺，抗氧化。

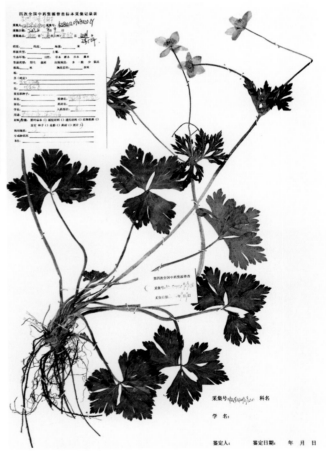

毛茛科 Ranunculaceae 银莲花属 Anemone

鹅掌草

Anemone flaccida F. Schmidt

| 药 材 名 | 鹅掌草。

| 形态特征 | 多年生草本。根茎近圆柱形，直径可达 1 cm。基生叶 1 ~ 2，五角形，长 2 ~ 7 cm，宽 3.5 ~ 14 cm，上面疏被短伏毛，下面无毛或近无毛，3 全裂，中央裂片菱状倒卵形，3 浅裂，边缘有牙齿；叶柄长 9 ~ 28 cm。花葶高 15 ~ 40 cm，上部疏被短柔毛；总苞片 3，无柄，不等大，宽菱形或菱形，3 裂，边缘有牙齿；花 1 ~ 3；花梗长 4 ~ 8 cm，疏生短柔毛；萼片 5，白色，微带紫红色，椭圆形，长 7 ~ 8 mm，背面疏生柔毛；雄蕊多数；心皮多个，密生柔毛，无花柱。4 ~ 6 月开花。

| 生境分布 | 生于山谷草地或林下。湖北有分布。

| 资源情况 | 野生资源稀少，栽培资源稀少。药材主要来源于野生。

| 采收加工 | **根茎：**春、夏季采收，晒干。

| 功能主治 | 祛风湿，利筋骨。用于风湿疼痛，跌打损伤。

毛茛科 Ranunculaceae 银莲花属 Anemone

打破碗花花 Anemone hupehensis (Lemoine) Lemoine

| **药 材 名** | 打破碗花花。

| **形态特征** | 植株高（20 ~ ）30 ~ 120 cm。根茎斜或垂直，长约 10 cm，直径（2 ~ ）4 ~ 7 mm。基生叶 3 ~ 5，有长柄，通常为三出复叶，有时 1 ~ 2 或全部为单叶；中央小叶有长柄（长 1 ~ 6.5 cm），小叶片卵形或宽卵形，长 4 ~ 11 cm，宽 3 ~ 10 cm，先端急尖或渐尖，基部圆形或心形，不分裂或 3 ~ 5 浅裂，边缘有锯齿，两面有疏糙毛；侧生小叶较小；叶柄长 3 ~ 36 cm，疏被柔毛，基部有短鞘。花葶直立，疏被柔毛；聚伞花序 2 ~ 3 回分枝，有较多花，偶尔不分枝，只有 3 花；苞片 3，有柄（长 0.5 ~ 6 cm），稍不等大，为三出复叶，似基生叶；花梗长 3 ~ 10 cm，有密或疏柔毛；萼片5，紫红色或粉红色，倒卵形，长 2 ~ 3 cm，宽 1.3 ~ 2 cm，外面

有短绒毛；雄蕊长约为萼片长度的 1/4，花药黄色，椭圆形，花丝丝形；心皮约 400，生于球形的花托上，长约 1.5 mm，子房有长柄，有短绒毛，柱头长方形。聚合果球形，直径约 1.5 cm；瘦果长约 3.5 mm，有细柄，密被绵毛。花期 7 ～ 10 月。

| **生境分布** | 生于海拔 400 ～ 1 800 m 的低山或丘陵的草坡、沟边。湖北有分布。

| **资源情况** | 野生资源一般，栽培资源稀少。药材主要来源于野生。

| **采收加工** | **根茎**：栽培 2 ～ 3 年后在 6 ～ 8 月花未开放前采挖，除去茎叶、须根及泥土，晒干。

| **功能主治** | 清热利湿，解毒杀虫，消肿散瘀。用于痢疾，泄泻，疟疾，蛔虫病，疮疖痈肿，瘰疬，跌打损伤。

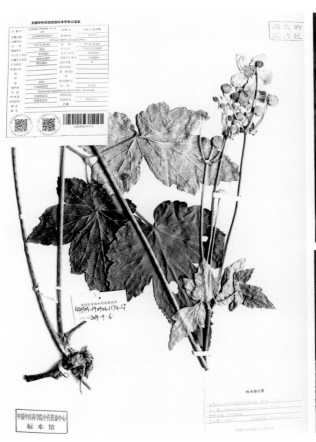

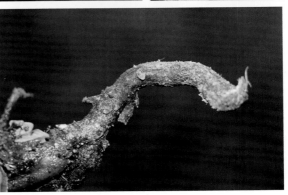

毛茛科 Ranunculaceae 银莲花属 Anemone

草玉梅

Anemone rivularis Buch.-Ham. ex DC.

| 药 材 名 |

草玉梅。

| 形态特征 |

多年生草本植物。有根茎。叶基生，有长柄，掌状分裂。花葶直立；聚伞花序，有花；萼片蓝色或紫色，偶尔白色；苞片形成总苞，与基生叶相似；花瓣无；花丝丝形，子房有一下垂的胚珠。瘦果卵球形。花期 6 ~ 7 月。

| 生境分布 |

生于山地草坡、小溪边或湖边。湖北有分布。

| 资源情况 |

野生资源稀少，栽培资源稀少。药材主要来源于野生。

| 采收加工 |

根茎：秋季采挖，晒干。

| 功能主治 |

清热解毒，活血舒筋，消肿，止痛。用于咽喉肿痛，疟腮，瘰疬，痈疽肿毒，疟疾，咳嗽，湿热黄疸，风湿疼痛，胃痛，牙痛，跌打损伤。

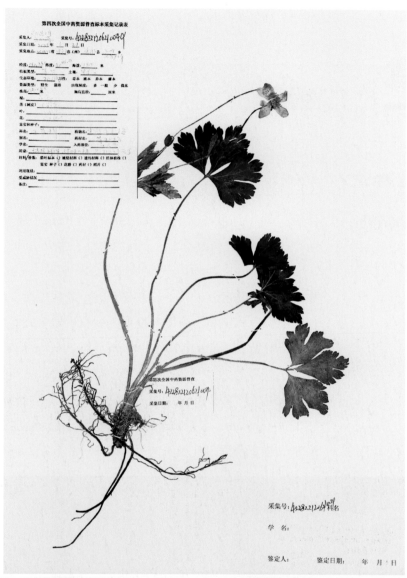

毛茛科 Ranunculaceae 银莲花属 *Anemone*

大火草

Anemone tomentosa (Maxim.) Pei

| 药 材 名 | 大火草。

| 形态特征 | 植株高 40 ～ 150 cm。根茎直径 0.5 ～ 1.8 cm。基生叶 3 ～ 4，有长柄，三出复叶，有时有 1 ～ 2 叶为单叶；中央小叶有长柄（长 5.2 ～ 7.5 cm），小叶片卵形至三角状卵形，长 9 ～ 16 cm，宽 7 ～ 12 cm，先端急尖，基部浅心形、心形或圆形，3 浅裂至 3 深裂，边缘有不规则小裂片和锯齿，表面有糙伏毛，背面密被白色绒毛；侧生小叶稍斜，叶柄长（6 ～）16 ～ 48 cm，与花葶均密被白色或淡黄色短绒毛。花葶直径 3 ～ 9 mm；聚伞花序长 26 ～ 38 cm，2 ～ 3 回分枝；苞片 3，与基生叶相似，不等大，有时 1 为单叶，3 深裂；花梗长 3.5 ～ 6.8 cm，有短绒毛；萼片 5，淡粉红色或白色，倒卵形、宽倒卵形或宽椭圆形，长 1.5 ～ 2.2 cm，宽 1 ～ 2 cm，背面有短绒毛

状雄蕊长约为萼片长度的 1/4；心皮 400 ~ 500，长约 1 mm，子房密被绒毛，柱头斜，无毛。聚合果球形，直径约 1 cm；瘦果长约 3 mm，有细柄，密被绵毛。花期 7~10 月。

| **生境分布** | 生于海拔 700 ~ 3 100 m 的山地草坡或路边向阳处。分布于湖北西部。

| **资源情况** | 野生资源一般，栽培资源稀少。药材主要来源于野生。

| **采收加工** | **根茎：** 春、秋季采挖，去净茎叶，晒干。

| **功能主治** | 化瘀，散瘀，消食化积，截疟，解毒，杀虫。用于劳伤咳喘，跌打损伤，疳积，疟疾，疮疖痈肿，顽癣。

野棉花

Anemone vitifolia Buch.-Ham.

| **药 材 名** | 野棉花。

| **形态特征** | 植株高 60 ~ 100 cm。根茎斜，木质，直径 0.8 ~ 1.5 cm。基生叶 2 ~ 5，有长柄；叶片心状卵形或心状宽卵形，长（5.2 ~）11 ~ 22 cm，宽（6 ~）12 ~ 26 cm，先端急尖，3 ~ 5 浅裂，边缘有小牙齿，表面疏被短糙毛，背面密被白色短绒毛；叶柄长（6.5 ~）25 ~ 60 cm，有柔毛。花葶粗壮，有密或疏的柔毛；聚伞花序长 20 ~ 60 cm，2 ~ 4 回分枝；苞片 3，形状似基生叶，但较小，有柄（柄长 1.4 ~ 7 cm）；花梗长 3.5 ~ 5.5 cm，密被短绒毛；萼片 5，白色或带粉红色，倒卵形，长 1.4 ~ 1.8 cm，宽 8 ~ 13 mm，外面有白色绒毛；雄蕊长约为萼片长度的 1/4，花丝丝形；心皮约 400，子房密被绵毛。聚合果球形，直径约 1.5 cm；瘦果有细柄，长约

3.5 mm，密被绵毛。花期 7~10 月。

| 生境分布 | 生于海拔 1 200 ～ 2 700 m 的山地草坡、树林中或沟边地带。湖北有分布。

| 资源情况 | 野生资源一般，栽培资源稀少。药材主要来源于野生。

| 采收加工 | **根茎：**全年均可采挖，洗净，切片，晒干。

| 功能主治 | 清湿热，解毒杀虫，理气散瘀。用于泄泻，痢疾，黄疸，疟疾，蛔虫病，蛲虫病，疳积，脚气肿痛，风湿骨痛，跌打损伤，痈疽肿痛，蜈蚣咬伤。

毛茛科 Ranunculaceae 耧斗菜属 Aquilegia

无距耧斗菜 *Aquilegia ecalcarata* Maxim.

| 药 材 名 |

野前胡。

| 形态特征 |

根粗壮，圆柱形，外皮深暗褐色。茎 1 ~ 4，高 20 ~ 60（~ 80）cm，直径 2 ~ 2.5 mm，上部常分枝，被稀疏伸展的白色柔毛。基生叶数枚，有长柄，为二回三出复叶，叶片宽 5 ~ 12 cm，中央小叶楔状倒卵形至扇形，长 1.5 ~ 3 cm，宽几相等或稍宽，3 深裂或 3 浅裂，裂片有 2 ~ 3 圆齿，侧面小叶斜卵形，不等 2 裂，表面绿色，无毛，背面粉绿色，疏被柔毛或无毛，叶柄长 7 ~ 15 cm；茎生叶 1 ~ 3，形状似基生叶，但较小。花 2 ~ 6，直立或有时下垂，直径 1.5 ~ 2.8 cm；苞片线形，长 4 ~ 6 mm；花梗纤细，长达 6 cm，被伸展的白色柔毛；萼片紫色，近平展，椭圆形，长 1 ~ 1.4 cm，宽 4 ~ 6 mm，先端急尖或钝；花瓣直立，瓣片长方状椭圆形，与萼片近等长，宽 4 ~ 5 mm，先端近截形，无距；雄蕊长约为萼片的 1/2，花药近黑色；心皮 4 ~ 5，直立，被稀疏的柔毛或近无毛。蓇葖果长 8 ~ 11 mm，宿存花柱长 3 ~ 5 mm，疏被长柔毛；种子黑色，倒卵形，长约 1.5 mm，表面有凸起的纵棱，光滑。花期 5 ~ 6 月，果期 6 ~ 8 月。

| **生境分布** | 生于海拔 1 800 ~ 3 100 m 的山地林下或路旁。分布于湖北西部。

| **资源情况** | 野生资源一般，栽培资源稀少。药材主要来源于野生。

| **采收加工** | **全草**：秋后采收，鲜用或晒干。

| **功能主治** | 解表退热，生肌拔毒。用于感冒头痛，烂疮，黄水疮。

毛茛科 Ranunculaceae 耧斗菜属 Aquilegia

秦岭耧斗菜 Aquilegia incurvata Hsiao

| 药 材 名 | 银扁担。

| 形态特征 | 茎高 40 ~ 60 cm，疏被白色短柔毛。基生叶为二回三出复叶；中央小叶菱状倒卵形，长 1.2 ~ 3 cm，宽 1.1 ~ 2.4 cm，先端钝或有小尖头，基部楔形，3 裂，中央裂片有 3 圆齿，侧生小叶无柄，斜倒卵形，比中央小叶稍小，常 2 裂，无毛或基部有疏柔毛；叶柄长 4 ~ 10 cm。花序有 2 ~ 5 花；苞片 3 裂；花梗长 6 ~ 10 cm，上部有 2 钻形小苞片；花直径约 2.2 cm；萼片紫色，椭圆形或卵形，长 1.4 ~ 1.8 cm，先端急尖，无毛；花瓣紫色，无毛，瓣片长方形，长 7 ~ 8 mm，距长 1.2 ~ 1.5 cm，末端向内螺旋状弯曲；雄蕊长 5 ~ 9 mm，花药长圆形，长约 1 mm；退化雄蕊披针形，长约

5 mm，有柔毛和腺毛，花柱长 5 ～ 6 mm。蓇葖果长 1.4 ～ 1.5 cm，变无毛。花期 5 ～ 6 月，果期 7 ～ 8 月。

| 生境分布 | 生于海拔 1 000 ～ 2 000 m 的山地沟边草地或山坡草地上。湖北有分布。

| 资源情况 | 野生资源一般，栽培资源稀少。药材主要来源于野生。

| 采收加工 | 夏季采挖，除去须根，洗净，阴干。

| 功能主治 | 活血祛瘀，止痛，祛痰生新，镇痛祛风。用于跌打损伤，血瘀疼痛。

毛茛科 Ranunculaceae 楼斗菜属 Aquilegia

甘肃楼斗菜
Aquilegia oxysepala Trautv. et Mey. var. *kansuensis* Brühl

| 药 材 名 | 楼斗菜。

| 形态特征 | 根粗壮，圆柱形，外皮黑褐色。茎高 40 ～ 80 cm，直径 3 ～ 4 mm，近无毛或被极稀疏的柔毛，上部多少分枝。基生叶数枚，为二回三

出复叶，叶片宽 5.5 ～ 20 cm，中央小叶通常具 1 ～ 2 mm 的短柄，楔状倒卵形，长 2 ～ 6 cm，宽 1.8 ～ 5 cm，3 浅裂或 3 深裂，裂片先端圆形，常具 2 ～ 3 粗圆齿，表面绿色，无毛，背面浅绿色，无毛或近无毛，叶柄长 10 ～ 20 cm，被开展的白色柔毛或无毛，基部变宽成鞘状；茎生叶数枚，具短柄，向上渐变小。花 3 ～ 5，较大，微下垂；苞片 3 全裂；萼片紫色，稍开展，狭卵形，长 1.6 ～ 2.5 cm；宽 8 ～ 12 mm，先端急尖；花瓣瓣片黄白色，长 1 ～ 1.3 cm，宽 7 ～ 9 mm，先端近截形，距长 1.5 ～ 2 cm，末端强烈内弯成钩状；雄蕊与瓣片近等长，花药黑色，长 1.5 ～ 2 mm；心皮 5，被白色短柔毛。蓇葖果长 1.2 ～ 1.7 mm；种子黑色，长约 2 mm。花期 5 ～ 6 月，果期 7 ～ 8 月。

| 生境分布 | 生于海拔 1 300 ～ 2 700 m 的山地草坡。湖北有分布。

| 资源情况 | 野生资源一般，栽培资源稀少。药材主要来源于野生。

| 采收加工 | **根茎：**6 ～ 7 月采收，晒干。

| 功能主治 | 活血调经，凉血止血，清热解毒。用于痛经，崩漏，痢疾。

毛茛科 Ranunculaceae 楼斗菜属 Aquilegia

楼斗菜
Aquilegia viridiflora Pall.

| 药 材 名 | 楼斗菜。

| 形态特征 | 根肥大，圆柱形，直径达 1.5 cm，简单或有少数分枝，外皮黑褐色。茎高 15 ~ 50 cm，常在上部分枝，除被柔毛外还密被腺毛。基生叶少数，二回三出复叶；叶片宽 4 ~ 10 cm，中央小叶具 1 ~ 6 mm 的短柄，楔状倒卵形，长 1.5 ~ 3 cm，宽几相等或更宽，上部 3 裂，裂片常有 2 ~ 3 圆齿，表面绿色，无毛，背面淡绿色至粉绿色，被短柔毛或近无毛；叶柄长达 18 cm，疏被柔毛或无毛，基部有鞘；茎生叶数枚，为一至二回三出复叶，向上渐变小。花 3 ~ 7，倾斜或微下垂；苞片 3 全裂；花梗长 2 ~ 7 cm；萼片黄绿色，长椭圆状卵形，长 1.2 ~ 1.5 cm，宽 6 ~ 8 mm，先端微钝，疏被柔毛；花瓣

瓣片与萼片同色，直立，倒卵形，比萼片稍长或稍短，先端近截形，距直或微弯，长 1.2 ~ 1.8 cm；雄蕊长达 2 cm，伸出花外，花药长椭圆形，黄色；退化雄蕊白膜质，线状长椭圆形，长 7 ~ 8 mm；心皮密被伸展的腺状柔毛，花柱比子房长或等长。蓇葖果长 1.5 cm；种子黑色，狭倒卵形，长约 2 mm，具微凸起的纵棱。花期 5 ~ 7 月，果期 7 ~ 8 月。

| 生境分布 | 生于海拔 200 ~ 2 300 m 的山地路旁、河边和潮湿草地。湖北有分布。

| 采收加工 | **带根全草：**夏季采收，除去杂质，晒干。

| 功能主治 | 活血调经，凉血止血，清热解毒。用于痛经，崩漏，痢疾。

毛茛科 Ranunculaceae 耧斗菜属 Aquilegia

华北耧斗菜 Aquilegia yabeana Kitag.

| 药 材 名 | 华北耧斗菜。

| 形态特征 | 根圆柱形，直径约 1.5 cm。茎高 40 ~ 60 cm，有稀疏短柔毛和少数腺毛，上部分枝。基生叶数个，有长柄，一至二回三出复叶，叶片宽约 10 cm；小叶菱状倒卵形或宽菱形，长 2.5 ~ 5 cm，宽 2.5 ~ 4 cm，3 裂，边缘有圆齿，表面无毛，背面疏被短柔毛，叶柄长 8 ~ 25 cm；茎中部叶有稍长柄，通常为二回三出复叶，宽达 20 cm，上部叶小，有短柄，为三出复叶。花序有少数花，密被短腺毛；苞片 3 裂或不裂，狭长圆形；花下垂；萼片紫色，狭卵形，长（1.6 ~）2 ~ 2.6 cm，宽 7 ~ 10 mm；花瓣紫色，瓣片长 1.2 ~ 1.5 cm，先端圆截形，距长 1.7 ~ 2 cm，末端钩状内曲，外面有稀疏短柔毛；雄蕊长达 1.2 cm，退化雄蕊长约 5.5 mm；心皮 5，子房密被短腺毛。

蓇葖果长（1.2 ～）1.5 ～ 2 cm，隆起的脉网明显；种子黑色，狭卵球形，长约 2 mm。花期 5 ～ 6 月。

| **生境分布** | 生于山地草坡或林边。湖北有分布。

| **资源情况** | 野生资源一般，栽培资源稀少。药材主要来源于野生。

| **采收加工** | **全草**：夏季采收，洗净，阴干。

| **功能主治** | 活血化瘀。用于月经不调，产后瘀血过多，痛经，瘰疬，疮疖，泄泻，蛇咬伤。

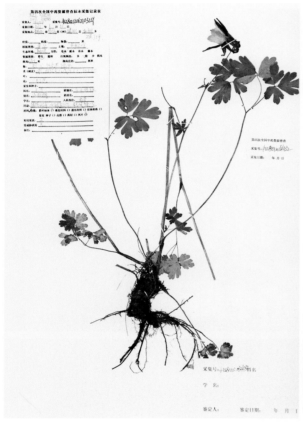

星果草

Asteropyrum peltatum (Franch.) Drumm. et Hutch.

| 药 材 名 | 星果草。

| 形态特征 | 多年生小草本。根茎短，生多条细根。叶 2 ~ 6，叶片圆形或近五角形，宽 2 ~ 3 cm，不分裂或 5 浅裂，边缘具波状浅锯齿，表面绿色，疏被紧贴的短硬毛，背面浅绿色，无毛；叶柄长 2.5 ~ 6 cm，密被倒向的长柔毛。花葶 1 ~ 3，高 6 ~ 10 cm，基部直径 1 ~ 1.3 mm，疏被倒向的长柔毛；苞片生于花下 3 ~ 8 mm 处，卵形至宽卵形，长约 3 mm，对生或轮生；花直径 1.2 ~ 1.5 cm；萼片倒卵形，长 6 ~ 7 mm，宽 4 ~ 5 mm，先端圆形，具明显的 3 ~ 5 脉；花瓣金黄色，长约为萼片的 1/2，瓣片倒卵形或近圆形，下部具细爪；雄蕊 11 ~ 18，比花瓣稍长，花药宽椭圆形，长约 1 mm；心皮 5 ~ 8，长椭圆形，先端渐狭成花柱。蓇葖果卵形，长达 8 mm，先端有 1

尖喙；种子多数，宽椭圆形，长约 1.5 mm，棕黄色，具很不明显的条纹，边缘近龙骨状。花期 5 ～ 6 月，果期 6 ～ 7 月。

| **生境分布** | 生于海拔 2 000 ～ 3 100 m 的高山山地。分布于湖北西部。

| **资源情况** | 野生资源较少。药材来源于野生。

| **采收加工** | **根茎：**春、秋季采挖，除去杂质，洗净，晒干。

| **功能主治** | 清热泻火，解毒，利胆，除湿。用于细菌性痢疾，急性肠炎，黄疸，腹水，急性结膜炎，疔疮痈肿。

毛茛科 Ranunculaceae 铁破锣属 Beesia

铁破锣

Beesia calthifolia (Maxim. ex Oliv.) Ulbr.

| 药 材 名 |

铁破锣。

| 形态特征 |

多年生草本。根茎斜,长约 10 cm,直径 3 ～ 7 mm。花葶高(14 ～)30 ～ 58 cm,有少数纵沟,下部无毛,上部花序处密被开展的短柔毛。叶 2 ～ 4,长(7 ～)18 ～ 35 cm;叶片肾形、心形或心状卵形,长(1.5 ～)4.5 ～ 9.5 cm,宽(1.8 ～)5.5 ～ 16 cm,先端圆形,短渐尖或急尖,基部深心形,边缘密生圆锯齿(锯齿先端具短尖),两面无毛,稀在背面沿脉被短柔毛;叶柄长(5.5 ～)10 ～ 26 cm,具纵沟,基部稍变宽,无毛。花序长为花葶长度的 1/6 ～ 1/4,宽 1.5 ～ 2.5 cm;苞片通常钻形,有时披针形,间或匙形,长 1 ～ 5 mm,无毛;花梗长 5 ～ 10 mm,密被伸展的短柔毛;萼片白色或带粉红色,狭卵形或椭圆形,长 3 ～ 5(～ 8)mm,宽 1.8 ～ 2.5(～ 3)mm,先端急尖或钝,无毛;雄蕊比萼片稍短,花药直径约 0.3 mm;心皮长 2.5 ～ 3.5 mm,基部疏被短柔毛。蓇葖果长 1.1 ～ 1.7 cm,扁,披针状线形,中部稍弯曲,下部宽 3 ～ 4 mm,在近基部处疏被短柔毛,

其余无毛，约有 8 斜横脉，喙长 1 ~ 2 mm；种子长约 2.5 mm，种皮具斜的纵折皱。花期 5 ~ 8 月。

| 生境分布 | 生于海拔 1 400 ~ 3 100 m 的山地谷中林下阴湿处。分布于湖北兴山、建始、巴东、咸丰、神农架。

| 资源情况 | 野生资源较丰富。

| 采收加工 | **根茎：** 秋季采挖，除去须根，洗净，晒干。

| 功能主治 | 祛风，清热，解毒。用于风热感冒，目赤肿痛，咽喉疼痛，风湿骨痛；外用于疮疖，毒蛇咬伤。

毛茛科 Ranunculaceae 鸡爪草属 Calathodes

鸡爪草 Calathodes oxycarpa Sprague

| **药 材 名** | 鸡爪草。

| **形态特征** | 须根细长，密被锈色短柔毛。茎高 20 ~ 45 cm，无毛，不分枝或分枝。基生叶约 3，无毛，具长柄，花期之后多枯萎；叶片五角形，长 2 ~ 3 cm，宽 3.2 ~ 5 cm，中央全裂片宽菱形，在中部 3 深裂，边缘有小裂片和锯齿，侧全裂片斜扇形，不等 2 深裂近基部；叶柄长 6 ~ 10 cm，基部有狭鞘；茎生叶约 4，下部的有长柄，似基生叶，叶片较大，长 5.5 ~ 6 cm，宽 7 ~ 9 cm，上部的变小，有短柄。花直径约 1.8 cm，无毛；萼片白色，倒卵形或椭圆形，长 9 ~ 10 mm，宽 4 ~ 6 mm，先端圆或钝；雄蕊长 3.5 ~ 7.5 mm，花药长 1 ~ 2 mm；心皮 7 ~ 12（~ 15），长 5 ~ 6 mm，背面基部稍呈囊状。

蓇葖果长 7 ~ 14 mm，宽约 4.5 mm，喙长 1 ~ 1.7 mm，直，突起位于果背面纵肋近中部处，正三角形；种子长约 2 mm，黑色，有光泽。花期 5 ~ 6 月，果期 7 月。

| **生境分布** | 生于海拔 2 400 ~ 3 100 m 的山地林下或草坡阴处。湖北有分布。

| **功能主治** | 解表散寒，祛风除湿，散结。用于外感风寒，风湿麻木，瘰疬。

毛茛科 Ranunculaceae 驴蹄草属 *Caltha*

驴蹄草 *Caltha palustris* L.

| 药 材 名 |　驴蹄草。

| 形态特征 |　多年生草本，高 20 ~ 48 cm，无毛。须根肉质。茎直立，实心，具细纵沟，中部或中部以上分枝，稀不分枝。基生叶 3 ~ 7，草质，有长柄，柄长 7 ~ 24 cm；叶片圆形、圆肾形或心形，长 2.5 ~ 15 cm，宽 3 ~ 9 cm，先端圆，基部深心形，边缘密生小牙齿；茎生叶较小，具短柄或无柄。单歧聚伞花序生于茎或分枝先端，通常有 2 花；花梗长 2 ~ 10 cm；花两性，直径 1.6 ~ 3.2 cm；萼片 5，花瓣状，黄色，倒卵形或狭倒卵形，长 1 ~ 1.8 cm，宽 0.6 ~ 1.2 cm，先端圆；花瓣无；雄蕊多数，长 4.5 ~ 7 mm，花丝狭线形，花药长圆形，长 1 ~ 1.6 mm；心皮 7 ~ 12，与雄蕊近等长，无柄，花柱短。蓇葖果，长约 1 cm，宽约 3 mm，有横脉纹，喙长约 1 mm；种子多

数，狭卵球形，长 1.5 ~ 2 mm，黑色，有光泽，具少数纵皱纹。花期 5 ~ 9 月，果期 6 ~ 10 月。

| 生境分布 | 生于海拔 600 ~ 3 100 m 的山地或山谷溪边、湿草甸上、草坡、林下较阴湿处。分布于湖北宜昌及神农架。

| 资源情况 | 野生资源丰富。药材主要来源于野生。

| 采收加工 | **全草**：夏、秋季采挖，洗净，晒干。

| 功能主治 | 清热利湿，解毒。用于中暑，尿路感染；外用于烫火伤，毒蛇咬伤。

毛茛科 Ranunculaceae 升麻属 Cimicifuga

小升麻

Cimicifuga acerina (Sieb. et Zucc.) Tanaka

| **药 材 名** | 小升麻。

| **形态特征** | 多年生草本，高 25 ~ 110 cm。根茎横生，近黑色，生多数细根。茎直立，上部密被灰色短柔毛。叶 1 ~ 2，近基生，一回三出复叶；叶柄长达 32 cm，被疏柔毛或近无毛；中央小叶卵状心形，长 5 ~ 20 cm，宽 4 ~ 18 cm，7 ~ 9 掌状浅裂，边缘具锯齿，侧生小叶较小，上面近叶缘被短糙伏毛，下面沿脉被白色柔毛。总状花序细长，长 10 ~ 25 cm，具多数花；花序轴密被灰色短柔毛；花小，直径约 4 mm，近无梗；萼片 5，花瓣状，白色，椭圆形或倒卵状椭圆形，长 3 ~ 5 mm；花瓣无；退化雄蕊圆卵形，长约 4.5 mm，基部有蜜腺；雄蕊多数，花丝狭线形，长 4 ~ 7 mm，花药椭圆形，长 1 ~ 1.5 mm；心皮 1 ~ 2，无毛。蓇葖果长约 10 mm，宽约 3 mm，

宿存花柱向外方伸展；种子 8 ~ 12，椭圆状卵球形，长约 2.5 mm，浅褐色，有多数横向短鳞翅。花期 8 ~ 9 月，果期 9 ~ 10 月。

| **生境分布** | 生于海拔 800 ~ 2 600 m 的山地林下或林缘。分布于湖北竹溪、房县、兴山、长阳、五峰、罗田、恩施、建始、巴东、咸丰、鹤峰、神农架，以及宜昌。

| **资源情况** | 野生资源丰富。

| **采收加工** | **根茎**：夏、秋季采挖，洗净，晒干。

| **功能主治** | 清热解毒，疏风透疹，活血止痛，降血压。用于咽痛，疖肿，斑疹不透，劳伤，腰腿疼痛，跌打损伤，高血压。

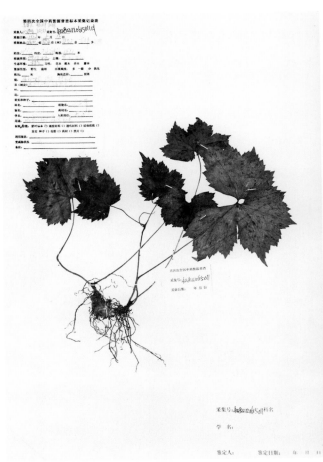

兴安升麻 *Cimicifuga dahurica* (Turcz.) Maxim.

| **药 材 名** | 兴安升麻。

| **形态特征** | 多年生草本。茎高 1 m，密被柔毛。下部茎生叶为二回三出复叶，有长叶柄；各回小叶均有明显小柄，顶生小叶宽菱形，长 5 ~ 10 cm，宽 3.5 ~ 9 cm，3 深裂，侧生小叶无柄或柄很短；边缘重锯齿，两面被柔毛。花单性异株，排成圆锥花序；退化雄蕊 2 深裂，子房被灰色绒毛。花期 7 ~ 8 月，果期 9 月。

| **生境分布** | 生于海拔 300 ~ 1 200 m 的林缘灌丛、山坡疏林或草地中。湖北有分布。

| **资源情况** | 野生资源较丰富。药材主要来源于野生。

| 采收加工 | 秋季采挖，除去泥沙，晒至须根干时，燎去或除去须根，晒干。

| 功能主治 | 发表透疹，清热解毒，升举阳气。用于风热头痛，牙痛，口疮，咽喉肿痛，麻疹不透，阳毒发斑，脱肛，子宫脱垂。

毛茛科 Ranunculaceae 升麻属 Cimicifuga

单穗升麻 *Cimicifuga simplex* Wormsk.

| 药 材 名 | 野升麻。

| 形态特征 | 多年生草本，高 1 ~ 1.5 m。根茎横生，粗壮，外皮带黑色。茎直立，单一，无毛。叶互生；下部茎生叶有长柄，一至三回三出近羽状复叶，叶柄长达 26 cm，顶生小叶有柄，宽披针形或菱形，长4.5 ~ 8.5 cm，宽 2 ~ 5.5 cm，3 深裂或浅裂，边缘具锯齿，侧生小叶比顶生小叶小，通常无柄，边缘具不规则锯齿，上面无毛，下面沿脉疏生柔毛；上部茎生叶较小，一至二回羽状三出复叶，小叶形状与下部茎生叶相同。总状花序长达 35 cm，不分枝或下部有少数短分枝，密生腺毛和短柔毛；苞片钻形，较花梗短；花梗长 5 ~ 8 mm；花杂性；萼片 4 ~ 5。花瓣状，白色，宽椭圆形，长约4 mm，早落；花瓣无；退化雄蕊椭圆形或宽椭圆形，先端 2 浅裂，

膜质;雄蕊多数,花丝狭线形,长 5 ~ 8 mm,花药长约 1 mm;心皮 2 ~ 7,密被灰色短绒毛,具柄。蓇葖果,长 7 ~ 9 mm,宽 4 ~ 5 mm,有短柔毛,果柄长达 5 mm;种子 4 ~ 8,椭圆形,长约 3.5 mm,有膜质鳞翅。花期 8 ~ 9 月,果期 9 ~ 10 月。

| **生境分布** | 生于海拔 300 ~ 2 300 m 的山地草坪、潮湿灌丛、草丛或草甸草墩中。分布于湖北巴东、神农架。

| **资源情况** | 野生资源较丰富。

| **采收加工** | **根茎:** 移栽 3 ~ 4 年后于 10 ~ 11 月采收,抖去泥沙,晒干或烘干,剪掉须根。

| **功能主治** | 发表透疹,清热解毒,升举清阳。用于风热感冒,小儿麻疹,热毒斑疹,咽喉肿痛,痈肿疮疡,阳明头痛,久泻脱肛,崩漏,带下。

毛茛科 Ranunculaceae 铁线莲属 Clematis

女萎
Clematis apiifolia DC.

| 药 材 名 | 女萎。

| 形态特征 | 木质藤本。枝密被柔毛。三出复叶；小叶纸质，卵形或椭圆形，长
2 ~ 8 cm，宽 1.5 ~ 6 cm，先端渐尖，基部圆、稍平截或近心形，
疏生小牙齿，微 3 浅裂，两面疏被柔毛；叶柄长 1.5 ~ 14 cm。花序
腋生或顶生，具（3 ~）7 至多花；花序梗长 1.8 ~ 9 cm；苞片椭圆
形或宽卵形，不裂或 3 浅裂；花梗长 0.5 ~ 2 cm；萼片 4，白色，
开展，倒卵状长圆形，长 6 ~ 8 mm，被柔毛，内面密被柔毛，边缘
被绒毛；雄蕊长 4 ~ 6 mm，无毛，花药窄长圆形，长 1.5 ~ 1.8 mm，
先端钝。瘦果长卵圆形或纺锤形，长 3.5 ~ 4.5 mm，被柔毛；宿存
花柱长 0.8 ~ 1.2（~ 1.5）cm，羽毛状。花期 7 ~ 9 月，果期 9 ~
10 月。

| **生境分布** | 生于海拔 150 ~ 1 000 m 的山野林边。分布于湖北丹江口、通山、咸丰、鹤峰、神农架，以及宜昌。

| **资源情况** | 野生资源丰富。

| **采收加工** | **藤茎：** 秋季开花时采收，扎成小把，鲜用或晒干。

| **功能主治** | 祛风除湿，温中理气，利尿，消食。用于风湿痹痛，吐泻，痢疾，腹痛肠鸣，小便不利，水肿。

钝齿铁线莲

Clematis apiifolia DC. var. *obtusidentata* Rehd. et Wils.

| 药 材 名 | 棉花藤。

| 形态特征 | 藤本。茎长 3 ~ 4 m。新枝被伏贴短柔毛。三出复叶；叶柄长 5 ~ 10 cm，被短柔毛；中央小叶片宽卵形，长 5 ~ 10 cm，宽 4.5 ~ 8.5 cm，常不明显 3 裂，先端渐尖，基部多截形或近心形，边缘有少数钝牙齿；侧生 2 小叶常卵形，较小，边缘钝牙齿较少，表面疏生伏贴短柔毛，背面密被白色短柔毛。圆锥花序有多数花，腋生，比叶短，花序梗及花梗均被伏贴短柔毛；萼片 4，白色，开展，倒卵形，长 7 ~ 9 mm，两面被短柔毛；雄蕊多数，花丝比花药长 5 倍，无毛；心皮多数，被毛。瘦果纺锤形或狭卵形，干后黑色，宿存花柱长约 2 cm，被白色羽状毛。花期 7 ~ 9 月，果期 9 ~ 10 月。

| 生境分布 | 生于海拔 400 ~ 2 300 m 的山坡灌丛中或阳坡沟边。分布于湖北五峰、罗田、崇阳、通山、利川、建始、巴东、宣恩、咸丰、鹤峰，以及荆门。

| 资源情况 | 野生资源丰富。

| 采收加工 | **藤茎：**秋季采收，刮去外皮，切片，晒干。

| 功能主治 | 消食止痢，利尿消肿，通经下乳。用于食滞腹胀，泄泻痢疾，湿热淋病，水肿，闭经，乳汁不通。

| 附 注 | 孕妇慎服。

毛茛科 Ranunculaceae 铁线莲属 Clematis

粗齿铁线莲 *Clematis argentilucida* (H. Lév. et Vant.) W. T. Wang

| 药 材 名 | 大木通。

| 形态特征 | 落叶藤木。小枝密生白色短柔毛，老时外皮剥落。叶对生，一回羽状复叶；叶柄长 3.5 ~ 6.5 cm；小叶通常 5，小叶片卵形或椭圆状卵形，长 5 ~ 10 cm，宽 3.5 ~ 6.5 cm，先端渐尖，基部圆形、宽楔形或微心形，常有不明显 3 裂，边缘有粗大锯齿状牙齿，两面被短柔毛，有时较疏或近无毛。腋生聚伞花序，常有 3 ~ 7 花；萼片 4，开展，直径 2 ~ 3.5 cm，白色，近长圆形，长 1 ~ 1.8 cm，宽约 5 mm，先端钝，外面有短柔毛，内面有时近无毛；花瓣无；雄蕊多数，无毛；心皮多数，被柔毛。瘦果扁卵圆形，长 3 ~ 4 mm，有柔毛；宿存花柱羽毛状，长达 3 cm。花期 5 ~ 7 月，果期 7 ~ 10 月。

| 生境分布 | 生于海拔 450 ~ 3 100 m 的山坡或山沟灌丛中。分布于湖北竹溪、兴山、崇阳、恩施、利川、建始、巴东、宣恩、咸丰、鹤峰、神农架，以及宜昌。

| 资源情况 | 野生资源丰富。药材来源于野生。

| 采收加工 | **茎藤：**全年均可采收，除去枝、叶及粗皮，切成小段，晒干。

| 功能主治 | 利尿，解毒，祛风湿。用于小便不利，淋病，乳汁不通，疮疖肿毒，风湿关节疼痛，肢体麻木。

| 附 注 | 孕妇慎用。

毛茛科 Ranunculaceae 铁线莲属 Clematis

小木通 Clematis armandii Franch.

| 药 材 名 | 川木通。

| 形态特征 | 木质藤本，长达 6 m。茎圆柱形，有纵条纹，小枝有棱，有白色短柔毛，后脱落无毛。叶对生；叶柄长 5 ～ 7.5 cm；三出复叶，小叶片革质，卵状披针形、卵形或披针形，长 4 ～ 16 cm，宽 2 ～ 8 cm，先端渐尖，基部圆形或浅心形，全缘，两面无毛。聚伞花序圆锥状，顶生或腋生；腋生花序基部有宿存芽鳞片，芽鳞片长 0.8 ～ 3.5 cm；花序下部苞片近长圆形，常 3 浅裂，上部苞片较小，披针形或钻形；花两性，直径 3 ～ 4 cm；萼片 4 ～ 7，开展，长圆形或椭圆形，长 1 ～ 4 cm，宽 0.3 ～ 2 cm，外面边缘有短柔毛；花瓣无；雄蕊多数，无毛，花药长圆形；心皮多数。瘦果扁，椭圆形，长 3 mm，疏生柔毛，宿存花柱羽毛状，长达 5 cm。花期 3 ～ 4 月，果期 4 ～ 7 月。

| 生境分布 | 生于海拔 100 ~ 2 400 m 的山坡、山谷水沟旁、林边或灌丛中。分布于湖北竹溪、兴山、罗田、崇阳、利川、建始、巴东、宣恩、咸丰、鹤峰、神农架，以及宜昌、咸宁。

| 资源情况 | 野生资源丰富。

| 采收加工 | **根茎：** 秋季采收，刮去外皮，切片，晒干。

| 功能主治 | 清热利尿，通经下乳。用于湿热癃闭，水肿，淋病，心火上炎之口舌生疮，湿热痹痛，关节不利，闭经，乳汁不通。

毛茛科 Ranunculaceae 铁线莲属 Clematis

短尾铁线莲
Clematis brevicaudata DC.

| 药 材 名 | 红钉耙藤。

| 形态特征 | 木质藤本。枝条有棱，褐紫色，疏生短柔毛。叶对生；叶柄长 2 ～ 4.5 cm，有柔毛；一至二回羽状复叶或二回三出复叶；小叶片卵形、卵状披针形或长卵形，长 1.5 ～ 6 cm，宽 0.7 ～ 3.5 cm，先端渐尖或长渐尖，基部圆形、截形或浅心形，边缘疏生粗锯齿或牙齿，有时 3 裂，两面近无毛。圆锥状聚伞花序腋生或顶生；花两性；花梗长 1 ～ 1.5 cm，有短柔毛；萼片 4，开展，直径 1.5 ～ 2 cm，白色，狭倒卵形，长约 8 mm，两面均有短柔毛；花瓣无；雄蕊多数，无毛，花丝长 4 ～ 5 mm，花药长 2 ～ 2.5 mm；心皮多数，被柔毛。瘦果卵形，长约 3 mm，密生柔毛，宿存花柱羽毛状，长 1.5 ～ 3 cm。花期 7 ～ 9 月，果期 9 ～ 10 月。

| **生境分布** | 生于海拔 460 ~ 3 100 m 的山地灌丛或疏林中。分布于湖北京山、竹溪，以及荆门。 |

| **资源情况** | 野生资源丰富。 |

| **采收加工** | **藤茎、茎叶：**全年均可采收。 |

| **功能主治** | 清热利水，祛风湿，通经下乳。用于湿热淋病，风湿痹痛，产妇乳汁不通。 |

| **附　注** | 孕妇禁服。 |

▓毛茛科▓ Ranunculaceae ▓铁线莲属▓ *Clematis*

威灵仙
Clematis chinensis Osbeck

| 药 材 名 | 威灵仙、威灵仙叶。

| 形态特征 | 木质藤本，长 3 ~ 10 m，干后全株变黑色。茎近无毛。叶对生；叶柄长 4.5 ~ 6.5 cm；一回羽状复叶，小叶 5，有时 3 或 7；小叶片纸质，窄卵形、卵形、卵状披针形或线状披针形，长 1.5 ~ 10 cm，宽 1 ~ 7 cm，先端锐尖或渐尖，基部圆形、宽楔形或浅心形，全缘，两端近无毛或下面疏生短柔毛。圆锥状聚伞花序，多花，腋生或顶生；花两性，直径 1 ~ 2 cm；萼片 4，长圆形或圆状倒卵形，长 0.5 ~ 1.5 cm，宽 1.5 ~ 3 mm，开展，白色，先端常凸尖，外面边缘密生绒毛或中间有短柔毛；花瓣无；雄蕊多数，不等长，无毛；心皮多数，有柔毛。瘦果扁卵形，长 3 ~ 7 mm，疏生紧贴的柔毛，宿存花柱羽毛状，长 2 ~ 5 cm。花期 6 ~ 9 月，果期 8 ~ 11 月。

| 生境分布 | 生于海拔 80 ~ 1 500 m 的山坡、山谷灌丛中或沟边路旁草丛中。分布于湖北阳新、房县、丹江口、兴山、钟祥、大悟、罗田、英山、蕲春、黄梅、崇阳、巴东、神农架，以及荆门、武汉。

| 资源情况 | 野生资源丰富，栽培资源丰富。药材主要来源于栽培。

| 采收加工 | 威灵仙：秋季挖出，除去茎叶，洗净泥土，晒干或切段晒干。
威灵仙叶：夏、秋季采收，鲜用或晒干。

| 功能主治 | 威灵仙：祛风除湿，通络止痛。用于风湿痹痛，肢体麻木，筋脉拘挛，屈伸不利，脚气肿痛，疟疾，骨鲠咽喉，痰饮积聚。
威灵仙叶：利咽，解毒，活血消肿。用于咽喉肿痛，喉蛾，鹤膝风，睑腺炎，结膜炎。

| 附　注 | 气血亏虚者及孕妇慎服。

| 毛茛科 | Ranunculaceae | 铁线莲属 | *Clematis*

毛叶威灵仙 *Clematis chinensis* Osbeck f. *vestita* Rehd. et Wils.

| **药 材 名** | 威灵仙。

| **形态特征** | 本种与威灵仙的区别在于本种小叶片通常较厚而小，常为卵形至长圆形，长 1 ~ 3.5（~ 5）cm，宽 0.5 ~ 2（~ 2.5）cm，先端钝或锐尖，下面有较密的短柔毛，老时易脱落；花期 6 ~ 8 月。

| **生境分布** | 生于山坡、路旁草丛中。分布于湖北武昌。

| **资源情况** | 野生资源丰富，栽培资源丰富。药材主要来源于栽培。

| 采收加工 | 威灵仙：秋季挖出，除去茎叶，洗净泥土，晒干或切段晒干。
威灵仙叶：夏、秋季采收，鲜用或晒干。

| 功能主治 | 威灵仙：祛风除湿，通络止痛。用于风湿痹痛，肢体麻木，筋脉拘挛，屈伸不利，脚气肿痛，疟疾，骨鲠咽喉，痰饮积聚。
威灵仙叶：利咽，解毒，活血消肿。用于咽喉肿痛，喉蛾，鹤膝风，睑腺炎，结膜炎。

毛茛科 Ranunculaceae 铁线莲属 Clematis

大花威灵仙 Clematis courtoisii Hand.-Mazz.

| 药 材 名 | 大花威灵仙。

| 形态特征 | 木质攀缘藤本，长 2 ~ 4 m。须根黄褐色，新鲜时微带辣味。茎圆柱形，表面棕红色或深棕色，幼时被稀疏开展的柔毛，以后脱落至近无毛。叶为三出复叶至二回三出复叶；叶片薄纸质或亚革质，长圆形或卵状披针形，长 5 ~ 7 cm，宽 2 ~ 3.5 cm，先端渐尖或长尖，基部阔楔形，稀圆形，全缘，稀 2 ~ 3 分裂，上面仅沿主脉微被浅柔毛，其余部分无毛，下面被极稀疏的柔毛，叶脉在两面显著隆起；先端 3 小叶具短小叶柄或无柄，侧生小叶柄长 1 ~ 2 cm，被稀疏紧贴的柔毛；叶柄长 6 ~ 10 cm，基部微膨大。花单生于叶

腋；花梗长 12 ～ 18 cm，被紧贴的浅柔毛，在花梗的中部着生 1 对叶状苞片；苞片卵圆形或宽卵形，常较叶片宽，长 4.5 ～ 7 cm，宽 2.5 ～ 4.5 cm，边缘有时 2 ～ 3 分裂，基部具长 2 ～ 4 mm 的短柄；花大，直径 5 ～ 8 cm；萼片常 6，白色，倒卵状披针形或宽披针形，长 3.5 ～ 4.5 cm，宽 1.5 ～ 2.5 cm，先端锐尖，内面无毛，褐色脉纹能见，外面沿 3 直的中脉形成一青紫色的带，被稀疏柔毛，外侧被密的浅绒毛；雄蕊暗紫色，长达 1.5 cm，外轮较长，内轮较短，花药线形，长 5 mm，花丝无毛，长为花药的 2 倍；心皮长 4 ～ 5 mm，子房及花柱基部被紧贴的长柔毛，花柱上部被浅柔毛，柱头膨大，无毛。瘦果倒卵圆形，长 5 mm，宽 4 mm，棕红色，被稀疏柔毛，宿存花柱长 1.5 ～ 3 cm，被黄色柔毛，膨大的柱头宿存，无毛。花期 5 ～ 6 月，果期 6 ～ 7 月。

| **生境分布** | 常生于海拔 200 ～ 500 m 的山坡及溪边、路旁的杂木林中、灌丛中，攀缘于树上。分布于湖北通山。

| **资源情况** | 野生资源丰富。

| **采收加工** | **根、茎藤：**全年均可采收，鲜用或晒干。

| **功能主治** | 清热利湿，理气通便，解毒。用于小便不利，腹胀，便秘，风火牙痛，目生星翳，蛇虫咬伤。

山木通 *Clematis finetiana* Levl. et Vant.

| 药 材 名 | 山木通根、山木通。

| 形态特征 | 木质藤本，无毛。茎圆柱形，有纵条纹，小枝有棱。三出复叶，基部有时为单叶；小叶片薄革质或革质，卵状披针形、狭卵形至卵形，先端锐尖至渐尖，基部圆形、浅心形或斜肾形，全缘，两面无毛。花常单生，或为聚伞花序、总状聚伞花序，腋生或顶生，有 1 ~ 3 花，少数具 7 以上花而成圆锥状聚伞花序，通常花序比叶长或与叶近等长；在叶腋分枝处常有多数长三角形至三角形宿存芽鳞，芽鳞长 5 ~ 8 mm；苞片小，钻形，有时下部苞片为宽线形至三角状披针形，先端 3 裂；萼片 4（~ 6），开展，白色，狭椭圆形或披针形，外面边缘密生短绒毛；雄蕊无毛，药隔明显。瘦果镰状狭卵形，长

约 5 mm，有柔毛，宿存花柱长达 3 cm，有黄褐色长柔毛。花期 4 ~ 6 月，果期 7 ~ 11 月。

| 生境分布 | 生于海拔 300 ~ 1 200 m 的山坡疏林、溪边、路旁灌丛、山谷石缝中。湖北有分布。

| 采收加工 | 全年均可采收，鲜用或晒干。

| 功能主治 | **山木通根：**祛风利湿，活络止痛，解毒。用于风湿痹痛，跌打损伤，骨鲠咽喉，走马牙疳，目生星翳。

山木通：祛风活血，利尿通淋。用于关节肿痛，跌打损伤，小便不利，乳汁不通。

毛茛科 Ranunculaceae 铁线莲属 *Clematis*

铁线莲
Clematis florida Thunb.

| 药 材 名 | 铁线莲。

| 形态特征 | 草质藤本，长 1 ~ 2 m。茎棕色或紫红色，有 6 纵纹，节部膨大，被疏短柔毛。叶对生，二回三出复叶；叶柄长达 4 cm；小叶片狭卵形或卵状披针形，长 2 ~ 6 cm，宽 1 ~ 2 cm，先端钝尖，基部圆形或阔楔形，全缘，极少有分裂，两面无毛；小叶柄长达 1 cm 或短。花单生于叶腋，花梗长 6 ~ 11 cm，近无毛，在中下部生 1 对叶状苞片，菱形或卵状三角形，长 2 ~ 3 cm，无柄或短柄，有黄色柔毛；萼片 6，开展，直径约 5 cm，白色，倒卵圆形或匙形，长约 3 cm，宽约 1.5 cm，先端较尖，基部渐狭，外面沿 3 直的中脉形成一线状披针形的带，密被绒毛，内面和边缘无毛；花瓣无；雄蕊多数，紫红色，花丝宽线形，无毛，花药长圆形，较花丝短；心皮多

数，被淡黄色柔毛，花柱短，上部有毛，柱头头状，2微裂。瘦果倒卵形，扁平，边缘厚，宿存花柱伸长成喙状，细瘦，下部有开展的短柔毛，上部无毛，膨大的柱头2裂。花期1～2月，果期3～4月。

| 生境分布 | 生于低山区的丘陵灌丛中、山谷、路旁及小溪边。分布于湖北武昌、罗田、通山，以及武汉。

| 资源情况 | 野生资源丰富。

| 采收加工 | **全株：** 7～8月采收，切段，鲜用或晒干。
根： 秋、冬季采挖，洗净泥土，晒干。

| 功能主治 | 利尿，通络，理气通便，解毒。用于风湿性关节炎，小便不利，闭经，便秘腹胀，风火牙痛，眼起星翳，蛇虫咬伤，黄疸。

| 附　　注 | 孕妇禁服。

毛茛科 Ranunculaceae 铁线莲属 Clematis

圆锥铁线莲 *Clematis ganpiniana* (H. Lév. & Vaniot) Tamura

| 药 材 名 | 铜脚威灵仙。

| 形态特征 | 木质藤本。枝具短柔毛和浅纵沟。羽状复叶 5（～ 7）小叶；小叶纸质，卵形或窄卵形，长 2.5 ～ 8 cm，基部圆形、近心形或宽楔形，全缘，两面疏被柔毛，后脱落无毛；叶柄长 5 cm。花序腋生并顶生，多花，花序梗长 1 ～ 7 cm；苞片线形或椭圆形，花梗长 0.5 ～ 3 cm，被柔毛；萼片 4，白色，平展，倒卵状长圆形，长 0.5 ～ 1.5 cm，边缘被绒毛；雄蕊无毛，花药窄长圆形或长圆形，长 2 ～ 3 mm，先端钝或具小尖头。瘦果近扁平，橙黄色，宽椭圆形或倒卵圆形，长 6 ～ 9 mm，被柔毛，具窄边；宿存花柱长 1.2 ～ 4 cm，羽毛状。花期 6 ～ 8 月。

| 生境分布 | 生于海拔 400 m 以下的林缘或草地。分布于湖北汉阳、武昌、鹤峰、京山、罗田、通山，以及咸宁。 |

| 资源情况 | 野生资源丰富。药材主要来源于野生。 |

| 采收加工 | **根：** 全年均可采挖，洗净，鲜用或晒干。 |

| 功能主治 | 祛风除湿，解毒消肿，凉血止血。用于风湿痹痛，疔疮肿毒，恶肿疮瘘，喉痹，蛇犬咬伤，吐血，咯血，崩漏。 |

毛茛科 Ranunculaceae 铁线莲属 Clematis

小蓑衣藤
Clematis gouriana Roxb. ex DC.

| 药 材 名 | 小蓑衣藤。

| 形态特征 | 落叶蔓生灌木，高可达 5 m。茎绿色至褐色，有条纹。一年生枝有密毛，旋即脱落。奇数羽状复叶对生；叶柄长至 7 cm，具条纹及淡褐色毛；小叶 5 ~ 7，先端小叶时有连生者，具柄，小叶片卵形，长 2 ~ 5 cm，宽 1 ~ 3 cm，全缘或具 2 ~ 3 阔齿，两面均具短毛。圆锥状花序腋生，花序梗长 2 ~ 8 cm，有毛；花两性，白色；花被片 4 ~ 5，倒卵形，先端圆形，微凹，外面密被绒毛，内面毛较稀；雄蕊多数，花粉囊短于花丝；雌蕊多数，子房上位，花柱有长白毛，柱头侧生。瘦果扁卵形，黑色，无毛，宿存花柱长，具白色羽状毛。花期夏、秋季。

| 生境分布 | 生于海拔 50 ～ 1 800 m 的山坡、山谷灌丛中或沟边、路旁。分布于湖北兴山、恩施、巴东、来凤、鹤峰。

| 资源情况 | 野生资源丰富。

| 采收加工 | **根、茎叶：**全年均可采收。

| 功能主治 | 行气活血，祛风湿，止痛。用于跌打损伤，瘀滞疼痛，风湿筋骨痛，肢体麻木。

毛茛科 Ranunculaceae 铁线莲属 Clematis

金佛铁线莲 *Clematis gratopsis* W. T. Wang

| **药 材 名** | 绿木通。

| **形态特征** | 木质藤本。小枝、叶柄及花序梗、花梗均有伸展的短柔毛。一回羽状复叶，有 5 小叶，偶尔基部 1 对 3 全裂至 3 小叶；小叶片卵形至卵状披针形或宽卵形，长 2 ~ 6 cm，宽 1.5 ~ 4 cm，基部心形，常在中部以下 3 浅裂至深裂，中间裂片卵状椭圆形至卵状披针形，先端锐尖至渐尖，侧裂片先端圆或锐尖，边缘有少数锯齿状牙齿，两面密生贴伏短柔毛。聚伞花序常有 3 ~ 9 花，腋生或顶生，或成顶生圆锥状聚伞花序；花梗上小苞片显著，卵形、椭圆形至披针形；花直径 1.5 ~ 2 cm；萼片 4，开展，白色，倒卵状长圆形，先端钝，长 7 ~ 10 mm，外面密生绢状短柔毛，内面无毛；雄蕊无毛，花丝比花药长 5 倍。瘦果卵形，密生柔毛。花期 8 ~ 10 月，果期

10 ~ 12 月。

| 生境分布 |　生于海拔 150 ~ 900 m 的低山坡、山谷或沟边、路旁灌丛中。分布于湖北竹山、
竹溪、房县、兴山、秭归、长阳、五峰、建始、巴东、鹤峰、神农架。

| 资源情况 |　野生资源较丰富。

| 功能主治 |　行气活血，祛风湿，止痛。用于风湿性筋骨痛，跌打损伤，瘀血疼痛，肢体麻木。

单叶铁线莲 *Clematis henryi* Oliv.

| **药 材 名** | 雪里开。

| **形态特征** | 木质藤本。主根下部膨大成瘤状，直径 1.5 ～ 2 cm，表面淡褐色，内部白色。单叶对生；叶柄长 2 ～ 6 cm，幼时被毛，后脱落；叶片卵状披针形，长 10 ～ 15 cm，宽 3 ～ 7.5 cm，先端渐尖，基部浅心形，边缘具刺头状浅齿，两面无毛或下面叶脉上幼时被绒毛，基出弧形中脉 3 ～ 7，两面网脉明显。聚伞花序腋生，常只有 1 花，稀有 2 ～ 5 花；花序梗细瘦，与叶柄近等长或稍长，无毛，下部有 2 ～ 4 对线形苞片，交互对生；花两性，钟状，直径 2 ～ 2.5 cm；萼片 4，较厚，卵圆形或长方卵圆形，长 1.5 ～ 2.2 cm，宽 7 ～ 12 mm，白色或淡黄色，先端钝尖，外面疏生紧贴的绒毛，边缘具白色绒毛，内面无毛；花瓣无；雄蕊多数，长 1 ～ 1.2 cm，花丝线形，具 1 脉，两侧有长

柔毛，花药长椭圆形，无毛；心皮多数，被短柔毛，花柱被绢毛。瘦果狭卵形，长 3 mm，被短柔毛，宿存花柱羽毛状，长达 4.5 cm。花期 11 ~ 12 月，果期翌年 3 ~ 4 月。

| **生境分布** | 生于海拔 100 ~ 2 400 m 的溪边、山谷、阴湿坡地、林下或灌丛中，缠绕于树上。分布于湖北房县、兴山、长阳、保康、恩施、利川、巴东、宣恩、咸丰、鹤峰、神农架，以及宜昌。

| **资源情况** | 野生资源丰富。

| **采收加工** | **根**：秋、冬季采挖，除去茎叶、须根及杂质，晒干或晾干。
叶：夏、秋季采收。

| **功能主治** | 清热解毒，祛痰镇咳，行气活血，止痛。用于小儿高热惊风，咳嗽，咽喉肿痛，头痛，胃痛，腹痛，跌打损伤，腮腺炎，疔疮疖毒，蛇咬伤。

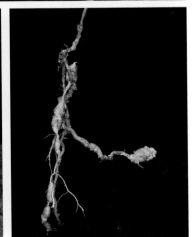

毛茛科 Ranunculaceae 铁线莲属 Clematis

大叶铁线莲 Clematis heracleifolia DC.

| 药 材 名 | 草牡丹。

| 形态特征 | 直立草本，基部木质，高 0.3 ~ 1 m。主根粗大，表面棕黄色。茎粗壮，纵条纹明显，密生白色糙绒毛。叶对生，三出复叶，长达 30 cm；叶柄长 4.5 ~ 15 cm，被毛；小叶片亚革质或厚纸质，宽卵形、卵圆形或近圆形，长 6 ~ 13 cm，宽 4 ~ 10 cm，先端短尖，基部圆形或楔形，有时偏斜，边缘有不整齐粗锯齿，齿尖有短尖头，上面暗绿色，近无毛，下面有曲柔毛，脉上尤多；顶生小叶柄长，侧生小叶柄短。聚伞花序顶生或腋生，花梗粗壮，有白色糙绒毛，每花下有 1 线状披针形苞片；花杂性，两性花与雄花异株；花直径 2 ~

3 cm；萼片 4，蓝紫色，窄长圆形或宽线形，长 1.5 ~ 2 cm，宽约 5 mm，先端常反卷，外面有白色厚绢状短柔毛，内面无毛，边缘密生白色绒毛；花瓣无；雄蕊多数，长约 1 cm，花丝线形，无毛，花药线形与花丝等长，药隔有疏长柔毛；心皮多数，有白色绢毛。瘦果卵形，长约 4 mm，红棕色，有短柔毛，宿存花柱羽毛状，长达 3 cm。花期 8 ~ 9 月，果期 9 ~ 10 月。

| 生境分布 | 生于海拔 500 ~ 1 700 m 的山坡沟谷、路旁或林边。分布于湖北保康、罗田、神农架。

| 资源情况 | 野生资源丰富。药材来源于野生。

| 采收加工 | **全草：**夏、秋季采收，切段，晒干。

| 功能主治 | 祛风除湿，止泻痢，消痈肿。用于风湿关节痛，腹泻，痢疾，结核性溃疡。

毛茛科 Ranunculaceae 铁线莲属 Clematis

巴山铁线莲

Clematis kirilowii Maxim. var. *pashanensis* M. C. Chang

| **药 材 名** | 巴山铁线莲。

| **形态特征** | 本种与威灵仙的区别在于本种小叶片干时变黑褐色，革质，两面网脉凸出，萼片先端常为截形而微凹或圆钝。

| **生境分布** | 生于海拔 200 ~ 1 400 m 的山坡、山谷、路边灌丛中或河边、沟旁。分布于湖北房县、兴山、秭归、建始、巴东，以及宜昌。

| **资源情况** | 野生资源较少。

| **功能主治** | **根及根茎**：用于四肢麻木，跌打损伤，鱼骨鲠喉。

毛茛科 Ranunculaceae 铁线莲属 Clematis

毛蕊铁线莲 *Clematis lasiandra* Maxim.

| 药 材 名 | 小木通。

| 形态特征 | 多年生草质藤本。当年生枝条具开展的柔毛。叶对生，一至二回三出复叶；叶柄长 3～6 cm，无毛，基部膨大隆起；小叶片卵状披针形或窄卵形，长 3～6 cm，宽 1.5～2.5 cm，先端渐尖，基部阔楔形或圆形，常偏斜，边缘有锯齿，上面被稀疏紧贴的柔毛或两面无毛，叶脉在下面隆起；小叶柄短或长达 8 mm。聚伞花序腋生，常有1～3 花，在花序分枝处有 1 对叶状苞片，花梗长 1.5～2.5 cm，幼时被柔毛，以后脱落；花两性；萼片 4，长圆形或长方椭圆形，长1～1.5 cm，宽 5～8 mm，粉红色或紫红色，钟状直立，先端反卷，直径约 2 cm，两面无毛，边缘和反卷的先端被毛；花瓣无；雄蕊多数，稍短于萼片，花丝线形，外面及两侧被紧贴的柔毛，长超过

花药，内面无毛，花药长椭圆形，药隔外面被毛；心皮多数，比雄蕊短，被绢状毛。瘦果卵形，长约 3 mm，被疏短柔毛，宿存花柱羽毛状，长 2 ～ 3.5 cm。花期 10 月，果期 11 ～ 12 月。

| 生境分布 | 生于海拔 500 ～ 2 800 m 的沟边、山坡荒地及灌丛中。分布于湖北竹山、竹溪、房县、兴山、秭归、长阳、五峰、通山、恩施、利川、建始、巴东、咸丰、鹤峰、神农架。

| 资源情况 | 野生资源丰富。

| 采收加工 | **茎藤、根：** 秋季采收，切段，鲜用或晒干。

| 功能主治 | 舒筋活络，清热利尿。用于风湿关节疼痛，跌打损伤，水肿，热淋，小便不利，痈疡肿毒。

| 附　　注 | 孕妇慎用。

毛茛科 Ranunculaceae 铁线莲属 Clematis

锈毛铁线莲 *Clematis leschenaultiana* DC.

| 药 材 名 | 锈毛铁线莲。

| 形态特征 | 木质藤本。茎圆柱形，有纵沟纹，密被开展的金黄色长柔毛。三出复叶；小叶片纸质，卵圆形、卵状椭圆形至卵状披针形，长 7 ～ 11 cm，宽 3.5 ～ 8 cm，先端渐尖或有短尾，基部圆形或浅心形，常

偏斜，上部边缘有钝锯齿，下部全缘，表面绿色被稀疏紧贴的柔毛，背面淡绿色被平伏的厚柔毛，尤以叶脉上为多，基出主脉 3 ～ 5，在表面平坦，在背面隆起；小叶柄长 1 ～ 2.5 cm；叶柄长 5 ～ 11 cm，圆柱形，均密被开展的黄色柔毛。聚伞花序腋生，密被黄色柔毛，常只有 3 花，稀多或少；花序梗长 1 ～ 2.5 cm；花梗长 3 ～ 5 cm，在花序的分枝处具 1 对披针形的苞片，苞片长 1.5 ～ 2 cm；花萼直立成壶状，先端反卷，直径 2 cm；萼片 4，黄色，卵圆形至卵状椭圆形，长 1.8 ～ 2.5 cm，宽 9 mm，外面密被金黄色柔毛，内面除先端被稀疏柔毛外其余无毛；雄蕊与萼片等长，花丝扁平，除基部无毛外，上部被稀疏开展的长柔毛，花药线形，长 3 mm；心皮被绢状柔毛，子房卵形。瘦果狭卵形，长 5 mm，宽 1 mm，被棕黄色短柔毛，宿存花柱长 3 ～ 3.5 cm，具黄色长柔毛。花期 1 ～ 2 月，果期 3 ～ 4 月。

| 生境分布 | 生于海拔 500 ～ 1 200 m 的山坡灌丛中。湖北有分布。

| 功能主治 | 清热利尿，活血通乳，清心，通经。用于小便短赤，口舌生疮，心烦，经闭乳少，湿热痹痛。

■ 毛茛科 ■ Ranunculaceae ■ 铁线莲属 ■ *Clematis*

绣球藤
Clematis montana Buch.-Ham. ex DC.

| 药 材 名 | 川木通。

| 形态特征 | 木质藤本，长达 8 m。茎圆柱形，有纵条纹；小枝有短柔毛，后脱落变无毛；老茎外皮剥落。叶对生或数叶与花簇生；叶柄长 5 ~ 6 cm；三出复叶，小叶片卵形、宽卵形或椭圆形，长 2 ~ 7 cm，宽 1 ~ 5 cm，先端急尖或渐尖，3 浅裂，边缘有锯齿，两面疏生短柔毛。两性花，1 ~ 6 与叶簇生，直径 3 ~ 5 cm；萼片 4，开展，长圆状倒卵形或倒卵形，长 1.5 ~ 2.5 cm，宽 0.8 ~ 1.5 cm，外面疏生短柔毛，内面无毛；花瓣无；雄蕊多数，长约 1 cm，无毛；心皮多数。瘦果扁，卵形或卵圆形，长 4 ~ 6 mm，无毛，宿存花柱羽毛状，长约 2.2 cm。花期 4 ~ 6 月，果期 7 ~ 9 月。

| 生境分布 | 生于山坡、山谷灌丛中、林边或沟旁。分布于湖北房县、丹江口、兴山、秭归、南漳、保康、建始、巴东、宣恩、神农架，以及宜昌。

| 资源情况 | 野生资源丰富。药材主要来源于野生。

| 采收加工 | **根茎：** 秋季采收，刮去外皮，切片，晒干。

| 功能主治 | 清热利尿，通经下乳。用于水肿，淋病，小便不通，关节痹痛，闭经，乳汁不足。

毛茛科 Ranunculaceae 铁线莲属 Clematis

钝萼铁线莲 *Clematis peterae* Hand.-Mazz.

| **药 材 名** | 风藤草、风藤草根。 |

| **形态特征** | 木质藤本。茎有纵条纹。叶对生，一回羽状复叶；小叶片卵形或长卵形，长 2 ~ 9 cm，宽 1 ~ 4.5 cm，先端渐尖或短渐尖，基部圆形或浅心形，疏生 1 至数个锯齿状牙齿或全缘，两面均被短柔毛。圆锥状聚伞花序腋生，多花，花梗长 2 ~ 8 cm，有短柔毛，花序梗基部有 1 对叶状苞片；花两性，直径 1.5 ~ 2 cm；萼片 4，倒卵形或椭圆形，长 0.7 ~ 1.1 cm，白色，开展，先端钝，两面有短柔毛，外面边缘密生短绒毛；花瓣无；雄蕊多数，无毛，长约 6 mm；心皮多数，无毛，花柱有长柔毛。瘦果扁卵形，长 3 ~ 4 mm，无毛或近花柱处稍有柔毛，宿存花柱羽毛状，长达 3 cm。花期 6 ~ 8 月，果期 9 ~ 12 月。 |

| **生境分布** | 生于海拔 340 ～ 3 100 m 的山坡、沟边杂木林中。分布于湖北武昌、竹溪、房县、兴山、五峰、恩施、利川、建始、巴东、宣恩、咸丰、来凤、神农架。

| **资源情况** | 野生资源丰富。

| **采收加工** | 风藤草：秋季采收，洗净，鲜用或晒干。
风藤草根：秋季采挖，洗净泥土，晒干。

| **功能主治** | 风藤草：祛风清热，和络止痛。用于风湿关节痛，风疹瘙痒，疮疥肿毒，火眼疼痛，小便不利。
风藤草根：祛风湿，利小便，活血止痛。用于风湿痹痛，小便不利，水肿，淋浊，癃闭，闭经，跌打损伤。

毛茛科 Ranunculaceae 铁线莲属 Clematis

须蕊铁线莲
Clematis pogonandra Maxim.

| 药 材 名 |

冉丝铁丝莲。

| 形态特征 |

草质藤本，长 2 ~ 3 cm。老枝圆柱形，棕红色，幼枝淡黄色，有 6 浅的纵沟纹，除节上有时被柔毛外，其余无毛，当年生枝基部芽鳞宿存；鳞片三角形，长达 8 mm，仅边缘有毛。三出复叶；叶片薄纸质，卵状披针形或椭圆状披针形，长 5 ~ 10 cm，宽 2.5 ~ 3.5 cm，先端渐尖，基部圆形，全缘，表面绿色，背面粉绿色，两面无毛，3 基出主脉在表面平坦，在背面隆起；小叶柄短或长 5 ~ 10 mm，上面有沟槽；叶柄长 2 ~ 6 cm，无毛。单花腋生；花梗细瘦，长 4 ~ 7.5 cm，不具苞片，光滑无毛；花钟状，直径 2 ~ 3 cm；萼片 4，淡黄色，长椭圆形或卵状披针形，长 2.5 ~ 3 cm，宽 5 ~ 8 mm，先端渐尖，微黄绿色，仅先端内面微被柔毛，边缘密被黄色绒毛，其余无毛；雄蕊与萼片近等长，花丝宽线形，宽过花药，上部的两侧及背面被长柔毛，基部及腹面无毛，花药内向着生，窄线形，长 5 ~ 7 mm，药隔密被短柔毛；心皮被短柔毛，花柱被绢状毛。瘦果倒卵形，长 4 ~ 5 mm，宽 2 mm，

被短柔毛，宿存花柱长达 3 cm，被黄色长柔毛。花期 6 ~ 7 月，果期 7 ~ 8 月。

| **生境分布** | 生于海拔 2 200 ~ 3 100 m 的山坡林边及灌丛中。分布于湖北巴东、鹤峰、神农架。

| **功能主治** | **根、茎、叶：**清热祛风，除湿。用于风湿性关节炎，跌打损伤，腰膝酸痛，四肢麻木。

毛茛科 Ranunculaceae 铁线莲属 Clematis

五叶铁线莲 *Clematis quinquefoliolata* Hutch.

| 药 材 名 | 柳叶见血飞。

| 形态特征 | 木质藤本。茎和枝有纵条纹，小枝有短柔毛，后脱落变无毛。叶对生，一回羽状复叶，有长柄；小叶5，叶片薄革质，长圆状披针形、卵状披针形、长卵形或卵形，长4～9 cm，宽1～3.5 cm，先端突尖或渐尖，基部圆或为楔形，全缘，两面无毛或下面稍有柔毛。总状圆锥状聚伞花序，腋生或顶生，有花3～10或更多；花序梗和花梗疏生短柔毛；花两性；萼片4，开展，近长圆形或倒卵状椭圆形，长1～2 cm，白色，外面被短柔毛，边缘密被绒毛，内面无毛；花瓣无；雄蕊多数，花丝比花药长4～5倍；心皮多数，被短柔毛，花柱被绢状毛。瘦果卵形或椭圆形，扁，长约5 mm，有柔毛，宿存花柱羽毛状，长达6 cm。花期6～8月，果期7～9月。

| 生境分布 | 生于海拔 1 000 ～ 1 880 m 的山坡、路旁灌丛中或水沟边。分布于湖北武汉及京山。

| 资源情况 | 野生资源较丰富。

| 采收加工 | **全株或根**：秋、冬季采收，洗净，切碎，晒干。

| 功能主治 | 祛风除湿，活血止痛。用于风湿痹痛，肢体麻木，虚寒胃痛，腹痛吐泻，痛经，闭经，跌打损伤，偏头痛，神经痛，面神经麻痹。

| 附 注 | 孕妇禁服。

毛茛科 Ranunculaceae 铁线莲属 Clematis

辣蓼铁线莲 *Clematis terniflora* DC. var. *mandshurica* (Rupr.) Ohwi

| **药 材 名** | 威灵仙。

| **形态特征** | 攀缘藤本。茎和分枝除节上有白色柔毛外，其余无毛或近无毛。一回羽状复叶；小叶片全缘，近革质，卵形、长卵形或披针状卵形，先端渐尖或锐尖，很少钝，不微凹，上面无毛，网脉明显，下面近无毛。花序较长而挺直，长可达 25 cm，花序梗、花梗近无毛或稍有短柔毛；萼片外面除边缘有绒毛外，其余无毛或稍有短柔毛。瘦果较小，长 4 ~ 6 mm。花期 6 ~ 8 月，果期 7 ~ 9 月。

| **生境分布** | 生于山坡灌丛中、杂木林下或林边。湖北有分布。

| **资源情况** | 野生资源丰富，栽培资源丰富。药材主要来源于栽培。

| 采收加工 | **根及根茎：**秋季挖出，除去茎叶，洗净泥土，晒干或切段晒干。

| 功能主治 | 祛风除湿，通络止痛。用于风湿痹痛，肢体麻木，筋脉拘挛，屈伸不利，脚气肿痛，疟疾，骨鲠咽喉，痰饮积聚。

| 附　注 | 气血亏虚者及孕妇慎服。

毛茛科 Ranunculaceae 铁线莲属 Clematis

柱果铁线莲
Clematis uncinata Champ. ex Benth.

| 药 材 名 | 威灵仙。

| 形态特征 | 藤本。茎圆柱形，有纵条纹，茎、叶均无毛，干时常变黑色。叶对生；叶柄长 5 ~ 7.5 cm；一至二回羽状复叶，小叶 5 ~ 15，基部 2 对常为 2 ~ 3 小叶，茎基部为单叶或三出叶；小叶片纸质或薄革质，宽卵形、卵形、长圆状卵形或卵状披针形，长 3 ~ 13 cm，宽 1.5 ~ 7 cm，先端渐尖或锐尖，偶微凹，基部圆形或宽楔形，有时浅心形或截形，全缘，两面网脉凸起。圆锥状聚伞花序腋生或顶生，多花；花两性；萼片 4，线状披针形或倒披针形，长 1 ~ 1.5 cm，白色，开展，干时变黑色；花瓣无；雄蕊多数，无毛；心皮多数，无毛。瘦果圆柱状钻形，长 5 ~ 8 mm，干后变黑，无毛，宿存花柱羽毛状，长 1 ~ 2 cm。花期 6 ~ 7 月，果期 7 ~ 9 月。

| 生境分布 | 生于海拔 100～1 800 m 的山地、山谷、溪边的灌丛中、树林间。分布于湖北竹溪、房县、兴山、秭归、罗田、通山、建始、巴东、神农架。 |

| 资源情况 | 野生资源丰富，栽培资源丰富。药材主要来源于栽培。 |

| 采收加工 | **根及根茎：**秋季挖出，除去茎叶，洗净泥土，晒干或切段晒干。 |

| 功能主治 | 祛风除湿，通络止痛。用于风湿痹痛，肢体麻木，筋脉拘挛，屈伸不利，脚气肿痛，疟疾，骨鲠咽喉，痰饮积聚。 |

| 附　　注 | 气血亏虚者及孕妇慎服。 |

毛茛科 Ranunculaceae 铁线莲属 Clematis

尾叶铁线莲 *Clematis urophylla* Franch.

| **药 材 名** | 尾叶铁线莲。

| **形态特征** | 木质藤本，长 1 ~ 3 m。茎微有 6 棱，淡灰色或灰棕色，被短柔毛。三出复叶；小叶片狭卵形或卵状披针形，长 5 ~ 10 cm，宽 2 ~ 4 cm，尖端有尖尾，基部宽楔形、圆形或亚心形，边缘有整齐的锯齿，基部全缘，两面无毛或微被稀疏紧贴的短柔毛，基出主脉 3 ~ 5，在表面平坦，在背面显著隆起；侧生小叶柄短，长仅 6 ~ 7 mm，顶生小叶柄长 1 ~ 2 cm；叶柄长 5 ~ 7 cm，上面有浅沟。聚伞花序腋生，常 1 ~ 3 花，在花序的分枝处生 1 对线状披针形的苞片；花序梗长 1 ~ 2 cm，无毛；花梗长 1.5 ~ 4 cm，密生紧贴的短柔毛；花钟状，微开展，直径 2 ~ 3 cm；萼片 4，白色，直立不反卷，卵状椭圆形

或长方椭圆形，长 2 ~ 3.5 cm，宽 6 ~ 10 mm，外面及边缘具紧贴的短柔毛，内面仅先端被绒毛，其余无毛；雄蕊长为萼片的 1/2，花丝线形，外面及两侧被长柔毛，内面无毛，花药椭圆形，无毛；子房及花柱被绢状毛。瘦果纺锤形，长 3 ~ 4 mm，宽 2 mm，被短柔毛，宿存花柱长 4.5 ~ 5 cm，被长柔毛。花期 11 ~ 12 月，果期翌年 3 ~ 4 月。

| 生境分布 | 生于林边、路旁及灌丛中。湖北有分布。

| 功能主治 | 清热利尿，通利血脉。用于水肿，小便不利，尿路感染，关节疼痛，乳汁不通。

| 毛茛科 | Ranunculaceae | 飞燕草属 | Consolida

飞燕草

Consolida ajacis (L.) Schur

| 药 材 名 | 飞燕草。

| 形态特征 | 茎高约 60 cm，与花序均被多少弯曲的短柔毛，中部以上分枝。茎下部叶有长柄，在开花时多枯萎，中部以上叶具短柄；叶片长达3 cm，掌状细裂，狭线形小裂片宽 0.4 ~ 1 mm，有短柔毛。花序生于茎或分枝先端；下部苞片叶状，上部苞片小，不分裂，线形；花梗长 0.7 ~ 2.8 cm；小苞片生于花梗中部附近，小，条形；萼片紫色、粉红色或白色，宽卵形，长约 1.2 cm，外面中央疏被短柔毛，距钻形，长约 1.6 cm；花瓣的瓣片 3 裂，中裂片长约 5 mm，先端 2 浅裂，侧裂片与中裂片成直角展出，卵形；花药长约 1 mm。蓇葖果长达1.8 cm，直，密被短柔毛，网脉稍隆起，不太明显；种子长约 2 mm。

| 生境分布 | 生于山坡、草地、固定沙丘。湖北有分布。

| 采收加工 | **种子：**秋季采收，晒干。

| 功能主治 | 催吐，泻下，杀虫。外用于疥疮，头虱病。

毛茛科 Ranunculaceae 黄连属 *Coptis*

黄连
Coptis chinensis Franch.

| 药 材 名 | 黄连。

| 形 态 特 征 | 多年生草本。高 15 ~ 25 cm。根茎黄色，常分枝，密生须根。叶基生，叶柄长 6 ~ 16 cm，无毛；叶片稍带革质，卵状三角形，宽达10 cm，3 全裂；中央裂片稍呈菱形，长 3 ~ 8 cm，宽 2 ~ 4 cm，基部急遽下延成长 1 ~ 1.8 cm 的细柄，裂片再作羽状深裂，深裂片4 ~ 5 对，近长圆形，先端急尖，彼此相距 2 ~ 6 mm，边缘具针刺状锯齿；两侧裂片斜卵形，比中央裂片短，不等 2 深裂或稀 2 全裂，裂片常再作羽状深裂；上面沿脉被短柔毛，下面无毛。花葶 1 ~ 2，与叶等长或更长；二歧或多歧聚伞花序，花 3 ~ 8；苞片披针形，3 ~ 5 羽状深裂；萼片 5，黄绿色，长椭圆状卵形至披针形，长 9 ~

12.5 mm，宽 2 ～ 3 mm；花瓣线形或线状披针形，长 5 ～ 6.5 mm，先端尖，中央有蜜槽；雄蕊多数，外轮雄蕊比花瓣略短或近等长，花药广椭圆形，黄色；心皮 8 ～ 12。蓇葖果 6 ～ 12，具柄，长 6 ～ 7mm；种子 7 ～ 8，长椭圆形，长约 2 mm，褐色。花期 2 ～ 4 月，果期 3 ～ 6 月。

| 生境分布 | 生于海拔 1 000 ～ 2 000 m 的山地密林中、山谷阴凉处或高山寒湿的林荫下。分布于湖北西部。湖北恩施、十堰、宜昌及神农架等山区有栽培。

| 采收加工 | **根茎：**黄连一般在移栽后第 5 ～ 6 年开始收获，宜在 10 ～ 11 月采挖。采收时，选晴天，挖起全株，抖去泥沙，剪下须根和叶片，即得鲜根茎。鲜根茎不用水洗，直接干燥，干燥方法多采用炕干、烘干，注意火力不能过大，要勤翻动，干到易折断时，趁热放到槽笼里撞去泥沙、须根及残余叶柄，即得干燥根茎。

| 功能主治 | 清热燥湿，泻火解毒。用于湿热痞满，呕吐吞酸，泻痢，黄疸，高热神昏，心火亢盛，心烦不寐，心悸不宁，血热吐衄，目赤，牙痛，消渴，痈肿疔疮；外用于湿疹，湿疮，耳道流脓。

短萼黄连

Coptis chinensis Franch. var. *brevisepala* W. T. Wang et Hsiao

| 药 材 名 | 黄连。

| 形态特征 | 本种与黄连的区别在于本种萼片较短，长约 6.5 mm，仅比花瓣长 1/5 ~ 1/3。

| 生境分布 | 生于海拔 1 000 ~ 2 000 m 的山地密林中或山谷阴凉处。湖北有分布。湖北西部有栽培。

| 资源情况 | 野生资源丰富。

| 采收加工 | 同"黄连"。

| 功能主治 | 同"黄连"。

毛茛科 Ranunculaceae 黄连属 Coptis

五裂黄连
Coptis quinquesecta W. T. Wang

| 药 材 名 | 黄连。

| 形态特征 | 多年生草本。根茎黄色，具多数须根。叶 5 ~ 6；叶片近革质，卵形，长 7 ~ 15.5 cm，宽 5.5 ~ 12 cm，5 全裂，中央全裂片菱状椭

圆形至菱状披针形，长 5.5 ～ 12 cm，宽 2.8 ～ 5 cm，先端渐尖至长渐尖，羽状浅裂或深裂，边缘具极尖的锐锯齿；侧全裂片形状似中央全裂片，但较小，长 4.5 ～ 10 cm；最外面的全裂片斜卵形至斜卵状椭圆形，长 2.8 ～ 7 cm，先端渐尖或急尖，不等的 2 中裂或 2 深裂；两面的叶脉隆起，除表面沿脉被短柔毛外，其余均无毛；叶柄长 13.5 ～ 25 cm，无毛。花葶在果期时较最长叶稍短，长 23 ～ 28 cm；多歧聚伞花序，具花约 6；下部苞片长圆形，中部 3 裂或几栉形，长约 1.4 cm，宽 3 ～ 5 mm，上部苞片披针状线形，具尖锯齿，长 6 ～ 7 mm，宽约 1.5 mm。聚合果稀疏；果柄长 2.3 ～ 7 cm，无毛；蓇葖果 3 ～ 6，长圆状卵形，长约 6 mm；心皮柄约与蓇葖果等长，被微柔毛。果期 5 月。

| **生境分布** | 生于海拔 1 700 ～ 2 500 m 的密林下阴处。湖北有分布。

| **资源情况** | 野生资源丰富。药材主要来源于野生。

| **功能主治** | 清热泻火，燥湿，解毒。用于吐衄，湿热胸痞，泄泻，痢疾，心烦失眠，胃热呕吐，消谷善饥，肝火上炎，目赤肿痛，热毒疮疡，疔毒走黄，牙龈肿痛，口舌生疮，聤耳，阴肿，痔血，湿疹，烫伤。

还亮草

Delphinium anthriscifolium Hance

| **药 材 名** | 还亮草。

| **形态特征** | 茎无毛或上部疏被反曲的短柔毛，等距地生叶，分枝。叶为二至三回羽状复叶，或为三出复叶，有较长柄或短柄；叶片菱状卵形或三角状卵形，羽片 2 ~ 4 对，对生，稀互生，下部羽片有细柄，狭卵形，长渐尖，通常分裂至近中脉，末回裂片狭卵形或披针形，表面疏被短柔毛，背面无毛或近无毛；叶柄无毛或近无毛。总状花序；基部苞片叶状，其他苞片小，披针形至披针状钻形；花长 1 ~ 1.8（~ 2.5）cm；萼片堇色或紫色，椭圆形至长圆形；花瓣紫色，无毛，上部变宽；退化雄蕊与萼片同色，无毛，瓣片斧形，2 深裂近基部。蓇葖果长 1.1 ~ 1.6 cm；种子扁球形，上部有螺旋状生长的横膜翅，

下部约有同心的横膜翅 5。花期 3 ～ 5 月。

| 生境分布 | 生于丘陵、低山草丛或溪边草地。湖北有分布。

| 采收加工 | **全草**：夏、秋季采收，洗净，切段，鲜用或晒干。

| 功能主治 | 祛风除湿，止痛活络。用于风湿痹痛，半身不遂，食积胀满，咳嗽；外用于痈疮癣疥。

420381150330386LY	采 集 人：	李元平、胡天云
2015年03月30日	海 拔(m)：	388.7
湖北省丹江口市丹赵路羊山村羊山刀背山		
111°32'56.7"	纬 度：	32°35'57.7"
草丛	生 活 型：	一年生草本植物
中生植物	光生态类型：	阳性植物
沙土植物	温度生态类型：	中温植物
野生植物	出现多度：	一般
30	直径(cm)：	
须根系	茎 (树 皮)：	茎高（12-）30-78厘米，无毛或上部疏被反曲的短柔毛，等距地生叶，分枝
叶为二至三回近羽状复叶，间或为三出复叶，有长柄或短柄，近基部叶开花时常枯萎；叶片菱状卵形或三角状卵形	芽：	
状花序有（1-）2-15，轴和花梗被反曲的短毛；基部苞片状，其苞片小，披针形至披针状钻形	果实和种子：	蓇葖长1.1-1.6厘米；	种子扁球形，直径2-2.5毫米，上部有螺旋状生长的横膜翅，下部约有5条同心的横膜翅。3
还亮草	科 名：	毛茛科
Delphinium anthriscifolium Hance		
还亮草	药材别名：	还魂草、莫芹菜
全草类	标本类型：	腊叶标本
祛风除湿，解毒		

420381LY0383

第四次全国中药资源普查
采集号：
采集日期： 年 月 日

采集号：420381150330386LY 科名：毛茛科
学 名：Delphinium anthriscifolium Hance
种中文名：还亮草
鉴定人：李元平、胡天云、刘晖
鉴定日期：2015 年 4 月 1 日

全国中药资源普查

毛茛科 Ranunculaceae 翠雀属 Delphinium

卵瓣还亮草

Delphinium anthriscifolium Hance var. *calleryi* (Franch.) Finet et Gagnep.

| 药 材 名 |

还魂草。

| 形态特征 |

茎无毛或上部疏被反曲的短柔毛，等距地生叶，分枝。叶为二至三回近羽状复叶，或为三出复叶，有较长柄或短柄；叶片菱状卵形或三角状卵形，羽片 2 ~ 4 对，对生，稀互生，下部羽片有细柄，狭卵形，长渐尖，通常分裂至近中脉，末回裂片狭卵形或披针形，表面疏被短柔毛，背面无毛或近无毛；叶柄无毛或近无毛。总状花序；基部苞片叶状，其他苞片小，披针形至披针状钻形；花长 1 ~ 1.8（~ 2.5）cm；萼片堇色或紫色，椭圆形至长圆形；花瓣紫色，无毛，上部变宽；退化雄蕊的瓣片卵形，先端微凹或2浅裂，稀不分裂或分裂达中部。蓇葖果长 1.1 ~ 1.6 cm；种子扁球形，上部有螺旋状生长的横膜翅，下部有同心的横膜翅 5。花期 3 ~ 5 月。

| 生境分布 |

生于丘陵、低山林边、灌丛或草坡较阴湿处。湖北有分布。

| **采收加工** | 全草：夏、秋季采收，洗净，切段，鲜用或晒干。 |

| **功能主治** | 清热解毒，止痛活络。用于便秘，痈疮肿毒，跌打损伤。 |

| 毛茛科 | Ranunculaceae | 翠雀属 | Delphinium

大花还亮草

Delphinium anthriscifolium Hance var. *majus* Pamp.

| 药 材 名 | 土黄连。

| 形态特征 | 茎无毛或上部疏被反曲的短柔毛，等距地生叶，分枝。叶为二至三回近羽状复叶，或为三出复叶，有较长柄或短柄；叶片菱状卵形或三角状卵形，羽片 2 ~ 4 对，对生，稀互生，下部羽片有细柄，狭卵形，长渐尖，通常分裂至近中脉，末回裂片狭卵形或披针形，表面疏被短柔毛，背面无毛或近无毛；叶柄无毛或近无毛。总状花序；基部苞片叶状，其他苞片小，披针形至披针状钻形；花较大，长 2.3 ~ 3.4 cm，萼距长 1.7 ~ 2.4 cm；花瓣紫色，无毛，上部变宽；退化雄蕊的瓣片卵形，2 裂至本身长度的 1/4 ~ 1/3 处，偶尔达中部。蓇葖果长 1.1 ~ 1.6 cm；种子扁球形，上部有螺旋状生长的横膜翅，

下部有同心的横膜翅 5。3 ～ 5 月开花。

| **生境分布** | 生于海拔 80 ～ 1 740 m 的山地。湖北有分布。

| **采收加工** | 夏、秋季采收，洗净，切段，鲜用或晒干。

| **功能主治** | 清热解毒，祛痰止咳。用于痈疮肿毒，痰多咳喘。

秦岭翠雀花
Delphinium giraldii Diels

| 药 材 名 | 云雾七。

| 形态特征 | 茎直立，高 55 ～ 110（～ 150）cm，与叶柄、花序轴和花梗均无毛，等距地生叶，上部分枝；下部茎生叶有稍长柄。叶片五角形，

长 6.5 ~ 10 cm，宽 12 ~ 20 cm，3 全裂，中央全裂片菱形或菱状倒卵形，渐尖，在中部 3 裂，2 回裂片有少数小裂片和卵形粗齿，侧全裂片宽为中央全裂片的 2 倍，不等 2 深裂近基部，两面均有短柔毛；叶柄长约为叶片的 1.5 倍，基部近无鞘；上部茎生叶渐变小。总状花序数个组成圆锥花序；花梗斜上展，长 1.5 ~ 3 cm；小苞片生于花梗中部，钻形，长 2.5 ~ 3.5 mm，疏被短毛或近无毛；萼片蓝紫色，卵形或椭圆形，长 1 ~ 1.3 cm，外面有短柔毛，距钻形，长 1.6 ~ 2 cm，直或呈镰状向下弯曲；花瓣蓝色，无毛或有疏缘毛，先端 2 浅裂；退化雄蕊蓝色，瓣片 2 裂稍超过中部，腹面有黄色髯毛，爪与瓣片近等长，基部有钩状附属物；雄蕊无毛；心皮 3，无毛。蓇葖果长约 1.4 cm；种子倒卵球形，长 2.5 ~ 3 mm，密生波状横翅。花期 7 ~ 8 月。

| 生境分布 | 生于海拔 960 ~ 2 000 m 的山地草坡或林中。湖北有分布。

| 功能主治 | 活血止痛。用于头痛，腰背痛，腹痛，劳伤。

毛茛科 Ranunculaceae 翠雀属 Delphinium

翠雀 *Delphinium grandiflorum* L.

| 药 材 名 | 翠雀。

| 形 态 特 征 | 茎高 35 ~ 65 cm，与叶柄均被反曲而贴伏的短柔毛，上部有时变无毛，等距生叶，分枝。基生叶、茎下部叶有长柄；叶片圆五角形，长 2.2 ~ 6 cm，宽 4 ~ 8.5 cm，3 全裂，中央全裂片近菱形，1 ~ 2 回 3 裂至近中脉，小裂片线状披针形至线形，宽 0.6 ~ 2.5（~ 3.5）mm，边缘干时稍反卷，侧全裂片扇形，不等 2 深裂至近基部，两面疏被短柔毛或近无毛；叶柄长为叶片的 3 ~ 4 倍，基部具短鞘。总状花序有 3 ~ 15 花；下部苞片叶状，其他苞片线形；花梗长 1.5 ~ 3.8 cm，与轴密被贴伏的白色短柔毛；小苞片生于花梗中部或上部，线形或丝形，长 3.5 ~ 7 mm；萼片紫蓝色，椭圆形或宽椭圆形，长 1.2 ~ 1.8 cm，外面有短柔毛，距钻形，长 1.7 ~ 2

（～ 2.3）cm，直或末端稍向下弯曲；花瓣蓝色，无毛，先端圆形；退化雄蕊蓝色，瓣片近圆形或宽倒卵形，先端全缘或微凹，腹面中央有黄色髯毛；雄蕊无毛；心皮 3，子房密被贴伏的短柔毛。蓇葖果直，长 1.4 ～ 1.9 cm；种子倒卵状四面体形，长约 2 mm，沿棱有翅。花期 5 ～ 10 月。

| 生境分布 | 生于山地草坡。湖北有分布。

| 资源情况 | 药材主要来源于野生。

| 功能主治 | 根：用于牙痛。

茎叶：浸汁可用于杀虫。

| 附　　注 | 本种的变种腺毛翠雀 *Delphinium grandiflorum* L. var. *glandulosum* W. T. Wang 的花序被伸展的黄色腺毛。

毛茛科 Ranunculaceae 翠雀属 Delphinium

毛茎翠雀花 *Delphinium hirticaule* Franch.

| 药 材 名 | 翠雀花。

| 形态特征 | 茎高约 70 cm，下部疏被开展的白色长糙毛，上部无毛，在花序之下有 1 分枝。基生叶在开花时枯萎，茎生叶约 5，下部的有长柄；叶片五角形，长 4.8 ~ 5.6 cm，宽 8.5 ~ 9.5 cm，3 深裂至距基部 7 ~ 9 mm 处，中深裂片菱状倒卵形，下部全缘，在中部 3 裂，二回裂片又稍细裂，小裂片线状披针形或狭卵形，宽 2 ~ 3 mm，侧深裂片斜扇形，不等 2 深裂，表面被短糙毛，背面疏被较长的糙毛；叶柄长达 15 cm，疏被长糙毛，基部有短鞘。总状花序狭长，有 5 ~ 10 花；苞片线形，长 2.5 ~ 5 mm；花梗长 1.5 ~ 3 cm，无毛；小苞片生于花梗下部，钻状线形，长 2.5 ~ 4 mm；萼片蓝紫色，椭圆形，长 1.2 ~ 2 cm，外面疏被短柔毛，距钻形，长 1.7 ~ 2 cm，下部稍

向下弯曲；花瓣蓝色，无毛，先端圆形；退化雄蕊蓝色，瓣片倒卵形，微凹或 2 深裂，腹面有黄色髯毛；雄蕊无毛；心皮 3，无毛或近无毛。蓇葖果长 1 ～ 1.3 cm；种子倒卵球形，长 1.2 ～ 1.4 mm，密生鳞状横翅。花期 8 月。

| 生境分布 | 生于海拔 1 400 ～ 2 900 m 的山地草坡。分布于湖北西北部。

| 功能主治 | **根：**用于全身风湿麻木。

毛茛科 Ranunculaceae 人字果属 Dichocarpum

纵肋人字果

Dichocarpum fargesii (Franch.) W. T. Wang et Hsiao

| 药 材 名 | 野黄瓜。

| 形态特征 | 植物全体无毛。茎中部以上分枝。根茎粗而不明显，生多数须根。叶基生及茎生；基生叶少数，具长柄，为一回三出复叶，叶片草质，卵圆形，中央小叶肾形或扇形，先端具 5 浅牙齿，牙齿先端微凹，叶脉明显，侧生小叶斜卵形，具 2 不等大的小叶，上面小叶斜倒卵形，下面小叶卵圆形，叶柄长 3 ~ 8 cm，基部具鞘；茎生叶似基生叶，渐变小，对生，最下面 1 对的叶柄长 2 cm。花小，直径 6 ~ 7.5 mm；苞片无柄，3 全裂；花梗纤细，长 1 ~ 3.5 cm；萼片白色，倒卵状椭圆形，长 4 ~ 5 mm，先端钝；花瓣金黄色，长约为萼片的 1/2，瓣片近圆形，中部合生成漏斗状，先端近截形或近圆形，下面有细

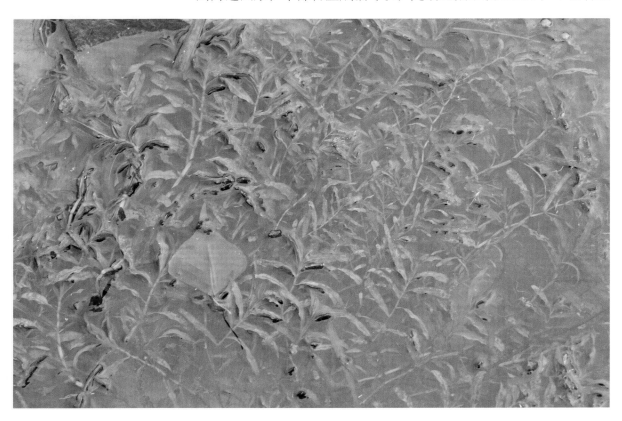

长的爪；雄蕊 10，花药宽椭圆形，黄白色，长约 0.3 mm，花丝长 3 ~ 4 mm，中部微变宽。蓇葖果线形，长 1.2 ~ 1.5 cm，先端急尖，喙极短而不明显；种子约 9，椭圆球形，长 1.5 ~ 1.8 mm，具纵肋。5 ~ 6 月开花，7 月结果。

| 生境分布 | 生于海拔 1 300 ~ 1 600 m 的山谷阴湿处。湖北有分布。

| 采收加工 | **全草：** 夏、秋季采集，洗净，晒干。

| 功能主治 | 健脾化湿，清热明目。用于消化不良，风火赤眼，无名肿毒。

毛茛科 Ranunculaceae 人字果属 *Dichocarpum*

人字果

Dichocarpum sutchuenense (Franch.) W. T. Wang et Hsiao

| 药 材 名 | 人字果。

| 形态特征 | 草本，无毛。根茎横走。茎单一。基生叶少数，为鸟趾状复叶，草质，长 1.5 ～ 4 cm，宽 1.9 ～ 4.5 cm；茎生叶 1 或无，宽 3 ～ 6（～ 9）cm，叶柄长达 5 cm。复单歧聚伞花序长达 10 cm，有（1 ～）3 ～ 8 花；下部和中部苞片似茎生叶，最上部苞片 3 全裂，无柄；花梗长达 7 cm；萼片白色，倒卵状椭圆形，长 6 ～ 11 mm，宽 3 ～ 6 mm，先端钝；花瓣金黄色，长 3 mm，瓣片近圆形，长约 0.7 mm，先端通常微凹，有时全缘；雄蕊 20 ～ 45，长约 7 mm，花药宽椭圆形，长约 0.8 mm；心皮与雄蕊约等长，子房倒披针形，花柱长约 2 mm。蓇葖果狭倒卵状披针形，连同 2 mm 长的细喙共长 1.2 ～ 1.5 cm；种

子 8 ~ 10，圆球形，黄褐色，直径约 1 mm，光滑。花期 4 ~ 5 月，果期 5 ~ 6 月。

| **生境分布** | 生于海拔 1 450 ~ 2 100 m 的山地林下湿润处或溪边岩石旁。湖北有分布。

| **采收加工** | **根茎：**冬季采收，除去地上部分，洗净，晒干或烘干。

| **功能主治** | 清热解毒，消肿。用于劳伤腰痛，痈肿疮毒。

川鄂獐耳细辛 *Hepatica henryi* (Oliv.) Steward

| 药 材 名 | 三角海棠、水黄连。

| 形态特征 | 植株在开花时高 4 ~ 6 cm，以后高达 12 cm。根茎长约 2.5 cm，直径约 3 mm，密生须根。基生叶约 6，有长柄；叶片宽卵形或圆肾形，长 1.5 ~ 5.5 cm，宽 2 ~ 8.5 cm，基部心形，不明显 3 浅裂或 3 裂近中部，裂片先端急尖，边缘有 1 ~ 2 牙齿，两面初有长柔毛，后无毛；叶柄长 4 ~ 12 cm，稍密被柔毛。花葶 1 ~ 2，近直立，有柔毛；苞片 3，卵形，长 5 ~ 11 mm，宽 3 ~ 6 mm，先端急尖，全缘或有 3 小齿，有疏柔毛；萼片 6，倒卵状长圆形或狭椭圆形，长 8 ~ 12 mm，宽 3 ~ 5.5 mm，外面有疏柔毛；雄蕊长 2 ~ 3.5 mm，花药椭圆形，长约 0.5 mm，花丝近丝形；心皮约 10，子房有长柔毛，花柱短，稍

向外弯。4 ~ 5 月开花。

| **生境分布** | 生于海拔约 1 500 m 的山地杂木林内或草坡石下阴处。湖北有分布。

| **功能主治** | **三角海棠：**清热，止血。用于外伤出血，劳伤，筋骨酸痛。
　　　　　　　水黄连：清热，解毒，泻火。用于目赤肿痛。

毛茛科 Ranunculaceae 獐耳细辛属 Hepatica

獐耳细辛
Hepatica nobilis Schreb. var. *asiatica* (Nakai) Hara

| 药 材 名 | 獐耳细辛。

| 形态特征 | 多年生草本。根茎短，密生须根。基生叶 3 ~ 6，有长柄；叶片正三角状宽卵形，基部深心形，3 裂至中部，裂片宽卵形，全缘，先 端微钝或钝，有时有短尖头，有稀疏的柔毛；叶柄无毛。花葶有长柔毛；苞片 3，卵形或椭圆状卵形，先端急尖或微，全缘，背面稍密被长柔毛；萼片粉红色或堇色，狭长圆形，先端钝；雄蕊长 2 ~ 6 mm，花药椭圆形；子房密被长柔毛。瘦果卵球形，有长柔毛和短宿存花柱。4 ~ 5 月开花。

| 生境分布 | 生于海拔 600 ~ 1 200 m 的山沟林下阴湿处。湖北有分布。

| 采收加工 | 根茎：春、秋季采挖，洗净，切碎，晒干。

| 功能主治 | 活血祛风，杀虫止痒。用于筋骨酸痛，癣疮。

毛茛科 Ranunculaceae 芍药属 Paeonia

芍药

Paeonia lactiflora Pall.

| **药 材 名** | 白芍。

| **形态特征** | 多年生草本。根粗壮，分枝黑褐色。茎高 40 ~ 70 cm，无毛。下部茎生叶为二回三出复叶，上部茎生叶为三出复叶；小叶狭卵形、椭圆形或披针形，先端渐尖，基部楔形或偏斜，边缘具呈白色的骨质细齿，两面无毛，背面沿叶脉疏生短柔毛。花数朵，生于茎顶和叶腋，直径 8 ~ 11.5 cm，有时仅先端 1 花开放，而近先端叶腋处有发育不好的花芽；苞片 4 ~ 5，披针形，大小不等；萼片 4，宽卵形或近圆形，长 1 ~ 1.5 cm，宽 1 ~ 1.7 cm；花瓣 9 ~ 13，倒卵形，长 3.5 ~ 6 cm，宽 1.5 ~ 4.5 cm，白色，有时基部具深紫色斑块；花丝长 0.7 ~ 1.2 cm，黄色；花盘浅杯状，包裹心皮基部，先端裂片钝圆；心皮

（2 ～）4 ～ 5，无毛。蓇葖果长 2.5 ～ 3 cm，直径 1.2 ～ 1.5 cm，先端具喙。花期 5 ～ 6 月，果期 8 月。

| **生境分布** | 栽培于海拔 1 800 m 以下的山坡、公园、庭院。湖北有栽培。

| **采收加工** | **根**：夏、秋季采挖，洗净，除去头尾和细根，置沸水中煮，除去外皮后再煮，晒干。

| **功能主治** | 养血调经，敛阴止汗，柔肝止痛，平抑肝阳。用于血虚面色萎黄，月经不调，自汗，盗汗，胁痛，腹痛，四肢挛痛，头痛眩晕。

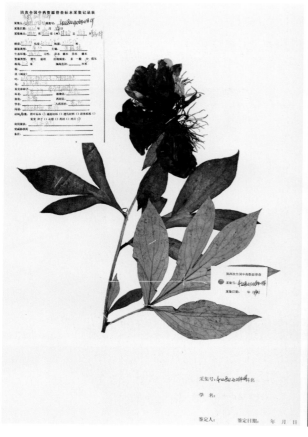

毛茛科 Ranunculaceae　芍药属 Paeonia

草芍药 *Paeonia obovata* Maxim.

| 药 材 名 | 赤芍。

| 形态特征 | 多年生草本。根粗壮。茎无毛，基部生数枚鞘状鳞片。茎下部叶为
二回三出复叶，叶片长 14 ~ 28 cm，顶生小叶倒卵形或宽椭圆形，
长 9.5 ~ 14 cm，宽 4 ~ 10 cm，先端短尖，基部楔形，全缘，表面
深绿色，背面淡绿色，无毛或沿叶脉疏生柔毛，小叶柄长 1 ~ 2 cm，
侧生小叶比顶生小叶小，与顶生小叶同形，具短柄或近无柄；茎
上部叶为三出复叶或单叶，叶柄长 5 ~ 12 cm。单花顶生，直径
7 ~ 10 cm；萼片 3 ~ 5，宽卵形，长 1.2 ~ 1.5 cm，淡绿色，花瓣

6，白色、红色或紫红色，倒卵形，长 3 ~ 5.5 cm，宽 1.8 ~ 2.8 cm；雄蕊长 1 ~ 1.2 cm，花丝淡红色，花药长圆形；花盘浅杯状，包住心皮基部；心皮 2 ~ 3，无毛。蓇葖果卵圆形，长 2 ~ 3 cm，成熟时果皮反卷，呈红色。花期 5 月至 6 月中旬，果期 9 月。

| 生境分布 | 生于海拔 800 ~ 2 100 m 的山坡草地及林缘。湖北有分布。

| 采收加工 | **根：**秋季采挖，除去根茎、须根及泥沙，晒干。

| 功能主治 | 清热凉血，活血祛瘀。用于温毒发斑，吐血，衄血，肠风下血，目赤肿痛，痈肿疮疡，闭经，痛经，带下，淋浊，瘀滞胁痛，癥瘕积聚，跌扑损伤。

毛茛科 Ranunculaceae 芍药属 Paeonia

牡丹

Paeonia suffruticosa Andr.

| 药 材 名 | 牡丹皮。

| 形态特征 | 落叶灌木。茎高达 2 m。叶通常为二回三出复叶，偶尔近枝顶的叶为 3 小叶，顶生小叶宽卵形，3 裂至中部，裂片不裂或 2 ~ 3 浅裂，侧生小叶狭卵形或长圆状卵形；叶柄长 5 ~ 11 cm。花单生于枝顶，直径 10 ~ 17 cm；花梗长 4 ~ 6 cm；苞片 5，长椭圆形，大小不等；萼片 5，绿色，宽卵形，大小不等；花瓣 5，或为重瓣，玫瑰色、红紫色、粉红色至白色，通常花瓣数量和颜色变异很大，倒卵形，长 5 ~ 8 cm，宽 4.2 ~ 6 cm，先端呈不规则波状；雄蕊长 1 ~ 1.7 cm，花丝紫红色、粉红色，上部白色，长约 1.3 cm，花药长圆形，长 4 mm；花盘革质，杯状，紫红色，先端有数个锐齿或裂片，花盘完

全包住心皮，在心皮成熟时开裂；心皮 5，密生柔毛。蓇葖果长圆形，密生黄褐色硬毛。花期 5 月，果期 6 月。

| **生境分布** | 栽培于岗地、丘陵、公园、屋旁。湖北有栽培。

| **采收加工** | **根皮：** 秋季采挖根，除去细根和泥沙，剥取根皮，晒干；或刮去粗皮，除去木心，晒干。前者习称"连丹皮"，后者习称"刮丹皮"。

| **功能主治** | 清热凉血，活血化瘀。用于热入营血，温毒发斑，吐血，衄血，夜热早凉，无汗骨蒸，经闭，痛经，跌扑伤痛，痈肿疮毒。

毛茛科 Ranunculaceae 白头翁属 Pulsatilla

白头翁 *Pulsatilla chinensis* (Bunge) Regel

| 药 材 名 | 白头翁。

| 形态特征 | 多年生草本。基生叶 4 ~ 5，有长柄；叶片宽卵形，3 全裂，中全裂片有柄或近无柄，中深裂片楔状倒卵形，侧深裂片不等 2 浅裂，侧全裂片无柄或近无柄，不等 3 深裂，表面变无毛，背面有长柔毛；叶柄有密长柔毛。花葶有柔毛；苞片 3，基部合生成筒，3 深裂，深裂片线形，背面密被长柔毛；花直立；萼片蓝紫色，背面有密柔毛；雄蕊长约为萼片之半。聚合果直径 9 ~ 12 cm，瘦果纺锤形，扁，有长柔毛，宿存花柱有向上斜展的长柔毛。4 ~ 5 月开花。

| **生境分布** | 生于平原、低山山坡草地、林缘或干旱多石的坡地。湖北有分布。

| **采收加工** | **根：**种植第 3 ~ 4 年的 3 ~ 4 月或 9 ~ 10 月采挖，剪去地上部分，保留根头部白色茸毛，洗去泥土，晒干。

| **功能主治** | 清热解毒，凉血止痢，燥湿杀虫。用于赤白痢，鼻衄，崩漏，血痔，寒热温疟，带下，阴痒，湿疹，瘰疬，痈疮，眼目赤痛。

毛茛科 Ranunculaceae 毛茛属 Ranunculus

禺毛茛 *Ranunculus cantoniensis* DC.

| 药 材 名 |

禺毛茛。

| 形态特征 |

多年生草本。茎直立，密生开展的黄白色糙毛。三出复叶；基生叶和下部叶有长达15 cm 的叶柄，叶片宽卵形至肾圆形，长3 ~ 6 cm，宽 3 ~ 9 cm，小叶卵形至宽卵形，2 ~ 3 中裂，两面贴生糙毛，侧生小叶柄具开展糙毛，基部有膜质耳状宽鞘；上部叶渐小，3 全裂。花序有较多花，疏生；花梗长 2 ~ 5 cm，与萼片均生糙毛；花生于茎顶和分枝先端，直径 1 ~ 1.2 cm；萼片卵形，长 3 mm，开展；花瓣 5，椭圆形，长 5 ~ 6 mm，长约为宽的 2 倍，基部狭窄成爪，蜜槽上有倒卵形小鳞片；花托长圆形，生白色短毛。聚合果近球形，直径约 1 cm；瘦果扁平，长约 3 mm，宽约 2 mm，宽为厚的 5 倍以上，无毛，边缘有宽约 0.3 mm 的棱翼，喙基部宽扁，先端弯钩状，长约 1 mm。花果期 4 ~ 7 月。

| 生境分布 |

生于海拔 500 ~ 2 100 m 的田边、沟旁湿地。湖北有分布。

| 采收加工 | **全草：** 春末夏初采收，洗净，晒干。

| 功能主治 | 清肝明目，除湿解毒，截疟。用于眼翳，目赤，黄疸，痈肿，风湿性关节炎，疟疾。

毛茛科 Ranunculaceae 毛茛属 Ranunculus

茴茴蒜 *Ranunculus chinensis* Bunge

| **药材名** | 回回蒜。

| **形态特征** | 一年生草本。茎直立，粗壮，中空，有纵条纹，密生开展的淡黄色糙毛。基生叶与下部叶有长达 12 cm 的叶柄，为三出复叶，叶片宽卵形至三角形，长 3 ~ 8（~ 12）cm，小叶 2 ~ 3 深裂，裂片倒披针状楔形，两面伏生糙毛；上部叶较小，3 全裂。花序有较多疏生的花；花梗贴生糙毛；花直径 6 ~ 12 mm；萼片狭卵形，长 3 ~ 5 mm，外面生柔毛；花瓣 5，宽卵圆形，与萼片近等长或较萼片稍长，黄色或上面白色，基部有短爪，蜜槽有卵形小鳞片；花药长约 1 mm；花托在果期显著伸长，圆柱形，长达 1 cm，密生白短毛。聚合果长圆形，直径 6 ~ 10 mm；瘦果扁平，长 3 ~ 3.5 mm，宽约

2 mm，宽为厚的 5 倍以上，无毛，边缘有宽约 0.2 mm 的棱，喙极短，呈点状，长 0.1 ~ 0.2 mm。花果期 5 ~ 9 月。

| 生境分布 | 生于海拔 700 ~ 2 000 m 的溪边、田旁湿草地。湖北有分布。

| 采收加工 | **全草：**夏季采收，鲜用或晒干。

| 功能主治 | 解毒，退黄，截疟，定喘，镇痛。用于肝炎，黄疸，肝硬化腹水，疮癞，牛皮癣，疟疾，哮喘，牙痛，胃痛，风湿关节痛。

毛茛科 Ranunculaceae 毛茛属 Ranunculus

西南毛茛
Ranunculus ficariifolius Levl. et Vaniot

| 药 材 名 | 卵叶毛茛。

| 形态特征 | 一年生草本。茎倾斜上升，贴生柔毛或无毛。基生叶与茎生叶相似，不分裂，宽卵形或近菱形，长 0.5 ~ 2（~ 3）cm，宽 5 ~ 15（~ 25）mm，边缘有 3 ~ 9 浅齿或近全缘，无毛或贴生柔毛，叶柄长 1 ~ 4 cm，基部鞘状；茎生叶多数，最上部叶较小，披针形，叶柄短或无。花直径 8 ~ 10 mm；花梗与叶对生，长 2 ~ 5 cm，细而下弯，贴生柔毛；萼片卵圆形，长 2 ~ 3 mm，常无毛，开展；花瓣 5，长圆形，长 4 ~ 5 mm，长为宽的 2 倍，有 5 ~ 7 脉，先端圆或微凹，基部有长 0.5 ~ 0.8 mm 的窄爪，蜜槽点状，位于爪上端；花药长约 0.6 mm；花托生细柔毛。聚合果近球形，直径 3 ~ 4 mm；

瘦果卵球形，长约 1.5 mm，宽 1.2 mm，两面较扁，有疣状小突起，喙短直或弯，长约 0.5 mm。花果期 4 ～ 7 月。

| 生境分布 | 生于海拔 1 000 ～ 2 100 m 的林缘湿地和水沟旁。湖北有分布。

| 采收加工 | **茎叶：** 夏、秋季采集，切段，鲜用或晒干。

| 功能主治 | 利湿消肿，止痛杀虫，截疟。用于疟疾。

毛茛科 Ranunculaceae 毛茛属 Ranunculus

毛茛
Ranunculus japonicus Thunb.

| 药 材 名 | 毛茛。

| 形态特征 | 多年生草本。茎直立，中空，有槽，生柔毛。基生叶多数，叶片圆心形或五角形，长、宽均为 3 ~ 10 cm，3 深裂不达基部，中裂片倒卵状楔形、宽卵圆形或菱形，3 浅裂，侧裂片不等 2 裂，叶柄长 15 cm，生柔毛；下部叶似基生叶，渐向上叶柄变短，叶片较小，最上部叶线形。聚伞花序有多数花，疏散；花直径 1.5 ~ 2.2 cm；花梗长达 8 cm，贴生柔毛；萼片椭圆形，长 4 ~ 6 mm，生白柔毛；花瓣 5，倒卵状圆形，长 6 ~ 11 mm，宽 4 ~ 8 mm，基部有长约 0.5 mm 的爪，蜜槽鳞片长 1 ~ 2 mm；花药长约 1.5 mm；花托短小，无毛。聚合果近球形，直径 6 ~ 8 mm；瘦果扁平，长 2 ~ 2.5 mm，上部

最宽处宽与长近相等，宽约为厚的 5 倍以上，边缘有棱，无毛，喙短直或外弯。
花果期 4 ~ 9 月。

| 生境分布 | 生于海拔 1 300 m 以下的田沟旁和林缘、路边湿草地。湖北有分布。

| 采收加工 | **带根全草**：夏、秋季采集，切段，鲜用或晒干。

| 功能主治 | 退黄，定喘，截疟，镇痛，消翳。用于黄疸，哮喘，疟疾，偏头痛，牙痛，鹤膝风，
风湿关节痛，目生翳膜，瘰疬，痈疮肿毒。

刺果毛茛
Ranunculus muricatus L.

| 药 材 名 |

刺果毛茛。

| 形态特征 |

一年生草本。须根扭转，伸长。茎高 10 ~ 30 cm，自基部多分枝，倾斜上升，近无毛。基生叶、茎生叶均有长柄；叶片近圆形，3 中裂至 3 深裂，裂片宽卵状楔形，常无毛；叶柄基部有膜质宽鞘，上部叶叶柄较短。花多，直径 1 ~ 2 cm；花梗与叶对生，散生柔毛；萼片长椭圆形，长 5 ~ 6 mm，膜质，有时被柔毛；花瓣 5，狭倒卵形，长 5 ~ 10 mm，先端圆，基部狭窄成爪，蜜槽上有小鳞片；花药长圆形，长约 2 mm；花托疏生柔毛。聚合果球形，直径达 1.5 cm；瘦果扁平，椭圆形，长约 5 mm，宽约 3 mm，宽为厚的 5 倍以上，周围有宽约 0.4 mm 的棱翼，两面各生 10 余刺，刺直伸或钩曲，有疣基，喙基部宽厚，先端稍弯，长达 2 mm。花果期 4 ~ 6 月。

| 生境分布 |

生于道旁、田野杂草丛中。湖北有分布。

| 采收加工 | 全草：春、夏季采集，洗净，鲜用或晒干。

| 功能主治 | 用于疮疖，堕胎。

毛茛科 Ranunculaceae 毛茛属 Ranunculus

石龙芮 *Ranunculus sceleratus* L.

| 药 材 名 | 石龙芮。

| 形态特征 | 一年生草本。须根簇生。茎直立，高 10 ～ 50 cm。基生叶多数，叶片肾状圆形，长 1 ～ 4 cm，宽 1.5 ～ 5 cm，3 深裂不达基部，无毛，叶柄长 3 ～ 15 cm，近无毛；茎生叶多数，下部叶似基生叶，上部叶 3 全裂，基部扩大成膜质宽鞘，抱茎。聚伞花序有多数花；花小，直径 4 ～ 8 mm；花梗长 1 ～ 2 cm，无毛；萼片椭圆形，长 2 ～ 3.5 mm，外面有短柔毛；花瓣 5，倒卵形，与花萼等长或稍长于花萼，基部有短爪，蜜槽为棱状袋穴；雄蕊 10 多枚，花药卵形，长约 0.2 mm；花托在果期伸长、增大，呈圆柱形，长 3 ～ 10 mm，直径 1 ～ 3 mm，具短柔毛。聚合果长圆形，长 8 ～ 12 mm；瘦果近百枚，紧密排列，

倒卵球形，稍扁，长 1 ~ 1.2 mm，无毛，喙短至近无。花果期 5 ~ 8 月。

| **生境分布** | 生于低海拔的河沟边及湿地。湖北有分布。

| **采收加工** | **全草：** 开花末期采收，洗净，鲜用或阴干。

| **功能主治** | 清热解毒，消肿散结，止痛，截疟。用于痈疖肿毒，毒蛇咬伤，痰核瘰疬，风湿关节痛，牙痛，疟疾。

毛茛科 Ranunculaceae 毛茛属 Ranunculus

扬子毛茛
Ranunculus sieboldii Miq.

| 药 材 名 | 毛茛。

| 形态特征 | 多年生草本。须根伸长，簇生。茎铺散，斜升，高 20 ~ 50 cm，密生柔毛。基生叶似茎生叶，三出复叶，叶片圆肾形至宽卵形，长 2 ~ 5 cm，宽 3 ~ 6 cm，叶柄长 2 ~ 5 cm，密生开展的柔毛，基部扩大成褐色、膜质的宽鞘，抱茎；上部叶较小。花与叶对生，直径 1.2 ~ 1.8 cm；花梗密生柔毛；萼片狭卵形，长 4 ~ 6 mm，长为宽的 2 倍，外面生柔毛，花期向下反折，迟落；花瓣 5，黄色，或上面呈白色，狭倒卵形至椭圆形，长 6 ~ 10 mm，宽 3 ~ 5 mm，有深色脉纹 5 ~ 9，下部渐窄成长爪，蜜槽小鳞片位于爪的基部；雄蕊 20 余，花药长约 2 mm；花托短粗，密生白柔毛。聚合果圆球形，

直径约 1 cm；瘦果扁平，长 3 ~ 4（~ 5）mm，宽 3 ~ 3.5 mm，宽为厚的 5 倍以上，无毛。花果期 5 ~ 10 月。

| 生境分布 | 生于海拔 300 ~ 2 100 m 的山坡林边及湿地。湖北有分布。

| 采收加工 | **全草：**春、夏季采集，洗净，鲜用或晒干。

| 功能主治 | 除痰截疟，解毒消肿。用于疟疾，瘿肿，毒疮，跌打损伤。

猫爪草 *Ranunculus ternatus* Thunb.

| 药 材 名 | 猫爪草。

| 形态特征 | 一年生草本。簇生多数肉质小块根，块根形似猫爪，直径 3 ~ 5 mm。茎铺散，高 5 ~ 20 cm，多分枝，较柔软，大多无毛。基生叶有长

柄，叶片形状多变，单叶或三出复叶，宽卵形至圆肾形，长 5 ~ 40 mm，宽 4 ~ 25 mm，小叶 3 浅裂至 3 深裂或多次细裂，末回裂片倒卵形至线形，无毛，叶柄长 6 ~ 10 cm；茎生叶无柄，叶片较小，全裂或细裂。花单生于茎顶或分枝先端，直径 1 ~ 1.5 cm；萼片 5 ~ 7，长 3 ~ 4 mm，外面疏生柔毛；花瓣 5 ~ 7 或更多，初呈黄色，后变为白色，倒卵形，长 6 ~ 8 mm，基部有长约 0.8 mm 的爪，蜜槽棱形；花药长约 1 mm；花托无毛。聚合果近球形，直径约 6 mm；瘦果卵球形，长约 1.5 mm，无毛，边缘有纵肋，喙细短，长约 0.5 mm。花期 3 月，果期 4 ~ 7 月。

| **生境分布** | 生于低海拔的湿草地或田边荒地。湖北有分布。

| **采收加工** | **块根：**春季采挖，除去须根和泥沙，晒干。

| **功能主治** | 化痰散结，解毒消肿。用于瘰疬痰核，疔疮肿毒，蛇虫咬伤。

毛莨科 Ranunculaceae　天葵属 Semiaquilegia

天葵

Semiaquilegia adoxoides (DC.) Makino

| 药 材 名 | 天葵子。

| 形态特征 | 草本。茎 1 ~ 5，被稀疏的白色柔毛。基生叶多数，为掌状三出复叶，叶片卵圆形至肾形，长 1.2 ~ 3 cm，小叶扇状菱形或倒卵状菱形，3 深裂，无毛，叶柄基部扩大，呈鞘状；茎生叶似基生叶，较小。花小，直径 4 ~ 6 mm；苞片小，倒披针形至倒卵圆形；花梗纤细，长 1 ~ 2.5 cm，被伸展的白色短柔毛；萼片白色，常带淡紫色，狭椭圆形，长 4 ~ 6 mm，宽 1.2 ~ 2.5 mm，先端急尖；花瓣匙形，长 2.5 ~ 3.5 mm，先端近截形，基部凸起，呈囊状；雄花中退化雄蕊约 2，线状披针形，膜质，与花丝近等长；心皮无毛。蓇葖果卵状长椭圆形，长 6 ~ 7 mm，宽约 2 mm，表面具凸起的横向脉纹；种

子卵状椭圆形，褐色至黑褐色，长约 1 mm，表面有许多小瘤状突起。花期 3 ~ 4 月，果期 4 ~ 5 月。

| 生境分布 | 生于海拔 800 m 以下的疏林、路旁或山谷阴处。湖北有分布。

| 采收加工 | **块根：**夏初采挖，洗净，干燥，除去须根。

| 功能主治 | 清热解毒，消肿散结。用于痈肿疔疮，乳痈，瘰疬，蛇虫咬伤。

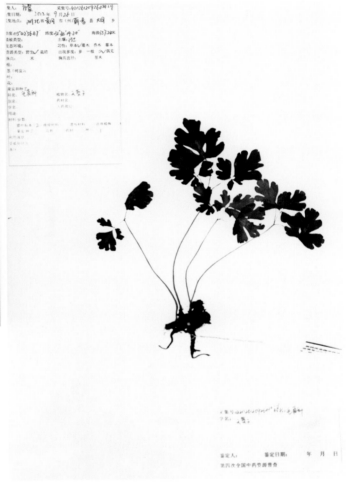

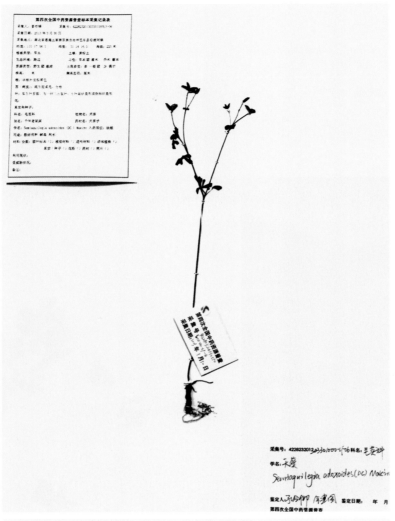

毛茛科 Ranunculaceae 唐松草属 Thalictrum

尖叶唐松草 *Thalictrum acutifolium* (Hand.-Mazz.) Boivin

| **药 材 名** | 尖叶唐松草。

| **形态特征** | 根肉质，胡萝卜形，长约 5 cm，直径达 4 mm。植株全部无毛或叶背面疏被短柔毛。茎高 25 ~ 65 cm，中部以上分枝。基生叶 2 ~ 3，有长柄，为二回三出复叶；叶片长 7 ~ 18 cm；小叶草质，顶生小叶有较长柄，卵形，长 2.3 ~ 5 cm，宽 1 ~ 3 cm，先端急尖或钝，基部圆形、圆楔形或心形，不分裂或不明显 3 浅裂，边缘有疏牙齿，脉在背面稍隆起；叶柄长 10 ~ 20 cm；茎生叶较小，有短柄。花序稀疏；花梗长 3 ~ 8 mm；萼片 4，白色或带粉红色，早落，卵形，长约 2 mm；雄蕊多数，长达 5 mm，花药长圆形，长 0.8 ~ 1.3 mm，花丝上部倒披针形，比花药宽约 3 倍，下部丝形；心皮 6 ~ 12，有

细柄，花柱短，腹面生柱头组织。瘦果扁，狭长圆形，稍不对称，有时稍镰状弯曲，长 3 ~ 3.8（~ 4.5）mm，宽 0.6 ~ 0.8（~ 1.2）mm，有 8 细纵肋；心皮柄长 1 ~ 2.5 mm。花期 4 ~ 7 月。

| **生境分布** | 生于山地、林缘湿润处或山谷地带。湖北有分布。

| **采收加工** | 春季至秋季采收，剪去地上茎叶，鲜用或晒干。

| **功能主治** | 清热解毒。用于全身黄肿。

毛茛科 Ranunculaceae　唐松草属　*Thalictrum*

唐松草 *Thalictrum aquilegifolium* L. var. *sibiricum* Regel et Tiling

| 药 材 名 |　小金花。

| 形态特征 |　草本。无毛。茎粗壮，高 60 ~ 150 cm，直径达 1 cm，分枝。基生叶花期枯萎，茎生叶为三至四回三出复叶；叶片长 10 ~ 30 cm；小叶草质，顶生小叶倒卵形或扁圆形，先端圆或微钝，基部圆楔形或不明显心形，3 浅裂，两面脉平或在背面脉稍隆起；叶柄长 4.5 ~ 8 cm，有鞘，托叶膜质，不裂。圆锥花序伞房状，有多数密集的花；花梗长 4 ~ 17 mm；萼片白色或外面带紫色，宽椭圆形，长 3 ~ 3.5 mm，早落；雄蕊多数，长 6 ~ 9 mm，花药长圆形，长约 1.2 mm，先端钝，上部倒披针形，比花药宽或稍窄，下部丝形；心皮 6 ~ 8，有长心皮柄，花柱短，柱头侧生。瘦果倒卵形，长 4 ~ 7 mm，

有 3 宽纵翅，基部突变狭，心皮柄长 3 ～ 5 mm，宿存柱头长 0.3 ～ 0.5 mm。花期 7 月。

| **生境分布** | 生于海拔 500 ～ 1 800 m 的草原、山地林边或林中。湖北有分布。

| **采收加工** | **根及根茎：**春、秋季采挖，洗去泥土，晒干。

| **功能主治** | 清热泻火，燥湿解毒。用于热病心烦，湿热泻痢，肺热咳嗽，目赤肿痛，痈肿疮疖。

毛茛科 Ranunculaceae 唐松草属 Thalictrum

珠芽唐松草 *Thalictrum chelidonii* DC.

| 药 材 名 | 珠芽唐松草。

| 形态特征 | 植株全部无毛。茎高约 1 m，分枝，在上部叶腋簇生数个小珠芽。叶为三回羽状复叶；小叶草质，形状变化大，顶生小叶楔状长圆形、楔状倒卵形或圆卵形，侧生小叶卵形、圆卵形或心形，长 1 ～ 3 cm，不明显 3 浅裂或不分裂，边缘有尖或钝齿；脉在背面稍隆起，脉网明显。圆锥花序有多数稀疏的花；花梗丝形，长 4 ～ 10 mm；萼片 4，淡粉红色，卵形，长 5 ～ 8 mm，宽 2.5 ～ 4 mm；雄蕊多数，长约 4.5 mm，花药黄色，狭长圆形，长 1.5 ～ 2 mm，先端有不明显的短尖头；心皮 6 ～ 8；基部缩成细柄，柄与子房近等长，长约 0.6 mm，花柱比子房短，腹面生长圆形柱头。瘦果扁，半倒卵形，

长约 4 mm，有细子房柄，细纵肋网结。花期 8 月。

| **生境分布** | 生于海拔 2 600 m 的山地林中。湖北有分布。

| **功能主治** | 清热泻火，燥湿解毒。

毛茛科 Ranunculaceae 唐松草属 *Thalictrum*

大叶唐松草 *Thalictrum faberi* Ulbr.

| 药 材 名 |

大叶马尾连。

| 形态特征 |

植株全部无毛。根茎短，下部密生细长的须根。茎高（35 ～）45 ～ 110 cm，上部分枝。基生叶在开花时枯萎；下部茎生叶为二至三回三出复叶；叶片长达 30 cm；小叶大，坚纸质，顶生小叶宽卵形，有时近菱形，长5 ～ 10 cm，宽 3.5 ～ 9 cm，先端急尖或微钝，基部圆形、浅心形或截形，3 浅裂，边缘每侧有 5 ～ 10 不等粗齿；表面叶脉近平，背面叶脉隆起，脉网明显，小叶柄长 1.5 ～ 4 cm；叶柄长 4.5 ～ 6 cm，基部有鞘，托叶狭，全缘。花序圆锥状，长 20 ～ 40 cm；花梗细，长 3 ～ 7 mm；萼片白色，宽椭圆形，长 3 ～ 3.5 mm，早落；雄蕊多数，花药长圆形，长 1 ～ 2 mm，花丝比花药窄或等宽，长 5 ～ 7 mm，上部倒披针形，下部丝形；心皮 3 ～ 6，花柱与子房等长，稍拳卷，沿腹面生柱头组织。瘦果狭卵形，长5 ～ 6 mm，约有 10 细纵肋，宿存花柱长约1 mm，拳卷。花期 7 ～ 8 月。

| 生境分布 | 生于海拔 600 ～ 1 300 m 的山地林下。湖北有分布。

| 采收加工 | **全草：**春季至秋季采收，剪去地上茎叶，鲜用或晒干。

| 功能主治 | 清热，泻火，解毒。用于痢疾，腹泻，目赤肿痛，湿热黄疸。

毛茛科 Ranunculaceae 唐松草属 Thalictrum

西南唐松草 *Thalictrum fargesii* Franch. ex Finet et Gagn.

| 药 材 名 |

西南唐松草。

| 形态特征 |

草本。无毛。茎高达 50 cm，纤细，分枝。基生叶开花时枯萎；茎中部叶有较长柄，为三至四回三出复叶，叶片长 8 ~ 14 cm，小叶草质或纸质，顶生小叶菱状倒卵形、宽倒卵形或近圆形，先端钝，基部宽楔形或圆形，上部 3 浅裂，裂片全缘或有 1 ~ 3 圆齿，脉在背面隆起，网脉明显，小叶柄长 0.3 ~ 2 cm，叶柄长 3.5 ~ 5 cm，托叶小，膜质。单歧聚伞花序生于分枝先端；花梗细，长 1 ~ 3.5 cm；萼片 4，白色或带淡紫色，脱落，椭圆形，长 3 ~ 6 mm；雄蕊多数，花药狭长圆形，长约 1 mm，花丝上部倒披针形，比花药稍宽，下部丝形；心皮 2 ~ 5，花柱直，柱头狭椭圆形或近线形。瘦果纺锤形，长 4 ~ 5 mm，基部有极短的心皮柄，宿存花柱长 0.8 ~ 2 mm。花期 5 ~ 6 月。

| 生境分布 |

生于海拔 1 300 ~ 2 100 m 的山地林中、草地、陡崖旁或沟边。湖北有分布。

| **采收加工** | **全草**：夏、秋季采收，洗净，切段，鲜用或晒干。 |

| **功能主治** | 清热解毒，泻火燥湿。用于牙痛，皮炎，湿疹。 |

毛茛科 Ranunculaceae 唐松草属 *Thalictrum*

华东唐松草 *Thalictrum fortunei* S. Moore

| **药 材 名** | 华东唐松草。

| **形态特征** | 植株全体无毛。茎高 20 ~ 66 cm，自下部或中部分枝。基生叶有长柄，为二至三回三出复叶；叶片宽 5 ~ 10 cm；小叶草质，背面粉绿色，顶生小叶近圆形，直径 1 ~ 2 cm，先端圆，基部圆形或浅心形，不明显 3 浅裂，边缘有浅圆齿，侧生小叶的基部斜心形；脉在下面隆起，脉网明显；叶柄细，有细纵槽，长约 6 cm，基部有短鞘，托叶膜质，半圆形，全缘。复单歧聚伞花序圆锥状；花梗丝形，长 0.6 ~ 1.6 cm；萼片 4，白色或淡堇色，倒卵形，长 3 ~ 4.5 mm；花药椭圆形，长 0.5 ~ 1.2 mm，先端钝，花丝比花药宽或窄，上部倒披针形；心皮（3 ~ ）4 ~ 6，子房长圆形，长 2 ~ 2.5 mm，花柱

短，直或先端弯曲，沿腹面生柱头组织。瘦果无柄，圆柱状长圆形，长 4 ~ 5 mm，有 6 ~ 8 纵肋，宿存花柱长 1 ~ 1.2 mm，先端通常拳卷。花期 3 ~ 5 月。

| 生境分布 |　生于海拔 100 ~ 1 500 m 的丘陵、山地林下或较阴湿处。

| 功能主治 |　清热燥湿，解毒泻火。

毛茛科 Ranunculaceae 唐松草属 Thalictrum

爪哇唐松草 *Thalictrum javanicum* Bl.

| **药 材 名** | 马尾连根、马尾连。

| **形态特征** | 草本，无毛。茎高（30 ~ ）50 ~ 100 cm，中部以上分枝。基生叶花期枯萎；茎生叶 4 ~ 6，为三至四回三出复叶，叶片长 6 ~ 25 cm，小叶纸质，顶生小叶倒卵形、椭圆形或近圆形，长 1.2 ~ 2.5 cm，宽 1 ~ 1.8 cm，基部宽楔形、圆形或浅心形，3 浅裂，有圆齿，背面脉隆起，网脉明显，小叶柄长 0.5 ~ 1.4 cm，叶柄长达 5.5 cm，托叶棕色，膜质，边缘流苏状分裂，宽 2 ~ 3 mm。花序近二叉分枝，伞房状或圆锥状，有少数或多数花；花梗长 3 ~ 7（ ~ 10）mm；萼片 4，长 2.5 ~ 3 mm，早落；雄蕊多数，长 2 ~ 5 mm，花药长 0.6 ~ 1 mm，花丝上部倒披针形，比花药稍宽，下部丝形；心皮 8 ~

15。瘦果狭椭圆形，长 2 ～ 3 mm，有 6 ～ 8 纵肋，宿存花柱长 0.6 ～ 1 mm，先端拳卷。花期 4 ～ 7 月。

| 生境分布 | 生于海拔 1 500 ～ 2 100 m 的山地林中、沟边或陡崖边阴湿处。湖北有分布。

| 采收加工 | 春、秋季采收，洗净，晒干。

| 功能主治 | 清热解毒，燥湿。用于痢疾，关节炎，跌打损伤。

毛茛科 Ranunculaceae 唐松草属 *Thalictrum*

长喙唐松草

Thalictrum macrorhynchum Franch.

| 药 材 名 | 长喙唐松草。

| 形态特征 | 多年生草本。植株全部无毛。根茎粗壮，下部密生粗须根。茎高
45 ~ 65 cm，分枝。基生叶、茎下部叶有较长柄，上部叶有短柄，
为二至三回三出复叶；叶片长 9.5 ~ 13 cm，宽达 15 cm；小叶草质，
顶生小叶圆菱形或宽倒卵形，偶尔椭圆形，长（1.4 ~）2 ~ 4 cm，
宽（1.2 ~）2.5 ~ 4 cm，先端圆形，基部圆形或浅心形，3 浅裂，
有圆牙齿；表面脉平，背面脉平或中脉稍隆起，网脉不明显；小叶
柄细，长 0.9 ~ 1.6 cm；叶柄长达 8 cm，基部稍增宽成鞘，托叶薄
膜质，全缘。圆锥状花序有稀疏分枝；花梗长 1.2 ~ 3.2 cm；萼片
白色，椭圆形，长约 3.5 mm，早落；雄蕊长约 4 mm，花药长椭圆

形，长 0.8 ～ 1 mm，花丝比花药稍宽或与花药等宽，上部狭倒披针形；心皮 10 ～ 20，有短柄，花柱与子房近等长，拳卷。瘦果狭卵球形，长 7 ～ 9 mm，基部突变成短柄（长约 0.8 mm），有 8 纵肋，宿存花柱长约 2.2 mm，拳卷。花期 6 月。

| 生境分布 | 生于海拔 850 ～ 2 750 m 的山地林或山谷灌丛中。湖北有分布。

| 采收加工 | **带根全草：**秋季采挖，洗净，晒干。

| 功能主治 | 解表。用于伤风感冒。

毛茛科 Ranunculaceae 唐松草属 Thalictrum

小果唐松草 *Thalictrum microgynum* Lecoy. ex Oliv.

| **药 材 名** | 石黄草。

| **形态特征** | 植株全部无毛。根茎短。须根有斜倒圆锥形的小块根。茎高
20 ~ 42 cm，上部分枝。基生叶 1，为二至三回三出复叶，叶片长
10 ~ 15 cm，小叶薄草质，顶生小叶有长柄，楔状倒卵形、菱形或
卵形，长 2 ~ 6.4（~ 9.5）cm，宽 1.5 ~ 3.8（~ 4.8）cm，3 浅裂，
边缘有粗圆齿，叶柄长 8 ~ 15 cm；茎生叶 1 ~ 2，形似基生叶，但
较小。花序似复伞形花序；苞片近匙形，长约 1.5 mm；花梗丝形，
长达 1.5 cm；萼片白色，狭椭圆形，长约 1.5 mm，早落；雄蕊长
3.5 ~ 6.5 mm，花药长圆形，长约 1 mm，先端有短尖，花丝上部倒
披针形，比花药宽，下部丝形；心皮 6 ~ 15，有细子房柄，柱头小，

无花柱。瘦果下垂，狭椭圆球形，长约 1.8 mm，有 6 细纵肋，心皮柄长约 1.2 mm。花期 4 ~ 7 月。

| **生境分布** | 生于海拔 700 ~ 2 100 m 的山地林下、草坡和岩石边阴湿处。湖北有分布。

| **采收加工** | **根：** 夏、秋季采挖，洗净，晒干。

| **功能主治** | 清热解毒，利湿。用于黄肿病，眼睛发黄，跌打损伤。

毛茛科 Ranunculaceae 唐松草属 Thalictrum

川鄂唐松草

Thalictrum osmundifolium Finet et Gagnep.

| 药 材 名 | 川鄂唐松草。

| 形态特征 | 植株除小叶柄有疏柔毛外，其他部分无毛。茎高 80 ~ 100 cm，有细纵槽，上部分枝。基生叶、下部茎生叶在开花时枯萎，中部茎生叶有短柄，为三至四回近羽状复叶；叶片长 15 ~ 26 cm；小叶草质，顶生小叶卵形、宽卵形、菱形或楔状倒卵形，长 1.5 ~ 3 cm，宽 1 ~ 1.7（~ 2.3）cm，先端有短尖，基部浅心形或圆形，3 浅裂，裂片全缘或有少数牙齿，两面脉平或近平，脉网不明显，侧生小叶较小，斜，有时不分裂；叶柄长 8 ~ 2.3 cm，托叶半圆形。圆锥花序长达 29 cm；花梗细，长 0.8 ~ 2.5 cm；萼片 4 ~ 5，椭圆状卵形，长 3 ~ 5 mm，宽约 2 mm，脱落；雄蕊长约 6 mm，花药狭长圆形，

长 2 ~ 2.5 mm，有短尖头，花丝比花药窄，狭线形；心皮 12 ~ 14，无柄，花柱短，柱头椭圆形，侧生。瘦果两侧稍扁，斜狭倒卵形，有时镰状弯曲，长达 7 mm，有 8 明显纵肋，基部骤狭成短柄。花期 6 月。

| 生境分布 |　生于海拔 1 400 ~ 1 600 m 的山地灌丛中或溪边。湖北有分布。

| 功能主治 |　清热解毒。

毛茛科 Ranunculaceae 唐松草属 *Thalictrum*

弯柱唐松草 *Thalictrum uncinulatum* Franch.

| 药 材 名 |

弯柱唐松草。

| 形态特征 |

多年生草本。茎高 60 ～ 120 cm，疏被短柔毛，上部近二歧状分枝。基生叶在开花时枯萎。茎下部叶有稍长柄，为三回三出复叶；叶片长 10 ～ 21 cm；小叶纸质，顶生小叶卵形，长 1.6 ～ 3 cm，宽 1.3 ～ 2.9 cm，先端微钝，有短尖，基部心形或圆形，3 浅裂，边缘有钝牙齿；表面脉平，近无毛，背面脉隆起，网脉明显，被短柔毛；叶柄长 2.5 ～ 7 cm，疏被短柔毛，基部稍变宽，托叶不规则分裂或呈波状，被柔毛。花序圆锥状，有密集的花；花梗长 1.5 ～ 3.5 mm，密被短柔毛；萼片白色，椭圆形，长约 2.5 mm，外面被少数柔毛或近无毛，早落；雄蕊长约 5 mm，花药长圆形，长约 1 mm，花丝与花药等宽或比花药稍窄，上部倒披针状线形，下部丝形；心皮 6 ～ 8，花柱拳卷，上部腹面密生柱头组织。瘦果狭椭圆球形，长 2 ～ 2.2 mm，具 6 条纵肋，基部有短心皮柄，宿存花柱长约 0.5 mm，拳卷。花期 7 月，果期 8 月。

| 生境分布 | 生于海拔 1 000 ~ 2 000 m 的山地草坡或林边。湖北有分布。

| 采收加工 | **全草**：夏季采收，洗净，晒干，扎把。

| 功能主治 | 透疹解表。用于麻疹初起。

尾囊草
Urophysa henryi (Oliv.) Ulbr.

| 药 材 名 | 岩萝卜。

| 形态特征 | 根茎木质，粗壮。叶多数；叶片宽卵形，长 1.4 ~ 2.2 cm，宽 3 ~ 4.5 cm，基部心形，中全裂片无柄或有长达 4 mm 的柄，扇状倒卵形或扇状菱形，宽 1.7 ~ 3 cm，上部 3 裂，2 回裂片有少数钝齿，侧全裂片较大，斜扇形，不等 2 浅裂，两面疏被短柔毛；叶柄长 3.6 ~ 12 cm，有开展的短柔毛。花葶与叶近等长；聚伞花序长约 5 cm，通常有 3 花；苞片楔形、楔状倒卵形或匙形，长 1 ~ 2.2 cm，不分裂或 3 浅裂；小苞片对生或近对生，线形；花直径 2 ~ 2.5 cm；萼片天蓝色或粉红白色，倒卵状椭圆形，外面有疏柔毛，内面无毛；花瓣长约 5 mm，宽 1.3 mm，长椭圆状船形，爪长 1 mm；雄蕊长

3.5 ~ 5.5 mm；退化雄蕊长椭圆形，长 2.5 ~ 3.5 mm，渐尖；心皮 5（~ 8）。蓇葖果长 4 ~ 5 mm，密生横脉，有短柔毛，宿存花柱长 2 mm；种子狭肾形，长约 1.2 mm，密生小疣状突起。3 ~ 4 月开花。

| **生境分布** | 生于山地岩石旁或陡崖上。湖北有分布。

| **采收加工** | **根茎：**全年均可采挖，鲜用或阴干。
叶：春、夏季采摘，鲜用或阴干。

| **功能主治** | 活血散瘀，生肌止血。用于跌打瘀肿疼痛，创伤出血，冻疮。

木通科 Lardizabalaceae 木通属 Akebia

木通

Akebia quinata (Houtt.) Decne.

| 药 材 名 | 预知子、木通、木通根。

| 形态特征 | 落叶木质藤本。茎纤细，圆柱形，缠绕，茎皮灰褐色，有呈圆形且小而凸起的皮孔。掌状复叶互生或在短枝上簇生，通常具小叶 5，偶具小叶 3 ~ 4 或 6 ~ 7；叶柄纤细，长 4.5 ~ 10 cm。伞房状总状花序腋生，长 6 ~ 12 cm，花疏，基部有雌花 1 ~ 2，基部以上有雄花 4 ~ 10。果实孪生或单生，长圆形或椭圆形，长 5 ~ 8 cm，直径 3 ~ 4 cm，成熟时呈紫色，腹缝开裂；种子多数，卵状长圆形，略扁平，多行不规则排列，着生于白色、多汁的果肉中，种皮褐色或黑色，有光泽。花期 4 ~ 5 月，果期 6 ~ 8 月。

| 生境分布 | 生于海拔 300 ～ 1 500 m 的山地灌丛、林缘和沟谷中。湖北有分布。

| 采收加工 | **预知子：**夏、秋季果实呈绿黄色时采收，晒干，或置沸水中略烫后晒干。

木通：9 月采收，刮去外皮，阴干。

木通根：秋、冬季采挖，晒干或烘干。

| 功能主治 | **预知子：**疏肝理气，活血止痛，利尿，杀虫。用于脘胁胀痛，经闭，痛经，小便不利，蛇虫咬伤。

木通：利尿通淋，清心除烦，通经下乳。用于淋证，水肿，心烦尿赤，口舌生疮，经闭，乳少，湿热痹痛。

木通根：祛风除湿，活血行气，利尿，解毒。

木通科 Lardizabalaceae 木通属 Akebia

三叶木通 *Akebia trifoliata* (Thunb.) Koidz.

| **药 材 名** | 预知子、木通、木通根。

| **形态特征** | 落叶木质藤本。茎皮灰褐色。掌状复叶互生或在短枝上的簇生；叶柄直，长 7 ~ 11 cm；小叶 3，卵形至阔卵形，长 4 ~ 7.5 cm，宽 2 ~ 6 cm，先端通常钝或略凹入。总状花序自短枝上簇生叶中抽出，下部有 1 ~ 2 雌花，上部有 15 ~ 30 雄花，长 6 ~ 16 cm；总花梗纤细，长约 5 cm；雄花花梗丝状，长 2 ~ 5 cm，萼片 3，淡紫色，阔椭圆形或椭圆形，长 2.5 ~ 3 cm，雄蕊 6，离生。果实长圆形，长 6 ~ 8 cm，直径 2 ~ 4 cm，直或稍弯，成熟时为灰白色且略带淡紫色；种子多数，扁卵形，长 5 ~ 7 mm，宽 4 ~ 5 mm，种皮红褐色或黑褐色，稍有光泽。花期 4 ~ 5 月，果期 7 ~ 8 月。

| **生境分布** | 生于海拔 250 ~ 2 000 m 的山坡、溪旁、林中。栽培于排水良好的疏松砂壤土中。湖北有分布。

| **采收加工** | **预知子**：夏、秋季果实呈绿黄色时采收，晒干，或置沸水中略烫后晒干。
木通：9 月采收，刮去外皮，阴干。
木通根：秋、冬季采挖，晒干或烘干。

| **功能主治** | **预知子**：疏肝理气，活血止痛，利尿，杀虫。用于脘胁胀痛，经闭，痛经，小便不利，蛇虫咬伤。
木通：利尿通淋，清心除烦，通经下乳。用于淋证，水肿，心烦尿赤，口舌生疮，经闭，乳少，湿热痹痛。
木通根：祛风除湿，活血行气，利尿，解毒。

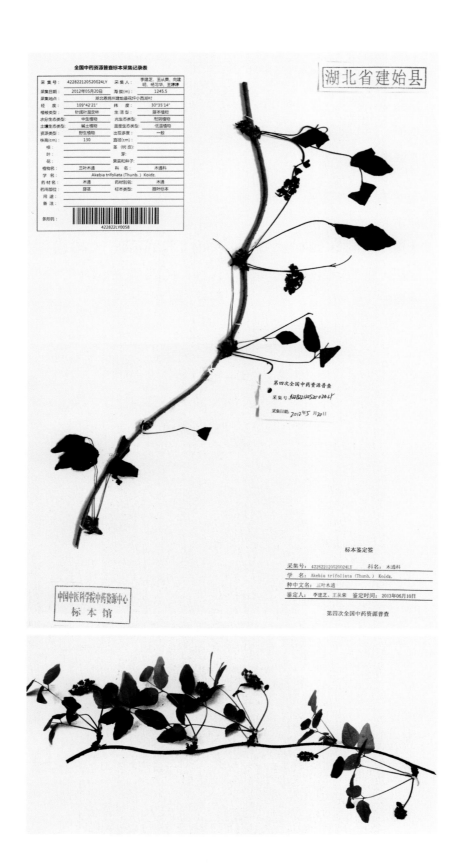

白木通

Akebia trifoliata (Thunb.) Koidz subsp. *australis* (Diels) T. Shimizu

药材名

预知子、木通、木通根。

形态特征

落叶木质藤本。小叶革质，卵状长圆形或卵形，长 4 ~ 7 cm，宽 1.5 ~ 3（~ 5）cm，先端狭圆，顶微凹入而具小凸尖，基部圆形、阔楔形、平截或心形，通常全缘，有时略具少数不规则的浅缺刻。总状花序长 7 ~ 9 cm，腋生或生于短枝上；雄花萼片长 2 ~ 3 mm，紫色，雄蕊 6，离生，长约 2.5 mm，红色或紫红色，干后呈褐色或淡褐色；雌花直径约 2 cm，萼片长 9 ~ 12 mm，宽 7 ~ 10 mm，暗紫色，心皮 5 ~ 7，紫色。果实长圆形，长 6 ~ 8 cm，直径 3 ~ 5 cm，成熟时呈黄褐色；种子卵形，黑褐色。花期 4 ~ 5 月，果期 6 ~ 9 月。

生境分布

生于海拔 300 ~ 2 000 m 的山坡灌丛或沟谷疏林中。栽培于排水良好的砂壤土中。湖北有分布。

采收加工

预知子：夏、秋季果实呈绿黄色时采收，晒干，或置沸水中略烫后晒干。

木通：9 月采收，刮去外皮，阴干。

木通根：秋、冬季采挖，晒干或烘干。

| 功能主治 |　**预知子**：疏肝理气，活血止痛，利尿，杀虫。用于脘胁胀痛，经闭，痛经，小便不利，蛇虫咬伤。

　　　　　　木通：利尿通淋，清心除烦，通经下乳。用于淋证，水肿，心烦尿赤，口舌生疮，经闭，乳少，湿热痹痛。

　　　　　　木通根：祛风除湿，活血行气，利尿，解毒。

| 木通科 | Lardizabalaceae | 猫儿屎属 | *Decaisnea*

猫儿屎 *Decaisnea insignis* (Griff.) Hook. f. et Thoms.

| **药 材 名** | 猫儿屎根。

| **形态特征** | 直立灌木，高 5 m。茎有圆形或椭圆形的皮孔；枝粗而脆，易断，渐变黄色。羽状复叶长 50 ~ 80 cm，有小叶 13 ~ 25；小叶先端渐尖或尾状渐尖，基部圆形或阔楔形，上面无毛，下面青白色；叶柄长 10 ~ 20 cm。总状花序腋生，或数个再复合为疏松、下垂、顶生的圆锥花序，长 2.5 ~ 3（~ 4）cm；花梗长 1 ~ 2 cm。果实下垂，圆柱形，蓝色，长 5 ~ 10 cm，直径约 2 cm，先端平截，但腹缝先端延伸为圆锥形凸头，具小疣凸，果皮表面有或无环状缢纹；种子倒卵形，黑色，扁平，长约 1 cm。花期 4 ~ 6 月，果期 7 ~ 8 月。

| **生境分布** | 生于海拔 900 ～ 2 000 m 的山坡灌丛或沟谷杂木林下阴湿处。湖北有分布。

| **采收加工** | **根**：全年均可采挖，洗净，晒干。

| **功能主治** | 祛风除湿，清肺止咳。用于风湿病，咳嗽。

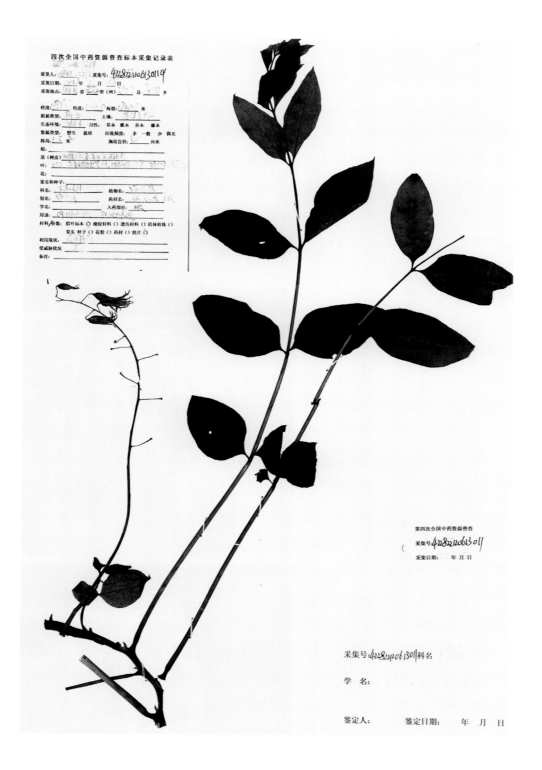

木通科 Lardizabalaceae 八月瓜属 Holboellia

鹰爪枫
Holboellia coriacea Diels

| 药 材 名 | 鹰爪枫。

| 形态特征 | 常绿木质藤本。茎皮褐色。掌状复叶有小叶 3；小叶先端渐尖或微凹而有小尖头，基部圆形或楔形，边缘略背卷，上面深绿色，有光泽，

下面粉绿色；叶柄长 3.5 ~ 10 cm。花雌雄同株，白绿色或紫色，组成短的伞房状总状花序。果实长圆状柱形，长 5 ~ 6 cm，直径约 3 cm，成熟时呈紫色，干后呈黑色，外面密布小疣点；种子椭圆形，略扁平，长约 8 mm，宽 5 ~ 6 mm，种皮黑色，有光泽。花期 4 ~ 5 月，果期 6 ~ 8 月。

| **生境分布** | 生于海拔 500 ~ 2 000 m 的山地杂木林或路旁灌丛中。湖北有分布。

| **采收加工** | **根**：全年均可采挖，除去须根，洗净，晒干。

| **功能主治** | 祛风除湿，活血通络。用于风湿痹痛，跌打损伤。

木通科 Lardizabalaceae 八月瓜属 Holboellia

五月瓜藤
Holboellia fargesii Reaub.

| **药 材 名** | 八月瓜。

| **形态特征** | 常绿木质藤本。茎与枝圆柱形，灰褐色，具线纹。掌状复叶有小叶
（3~）5~7（~9）；叶柄长2~5cm；小叶近革质或革质，
线状长圆形、长圆状披针形至倒披针形，长5~9（~11）cm，宽
1.2~2（~3）cm，先端渐尖、急尖、钝或圆，有时凹入，基部
钝、阔楔形或近圆形，边缘略背卷，上面绿色，有光泽，下面苍白
色且密布极微小的乳突，中脉在上面凹陷，在下面凸起，每边具侧
脉6~10，与基出2脉均至近叶缘处弯拱网结，网脉和侧脉在两
面均明显凸起，或在上面不显著，在下面微凸起；小叶柄长5~
25mm。花雌雄同株，红色、紫红色、暗紫色、绿白色或淡黄色，

数朵组成伞房状的短总状花序；总花梗短，长 8 ～ 20 mm，多个簇生于叶腋，基部被阔卵形的芽鳞片所包；雄花花梗长 10 ～ 15 mm，外轮萼片线状长圆形，长 10 ～ 15 mm，宽 3 ～ 4 mm，先端钝，内轮萼片较小，花瓣极小，近圆形，直径不及 1 mm，雄蕊直，长约 10 mm，花丝圆柱状，药隔延伸为长约 0.7 mm 的凸头，药室线形，退化心皮小，锥尖；雌花紫红色，花梗长 3.5 ～ 5 cm，外轮萼片倒卵状圆形或广卵形，长 14 ～ 16 mm，宽 7 ～ 9 mm，内轮萼片较小，花瓣小，卵状三角形，宽 0.4 mm，退化雄蕊无花丝，长约 0.7 mm，心皮棍棒状，柱头头状，具罅隙。果实紫色，长圆形，长 5 ～ 9 cm，先端圆而具凸头；种子椭圆形，长 5 ～ 8 mm，厚 4 ～ 5 mm，种皮褐黑色，有光泽。花期 4 ～ 5 月，果期 7 ～ 8 月。

| **生境分布** | 生于海拔 500 ～ 2 000 m 的山坡杂木林及沟谷林中。湖北有分布。

| **采收加工** | **果实**：秋季果实成熟时采摘，晒干。

| **功能主治** | 清热解毒，活血通脉，行气止痛。用于小便短赤，淋浊，水肿，风湿痹痛，跌打损伤，乳汁不通，子宫脱垂。

| 木通科 | Lardizabalaceae | 八月瓜属 | *Holboellia*

牛姆瓜

Holboellia grandiflora Reaub.

| **药 材 名** | 牛姆瓜。

| **形态特征** | 常绿缠绕藤本。长达 5 m，全株无毛。掌状复叶具（4 ~）5 ~ 7 小叶；叶柄长 5 ~ 13（~ 15）cm；小叶革质，倒卵形、长圆形或卵形，稀倒披针形，长（5 ~）7 ~ 11（~ 15）cm，宽 2.5 ~ 4.5（~ 6.5）cm，先端骤尖，基部楔形至圆形，下面灰绿色，网脉不明显，小叶柄长 1 ~ 4 cm。花白色至淡紫白色，微芳香；总状伞房花序长 4 ~ 9（~ 12）cm，雌雄同株。雄花花梗长 1 ~ 2.5（~ 4）cm；萼片 6，2 轮，长 1.4 ~ 1.9（~ 2.3）cm，宽 4 ~ 6（~ 9）cm；花瓣状，倒披针形；雄蕊 6，退化雌蕊 6。雌花 1 ~ 2；花梗长 2.5 ~ 4（~ 7）cm；萼片 6，卵形，肉质，长 1.2 ~ 1.8（~ 2.7）cm，宽 0.8 ~ 1.3 cm；

退化雄蕊 6，雌蕊长 6 ～ 9 mm，柱头头状。果实不裂，圆柱形，长 5 ～ 9 cm，直径 1.5 ～ 3 cm，稍内曲；种子多数，长约 6 mm，黑色，埋于果肉中。花期 4 ～ 5月，果期 7 ～ 9月。

| **生境分布** | 生于海拔 1 100 ～ 2 000 m 的山地杂木林或沟边灌丛内。湖北有分布。

| **功能主治** | 疏肝理气，活血止痛，利尿杀虫。

木通科 Lardizabalaceae 串果藤属 Sinofranchetia

串果藤 *Sinofranchetia chinensis* (Franch.) Hemsl.

| **药 材 名** | 串果藤。

| **形态特征** | 落叶木质藤本，全株无毛。幼枝被白粉；冬芽大，有数枚至多枚覆瓦状排列的鳞片。叶具羽状 3 小叶，通常密集，与花序同自芽鳞片中抽出；叶柄长 10 ~ 20 cm；托叶小，早落；小叶纸质，顶生小叶菱状倒卵形，长 9 ~ 15 cm，宽 7 ~ 12 cm，先端渐尖，基部楔形，侧生小叶较小，基部略偏斜，上面暗绿色，下面苍白灰绿色，侧脉每边 6 ~ 7，小叶柄顶生的长 1 ~ 3 cm，侧生的极短。总状花序长而纤细，下垂，长 15 ~ 30 cm，基部为芽鳞片所包；花稍密集着生于花序总轴上；花梗长 2 ~ 3 mm。雄花：萼片 6，绿白色，有紫色条纹，倒卵形，长约 2 mm；蜜腺状花瓣 6，肉质，近倒心形，长不

及 1 mm；雄蕊 6，花丝肉质，离生，花药略短于花丝，药隔不突出；退化心皮小。雌花：萼片与雄花的相似，长约 2.5 mm；花瓣很小；退化雄蕊与雄蕊形状相似但较小；心皮 3，椭圆形或倒卵状长圆形，比花瓣长，长 1.5 ～ 2 mm，无花柱，柱头不明显，胚珠多数，2 列。果实椭圆形，淡紫蓝色，长约 2 cm，直径 1.5 cm；种子多数，卵圆形，压扁，长 4 ～ 6 mm，种皮灰黑色。花期 5 ～ 6 月，果期 9 ～ 10 月。

| **生境分布** | 生于海拔 900 ～ 2 000 m 的山沟密林、林缘或灌丛。湖北有分布。

| **功能主治** | 清热利尿，通经活络。

■木通科 ■ Lardizabalaceae ■ 野木瓜属 ■ *Stauntonia*

野木瓜
Stauntonia chinensis DC.

| 药 材 名 | 七叶莲。

| 形态特征 | 木质藤本。茎绿色，具线纹，老茎皮厚，粗糙，浅灰褐色，纵裂。
掌状复叶有小叶 5 ~ 7；叶柄长 5 ~ 10 cm；小叶革质，长圆形、椭
圆形或长圆状披针形，长 6 ~ 9（~ 11.5）cm，宽 2 ~ 4 cm，先端
渐尖，基部钝、圆形或楔形，边缘略厚，上面深绿色，有光泽，下
面浅绿色，嫩时常密布浅色斑点。花雌雄同株，通常 3 ~ 4 组成伞
房状的总状花序；总花梗纤细，基部被大型的芽鳞片包托；花梗长
2 ~ 3 cm；苞片和小苞片线状披针形，长 15 ~ 18 mm；雄花萼片外
面淡黄色或乳白色，内面紫红色，外轮萼片披针形，长约 18 mm，
宽约 6 mm，内轮萼片线状披针形，长约 16 mm，宽约 3 mm；雌花

萼片比雄花萼片稍大，外轮长 22 ~ 25 mm，退化雄蕊长约 1 mm。果实长圆形，长 7 ~ 10 cm，直径 3 ~ 5 cm；种子近三角形，长约 1 cm，压扁，种皮深褐色至近黑色，有光泽。花期 3 ~ 4 月，果期 6 ~ 10 月。

| 生境分布 | 生于海拔 500 ~ 1 300 m 的山地密林、山腰灌丛或山谷疏林中。湖北有分布。

| 采收加工 | **根或根皮、茎叶**：夏、秋季采收，晒干或鲜用。

| 功能主治 | 祛风和络，活血止痛，利尿消肿。用于风湿痹痛，胃、肠、胆疾患之疼痛，三叉神经痛，跌打损伤，痛经，小便不利，水肿。

小檗科 Berberidaceae 小檗属 Berberis

川鄂小檗
Berberis henryana Schneid.

| 药 材 名 | 川鄂小檗。

| 形 态 特 征 | 落叶灌木，高 2 ~ 3 m。老枝灰黄色或暗褐色，幼枝红色，近圆柱形，具不明显条棱；茎刺单生或 3 分叉，与枝同色，长 1 ~ 3 cm，

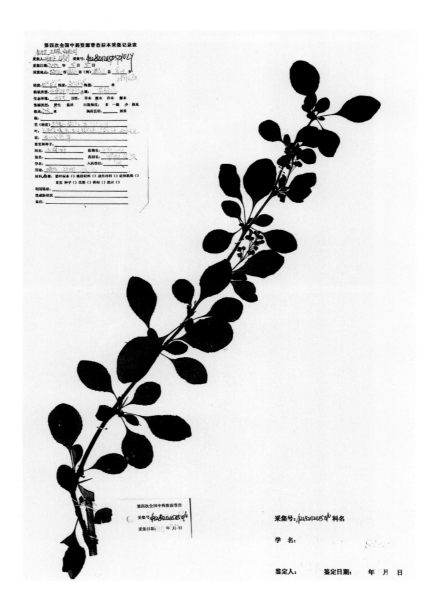

有时缺如。叶坚纸质，椭圆形或倒卵状椭圆形，长 1.5 ～ 3 cm，偶长达 6 cm，宽 8 ～ 18 mm，偶宽达 3 cm，先端圆钝，基部楔形，上面暗绿色，中脉微凹陷，侧脉和网脉微显，下面灰绿色，常微被白粉，中脉隆起，侧脉和网脉显著，两面无毛，叶缘平展，每边具 10 ～ 20 不明显的细刺齿；叶柄长 4 ～ 15 mm。总状花序具 10 ～ 20 花，长 2 ～ 6 cm（包括长 1 ～ 2 cm 的总梗）；花梗长 5 ～ 10 mm，无毛；苞片长 1 ～ 1.5 mm；花黄色；小苞片披针形，先端渐尖，长 1 ～ 1.5 mm；萼片 2 轮，外萼片长圆状倒卵形，长 2.5 ～ 3.5 mm，宽 1.5 ～ 2 mm，内萼片倒卵形，长 5 ～ 6 mm，宽 4 ～ 5 mm；花瓣长圆状倒卵形，长 5 ～ 6 mm，宽 4 ～ 5 mm，先端锐裂，基部具 2 分离腺体；雄蕊长 3.5 ～ 4.5 mm，药隔不延伸，先端平截；胚珠 2。浆果椭圆形，长约 9 mm，直径约 6 mm，红色，先端具短宿存花柱，不被白粉。花期 5 ～ 6 月，果期 7 ～ 9 月。

| **生境分布** | 生于山坡灌丛中、林缘、林下或草地。湖北有分布。

| **功能主治** | 清热，解毒。用于痢疾。

小檗科 Berberidaceae 小檗属 Berberis

豪猪刺
Berberis julianae Schneid.

| 药 材 名 | 鸡脚刺。

| 形态特征 | 常绿灌木，高 2 ~ 3 m。多分枝，幼枝淡黄色，具明显棱，老枝灰黄色，表面散布黑色细小疣点，刺粗壮，具 3 叉，长 1 ~ 4 cm。叶常 5 簇生，革质；叶柄长 1 ~ 4 mm；叶片椭圆形或广倒披针形，长 3 ~ 8 cm，宽 2 ~ 3 cm，先端急尖，基部楔形，边缘具细长的针状锯齿 10 ~ 20，上面深绿色，有光泽，下面灰白色。花约 15 簇生于叶腋，花梗长 18 ~ 15 mm；小苞片 3，卵圆形或披针形；萼片 6，花瓣状，排成 2 轮；花黄色，直径 6 ~ 7 mm，花瓣 6，先端微缺，近基部具圆形腺体 2；雄蕊 6，成熟时瓣裂；雌蕊 1，内含胚珠 1 ~ 2，柱头头状，扁平。浆果椭圆形，长 8 ~ 9 cm，成熟时呈蓝黑色，表

面被淡蓝色粉，柱头宿存，具明显短花柱；种子通常 1。花期 5 ~ 6 月，果期 8 ~ 10 月。

| **生境分布** | 生于海拔 1 100 ~ 2 000 m 的山区、向阳杂木林中。湖北有分布。

| **采收加工** | **根**：全年均可采挖，秋季采挖最佳，鲜用或晒干。

| **功能主治** | 清热，解毒。用于湿热泻痢，热淋，目赤肿痛，牙龈红肿，咽喉肿痛，痄腮，丹毒，湿疹，热毒疮疡。

小檗科 Berberidaceae 小檗属 Berberis

刺黑珠
Berberis sargentiana Schneid.

| **药 材 名** | 三颗针。

| **形态特征** | 常绿灌木，高 1 ~ 3 m。茎圆柱形，老枝灰棕色，幼枝带红色，通常无疣点，偶有稀疏黑色疣点，节间 3 ~ 6 cm；茎刺 3 分叉，长

1 ～ 4 cm，腹面具槽。叶厚革质，长圆状椭圆形，长 4 ～ 15 cm，宽 1.5 ～ 6.5 cm，先端急尖，基部楔形；上面亮深绿色，中脉凹陷，侧脉微隆起，网脉微显，背面黄绿色或淡绿色，中脉明显隆起，侧脉微隆起，网脉显著，叶缘平展，每边具 15 ～ 25 刺齿；近无柄。花 4 ～ 10 簇生；花梗长 1 ～ 2 cm；花黄色；小苞片红色，长、宽约 2 mm；萼片 3 轮，外萼片卵形，长 3.5 mm，宽约 3 mm，先端近急尖，自基部向先端有 1 红色带条，中萼片菱状椭圆形，长 5 mm，宽 4.5 mm，内萼片倒卵形，长 6.5 mm，宽 5 mm；花瓣倒卵形，长 6 mm，宽 4.5 mm，先端缺裂，裂片先端圆形，基部楔形，具 2 邻接的橙色腺体；雄蕊长约 4.5 mm，药隔先端平截；子房具胚珠 1 ～ 2。浆果长圆形或长圆状椭圆形，黑色，长 6 ～ 8 mm，直径 4 ～ 6 mm，先端不具宿存花柱，不被白粉。

| **生境分布** | 生于海拔 700 ～ 2 100 m 的山坡灌丛、路边、岩缝、竹林中或山沟旁林下。湖北有分布。

| **采收加工** | **根**：春、秋季采收根，除去须根，洗净，切片，烘干或在弱太阳下晒干，不宜暴晒。**茎**：全年均可采收茎枝。

| **功能主治** | 清热燥湿，泻火解毒。用于湿热痢疾，腹泻，黄疸，湿疹，疮疡，口疮，目赤，咽痛。

小檗科 Berberidaceae 小檗属 Berberis

假豪猪刺 *Berberis soulieana* Schneid.

| 药 材 名 | 假豪猪刺。

| 形态特征 | 常绿灌木，多分枝。幼枝淡黄色，具有显著的棱，老枝灰黄色，表面散布黑色细小疣点，刺粗壮，具3叉，长1~4 cm。叶常5簇生，

革质；叶柄长 1 ~ 4 mm；叶片椭圆形或广倒披针形，长 3 ~ 8 cm，宽 2 ~ 3 cm，先端急尖。花约 15 簇生于叶腋；花梗长 8 ~ 15 mm。浆果呈长圆形，蓝黑色；种子通常为 1。花期 5 ~ 6 月，果期 8 ~ 10 月。

| 生境分布 |　生于海拔 600 ~ 1 800 m 的山坡、沟边、林中、林缘或灌丛中。湖北有分布。

| 采收加工 |　**根**：全年均可采挖，秋季采挖最佳，洗净，鲜用或晒干。

| 功能主治 |　清热燥湿，泻火解毒。

芒齿小檗
Berberis triacanthophora Fedde

| 药 材 名 |　芒齿小檗。

| 形态特征 |　常绿灌木，高 1 ~ 2 m。茎圆柱形，老枝暗灰色或棕褐色，幼枝带红色，具稀疏疣点；茎刺具 3 叉，长 1 ~ 2.5 cm，与枝同色。叶革质，线状披针形、长圆状披针形或狭椭圆形，长 2 ~ 6 cm，宽 2.5 ~ 8 mm，先端渐尖或急尖，常有刺尖头，基部楔形，上面深绿色，有光泽，下面灰绿色，中脉隆起，两面侧脉和网脉不明显，具乳头状突起，有时微被白粉，叶缘微向背面反卷，每边具 2 ~ 8 刺齿，偶全缘；近无柄。2 ~ 4 花簇生；花梗长 1.5 ~ 2.5 cm，光滑无毛；花黄色；小苞片红色，卵形，长约 1 mm；萼片 3 轮，外萼片卵状圆形，长 2 mm，宽 1.8 mm，中萼片卵形，长 3.5 mm，宽 2.5 mm，先端急尖，

内萼片倒卵形，长约 5 mm，宽约 4 mm，先端钝；花瓣倒卵形，长约 4 mm，宽约 3 mm，先端具浅缺裂，基部楔形，具分离长圆形腺体 2；雄蕊长约 2 mm，药隔延伸，先端平截；胚珠 2 ~ 3。浆果椭圆形，长 6 ~ 8 mm，直径 4 ~ 5 mm，蓝黑色，微被白粉。花期 5 ~ 6 月，果期 6 ~ 10 月。

| 生境分布 | 生于海拔 500 ~ 2 000 m 的山区杂木林中。湖北有分布。

| 采收加工 | **根：**秋季采挖，洗净，晒干。

| 功能主治 | 清热泻火，燥湿解毒。

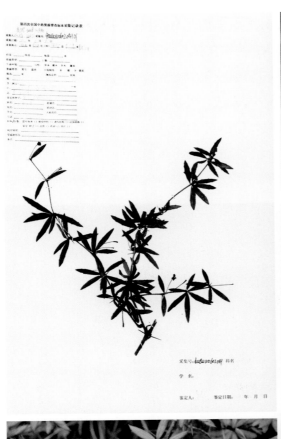

小檗科 Berberidaceae 红毛七属 *Caulophyllum*

红毛七

Caulophyllum robustum Maxim.

| **药 材 名** | 红毛七。

| **形态特征** | 多年生草本，植株高达 80 cm。根茎粗短。茎生 2 叶，互生，二至三回三出复叶，下部叶具长柄；小叶卵形、长圆形或阔披针形，长 4 ~ 8 cm，宽 1.5 ~ 5 cm，先端渐尖，基部宽楔形，全缘，有时 2 ~ 3 裂，上面绿色，背面淡绿色或带灰白色，两面无毛；顶生小叶具柄，侧生小叶近无柄。圆锥花序顶生；花淡黄色，直径 7 ~ 8 mm；苞片 3 ~ 6；萼片 6，倒卵形，花瓣状，长 5 ~ 6 mm，宽 2.5 ~ 3 mm，先端圆形；花瓣 6，远较萼片小，蜜腺状，扇形，基部缢缩成爪；雄蕊 6，长约 2 mm，花丝稍长于花药；雌蕊单一，子房 1 室，具 2 基生胚珠，花后子房开裂，露出 2 球形种子。果实成熟时柄增粗，

长 7 ~ 8 mm；种子浆果状，直径 6 ~ 8 mm，微被白粉，成熟后蓝黑色，外被肉质假种皮。花期 5 ~ 6 月，果期 7 ~ 9 月。

| **生境分布** | 生于海拔 950 ~ 2 500 m 的林下、山沟阴湿处或竹林下。湖北有分布。

| **采收加工** | **根茎：**夏、秋季采挖，除去茎叶、泥土，洗净，晒干。

| **功能主治** | 活血散瘀，祛风除湿，行气止痛。用于月经不调，痛经，产后血瘀腹痛，脘腹寒痛，跌打损伤，风湿痹痛。

小檗科 Berberidaceae 鬼臼属 Dysosma

小八角莲 *Dysosma difformis* (Hemsl. et Wils.) T. H. Wang ex Ying

| 药 材 名 | 包袱七。

| 形态特征 | 多年生草本。茎直立，细弱，无毛，基部有薄纸质的黄棕色鳞叶包被。根茎横走，细小，节间有近圆形的碗状凹陷，生多数侧根，表面黄

棕色，被白色或淡黄色毛。叶互生，薄纸质；叶片通常 2，稀 3，不等大，形状多样，常呈偏心形，长 5 ~ 11 cm，宽 8 ~ 18 cm，先端为宽楔形，基部多为圆形，上面有时带紫红色，下面绿色或灰绿色，边缘不裂或具不明显的 4 ~ 8 浅裂，有稀疏的腺状锯齿；叶柄着生于叶片中部，长 5 ~ 10 cm。伞形花序有花 2 ~ 5，生于离叶不远的叶柄近顶处；花梗长不及 2 cm，下弯，有长柔毛；萼片早落；花瓣 6，深红色，线状长圆形；雄蕊 6，长约 7 mm，内弯，药隔先端延长成细尖；子房上位，1 室。浆果小，球形；种子多数。花期 4 ~ 6 月，果期 6 ~ 9 月。

| 生境分布 | 生于海拔 750 ~ 1 800 m 的山区林下。湖北有分布。

| 采收加工 | **根、根茎：**4 ~ 10 月采挖，晒干或鲜用。

| 功能主治 | 清热解毒，化痰散结，祛瘀止痛。用于咽喉肿痛，痈肿，疔疮，肺炎，腮腺炎，毒蛇咬伤，瘰疬，跌打损伤。

小檗科 Berberidaceae 鬼臼属 Dysosma

贵州八角莲

Dysosma majorensis (Gagnep.) Ying

| **药 材 名** | 白八角莲。

| **形态特征** | 根茎粗壮，横生，棕褐色。茎直立。叶薄纸质，2叶互生，盾状着生，叶片近扁圆形；叶柄长 4 ~ 20 cm。花 2 ~ 5 排成伞形，着生于近

叶基处；花梗被灰白色细柔毛；花紫色；萼片 6，不等大，椭圆形；花瓣 6，椭圆状披针形；雄蕊 6，花丝与花药近等长；子房长圆形，基部和顶部缢缩，柱头盾状，半球形。浆果长圆形，成熟时呈红色。花期 4 ～ 6 月，果期 6 ～ 9 月。

| **生境分布** | 生于海拔 1 300 ～ 1 800 m 的密林或疏林下、沟边。湖北有分布。

| **采收加工** | **根、根茎**：4 ～ 8 月采挖，晒干或鲜用。

| **功能主治** | 滋阴补肾，清肺润燥，解毒消肿。用于劳伤筋骨痛，阳痿，胃痛，无名肿痛，刀枪外伤。

小檗科 Berberidaceae 鬼臼属 Dysosma

六角莲 *Dysosma pleiantha* (Hance) Woodson

| 药 材 名 |

八角莲。

| 形态特征 |

多年生草本，植株高 20 ~ 60 cm，有时可达 80 cm。根茎粗壮，横走，呈圆形结节，多须根。茎直立，单生，先端生 2 叶，无毛。叶近纸质，对生，盾状，近圆形，直径 16 ~ 33 cm，5 ~ 9 浅裂，裂片宽三角状卵形，先端急尖，上面暗绿色，常有光泽，背面淡黄绿色，两面无毛，边缘具细刺齿；叶柄长 10 ~ 28 cm，具纵条棱，无毛。花梗长 2 ~ 4 cm，常下弯，无毛；花紫红色，下垂；萼片 6，椭圆状长圆形或卵状长圆形，长 1 ~ 2 cm，宽约 8 mm，早落；花瓣 6 ~ 9，紫红色，倒卵状长圆形，长 3 ~ 4 cm，宽 1 ~ 1.3 cm；雄蕊 6，长约 2.3 cm，常镰状弯曲，花丝扁平，长 7 ~ 8 mm，花药长约 15 mm，药隔先端延伸；子房长圆形，长约 13 mm，花柱长约 3 mm，柱头头状，胚珠多数。浆果倒卵状长圆形或椭圆形，长约 3 cm，直径约 2 cm，成熟时紫黑色。花期 3 ~ 6 月，果期 7 ~ 9 月。

| 生境分布 | 生于海拔 400 ~ 1 600 m 的林下、山谷溪旁或阴湿溪谷草丛中。湖北有分布。

| 采收加工 | **根茎：**全年均可采收，秋末为佳，全株挖起，除去茎叶，洗净泥沙，鲜用或晒干，或烘干，切忌受潮。

| 功能主治 | 化痰散结，祛瘀止痛，清热解毒。用于咳嗽，咽喉肿痛，瘰疬，瘿瘤，痈肿，疔疮，毒蛇咬伤，跌打损伤，痹证。

小檗科 Berberidaceae 鬼臼属 Dysosma

川八角莲
Dysosma veitchii (Hemsl. et Wils) Fu ex Ying

| 药 材 名 | 八角莲。

| 形态特征 | 多年生草本,植株高 20 ~ 65 cm。根茎短而横走,须根较粗壮。叶 2,对生,纸质,盾状,近圆形,直径达 22 cm,4 ~ 5 深裂几达中部,裂片楔状矩圆形,先端 3 浅裂,小裂片三角形,先端渐尖,上面暗绿色,有时带暗紫色,无毛,背面淡黄绿色或暗紫红色,沿脉疏被柔毛,后脱落,叶缘具稀疏小腺齿;叶柄长 7 ~ 10 cm,被白色柔毛。伞形花序具 2 ~ 6 花,着生于两叶柄交叉处,有时无花序梗,呈簇生状;花梗长 1.5 ~ 2.5 cm,下弯,密被白色柔毛;花大型,暗紫红色;萼片 6,长圆状倒卵形,长约 2 cm,外轮较窄,外面被柔毛,常早落;花瓣 6,紫红色,长圆形,先端圆钝,长 4 ~ 6 cm;

雄蕊长约 3 cm，花丝扁平，远较花药短，药隔显著延伸，长达 9 mm；雌蕊短，仅为雄蕊长度的 1/2，子房椭圆形，花柱短而粗，柱头大而呈流苏状。浆果椭圆形，长 3 ~ 5 cm，直径 3 ~ 3.5 cm，成熟时鲜红色；种子多数，白色。花期 4 ~ 5月，果期 6 月。

| 生境分布 | 生于海拔 1 000 ~ 2 200 m 的山谷林下、沟边或阴湿处。湖北有分布。

| 采收加工 | **根茎：**全年均可采挖，除去杂质，洗净，晒干或烘干。

| 功能主治 | 化痰散结，祛瘀止痛，清热解毒。用于咳嗽，咽喉肿痛，瘰疬，瘿瘤，痈肿，疔疮，毒蛇咬伤，跌打损伤，痹证。

八角莲

Dysosma versipellis (Hance) M. Cheng ex Ying

| 药 材 名 | 八角莲。

| 形态特征 | 多年生草本。植株高 40 ~ 150 cm。根茎粗壮，横生，多须根。茎直立，不分枝，无毛，淡绿色。茎生叶 2，薄纸质，互生，盾状，近圆形，直径达 30 cm，4 ~ 9 掌状浅裂，裂片阔三角形、卵形或卵状长圆形，不分裂，上面无毛，下面被柔毛，叶脉明显隆起，边缘具细齿；下部叶的叶柄长 12 ~ 25 cm，上部叶的叶柄长 1 ~ 3 cm。花梗纤细，下弯，被柔毛；花深红色，5 ~ 8 簇生于离叶基部不远处，下垂；萼片 6，长圆状椭圆形，外面被短柔毛，内面无毛；花瓣 6，勺状倒卵形，无毛；雄蕊 6，花丝短于花药；子房椭圆形，无毛，花柱短，柱头盾状。浆果椭圆形，种子多数。

| 生境分布 | 生于山坡林下、灌丛中、溪旁阴湿处、竹林下或石灰山常绿林下。分布于湖北宜昌及鹤峰、利川、建始、巴东、房县、竹溪、保康、崇阳等。湖北鹤峰、巴东、建始、利川等有栽培。

| 采收加工 | **根及根茎：**秋季采挖，除去泥沙，晒干或烘干。

| 功能主治 | 化痰散结，祛瘀止痛，清热解毒。用于咳嗽，咽喉肿痛，瘰疬，瘿瘤，痈肿，疔疮，毒蛇咬伤，跌打损伤，痹病。

███ 小檗科 ███ Berberidaceae ███ 淫羊藿属 ███ *Epimedium*

粗毛淫羊藿 *Epimedium acuminatum* Franch.

| 药 材 名 |　粗毛淫羊藿。

| 形态特征 |　多年生草本，植株高 30 ~ 50 cm。根茎有时横走，直径 2 ~ 5 mm，多须根。一回三出复叶基生或茎生，小叶 3，薄革质，狭卵形或披

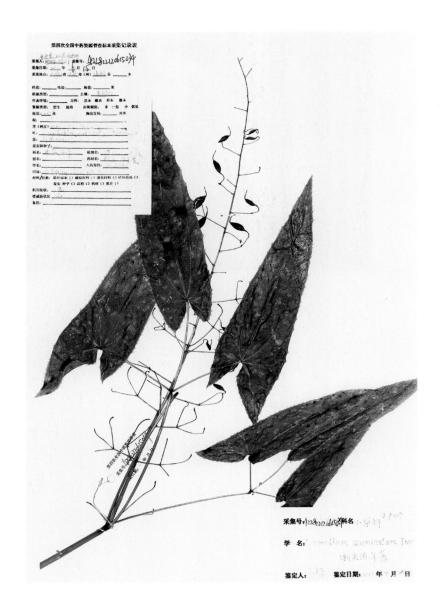

针形，长 3 ~ 18 cm，宽 1.5 ~ 7 cm，先端长渐尖，基部心形，顶生小叶基部裂片圆形，近相等，侧生小叶基部裂片极度偏斜，上面深绿色，无毛，背面灰绿色或灰白色，密被粗短伏毛，后变稀疏，基出脉 7，明显隆起，网脉显著，叶缘具细密刺齿；花茎具 2 对生叶，有时 3 枚轮生。圆锥花序长 12 ~ 25 cm，具 10 ~ 50 花，无总梗，花序轴被腺毛；花梗长 1 ~ 4 cm，密被腺毛；花色变异大，黄色、白色、紫红色或淡青色；萼片 2 轮，外萼片 4，外面 1 对卵状长圆形，长约 3 mm，宽约 2 mm，内面 1 对阔倒卵形，长约 4.5 mm，宽约 4 mm，内萼片 4，卵状椭圆形，先端急尖，长 8 ~ 12 mm，宽 3 ~ 7 mm；花瓣远较内轮萼片长，呈角状距，向外弯曲，基部无瓣片，长 1.5 ~ 2.5 cm；雄蕊长 3 ~ 4 mm，花药长 2.5 mm，瓣裂，外卷；子房圆柱形，先端具长花柱。蒴果长约 2 cm，宿存花柱长喙状；种子多数。花期 4 ~ 5 月，果期 5 ~ 7 月。

| 生境分布 | 生于海拔 270 ~ 2 400 m 的草丛、石灰山陡坡、林下、灌丛中或竹林下。湖北有分布。

| 采收加工 | **根**：夏、秋季茎叶茂盛时采割，除去粗梗及杂质，晒干或阴干。

| 功能主治 | 清热，利湿，散瘀。用于阳痿，小便失禁，风湿痛，虚劳久咳等。

小檗科 Berberidaceae 淫羊藿属 Epimedium

淫羊藿
Epimedium brevicornu Maxim.

| 药 材 名 | 淫羊藿。

| 形态特征 | 多年生草本，植株高 20 ~ 60 cm。根茎粗短，木质化，暗棕褐色。二回三出复叶基生和茎生，具 9 小叶；基生叶 1 ~ 3 丛生，具长柄，茎生叶 2，对生；小叶纸质或厚纸质，卵形或阔卵形，长 3 ~ 7 cm，宽 2.5 ~ 6 cm，先端急尖或短渐尖，基部深心形，顶生小叶基部裂片圆形，近等大，侧生小叶基部裂片稍偏斜，急尖或圆形，上面常有光泽，网脉显著，背面苍白色，光滑或疏生少数柔毛，基出 7 脉，叶缘具刺齿；花茎具 2 对生叶，圆锥花序长 10 ~ 35 cm，具 20 ~ 50 花，花序轴及花梗被腺毛；花梗长 5 ~ 20 mm；花白色或淡黄色；萼片 2 轮，外萼片卵状三角形，暗绿色，长 1 ~ 3 mm，

内萼片披针形，白色或淡黄色，长约 10 mm，宽约 4 mm；花瓣远较内萼片短，距呈圆锥状，长仅 2 ～ 3 mm，瓣片很小；雄蕊长 3 ～ 4 mm，伸出，花药长约 2 mm，瓣裂。蒴果长约 1 cm，宿存花柱喙状，长 2 ～ 3 mm。花期 5 ～ 6 月，果期 6 ～ 8 月。

| 生境分布 | 生于林下、沟边灌丛中或山坡阴湿处。湖北各地均有分布，主要分布于保康、五峰、利川。

| 资源情况 | 野生资源较丰富，栽培资源较丰富。

| 采收加工 | 夏、秋季茎叶茂盛时采收，除去杂质，喷淋清水，切丝，干燥，阴干或晒干。

| 功能主治 | 补肾壮阳，强筋健骨，祛风除湿。用于阳痿遗精，虚冷不育，尿频失禁，肾虚喘咳，腰膝酸软，风湿痹痛，半身不遂，四肢不仁。

小檗科 Berberidaceae 淫羊藿属 *Epimedium*

宝兴淫羊藿 *Epimedium davidii* Franch.

| 药 材 名 | 淫羊藿。

| 形态特征 | 多年生草本，植株高 30 ~ 50 cm。根茎短粗，质坚硬，密生多数须根。一回三出复叶基生和茎生；基生叶通常较花茎短很多，长 12 ~ 25 cm；茎生对生叶 2，小叶 5 或 3，纸质或革质，卵形或宽卵形，长 6 ~ 12 cm，宽 2 ~ 5 cm，先端钝或急尖，基部心形，两侧近相等，上面深绿色，有光泽，背面苍白色，具乳突，被稀疏柔毛，两面基出脉及网脉显著，叶缘具细密刺齿；花茎具对生叶 2，有时具互生叶。圆锥花序（花序上部花稀疏，为总状花序）长 15 ~ 25 cm；花梗纤细，长 1.5 ~ 2 cm，被腺毛；花淡黄色，直径 2 ~ 3 cm；萼片 2 轮，外萼片卵形，先端钝圆，长 2 ~ 4 mm，内萼片淡红色，狭卵

形，先端近急尖，长 6 ~ 7 mm，宽 3 ~ 4 mm；花瓣远较内萼片长，距呈钻状，
长 1.5 ~ 1.8 cm，内弯，花距基部瓣片呈杯状，高约 7 mm；雄蕊长 3 ~ 4 mm，
花丝长约 7 mm，扁平，花药瓣裂，裂片外卷，先端钝尖；子房圆柱形，长约
5 mm，花柱略短于子房。蒴果长 1.5 ~ 2 cm，宿存花柱长约 5 mm，喙状。花
期 4 ~ 5 月，果期 5 ~ 8 月。

| 生境分布 | 生于海拔 1 400 ~ 2 000 m 的山区林下、灌丛中、岩石上或河边杂木林中。湖北
有分布。

| 采收加工 | 茎、叶：夏、秋季采收，晒干。

| 功能主治 | 补肾阳，强筋骨，祛风湿。用于肾阳虚衰，阳痿，遗精，筋骨痿软，风湿痹痛，
肢体麻木拘挛。

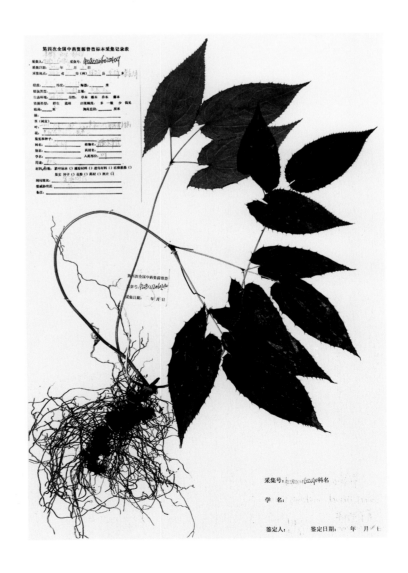

小檗科 Berberidaceae 淫羊藿属 Epimedium

木鱼坪淫羊藿 *Epimedium franchetii* Stearn

| 药 材 名 | 木鱼坪淫羊藿。

| 形态特征 | 多年生草本，植株高 20 ~ 60 cm。根茎密集，直径约 7 mm。一回三出复叶基生和茎生，具 3 小叶；小叶革质，狭卵形，长 9 ~ 14 cm，宽 6 ~ 7 cm，先端急尖或渐尖，基部深心形，顶生小叶基部裂片几相等，钝或急尖，侧生小叶基部偏斜，内侧裂片小，急尖或钝，外侧裂片较长，渐尖，上面有光泽，无毛，背面苍白色，有时带淡红色，微被伏毛，叶缘具密刺齿；花茎具对生叶 2。总状花序具 14 ~ 25 花，长 15 ~ 30 cm；花梗长 1 ~ 3 cm，被腺毛；花直径约 4.5 cm，淡黄色；萼片 2 轮，外萼片早落，长达 5 mm，绿色，内萼片狭卵形，长约 10 mm，宽 4 ~ 5 mm，先端渐尖，淡黄色；花瓣远长于内萼片，

淡黄色，距呈钻状，长约 2 cm，显著向上弯曲，基部无瓣片；雄蕊露出，长约 4.5 mm，花丝长约 2 mm，淡黄色，花药淡黄色，瓣裂；雌蕊长约 5 mm，花柱长于子房。花期 4 月。

| **生境分布** | 生于海拔 1 200 m 的山坡林下。湖北有分布。

| **采收加工** | **茎、叶**：夏、秋季采收，晒干。

| **功能主治** | 补肾阳，强筋骨，祛风湿。用于肾阳虚衰，阳痿，遗精，筋骨痿软，风湿痹痛，肢体麻木拘挛。

小檗科 Berberidaceae 淫羊藿属 Epimedium

黔岭淫羊藿 *Epimedium leptorrhizum* Stearn

| **药 材 名** | 黔岭淫羊藿。

| **形态特征** | 多年生草本，植株高 12 ~ 30 cm。匍匐根茎长达 20 cm，直径 1 ~ 2 mm，具节。一回三出复叶基生或茎生；叶柄被棕色柔毛；小叶柄着生处被褐色柔毛；小叶 3，革质，狭卵形或卵形，长 3 ~ 10 cm，宽 2 ~ 5 cm，先端长渐尖，基部深心形，顶生小叶基部裂片近等大，相互靠近，侧生小叶基部裂片不等大，极偏斜，上面色暗，无毛，背面沿主脉被棕色柔毛，常被白粉，具乳突，边缘具刺齿；花茎具一回三出复叶 2。总状花序具 4 ~ 8 花，长 13 ~ 20 cm，被腺毛；花梗长 1 ~ 2.5 cm，被腺毛；花大，直径约 4 cm，淡红色；萼片 2 轮，外萼片卵状长圆形，长 3 ~ 4 mm，先端钝圆，内萼片狭

椭圆形，长 11 ～ 16 mm，宽 4 ～ 7 mm；花瓣较内萼片长，长达 2 cm，呈角距状，基部无瓣片；雄蕊长约 4 mm，花药长约 3 mm，瓣裂，裂片外卷。蒴果长圆形，长约 15 mm，宿存花柱喙状。花期 4 月，果期 4 ～ 6 月。

| **生境分布** | 生于海拔 600 ～ 1 500 m 的山区林下或灌丛中。湖北有分布。

| **采收加工** | 茎、叶：夏、秋季采收，晒干。

| **功能主治** | 补肾阳，强筋骨，祛风湿。用于肾阳虚衰，阳痿，遗精，筋骨痿软，风湿痹痛，肢体麻木拘挛。

小檗科 Berberidaceae 淫羊藿属 Epimedium

天平山淫羊藿 *Epimedium myrianthum* Stearn

| 药 材 名 | 天平山淫羊藿。

| 形态特征 | 多年生草本，植株高 30 ～ 60 cm。根茎粗短，多须根。一回三出复叶基生和茎生，具 3 小叶，基生叶的小叶革质，通常卵形，长 5 ～ 6 cm，宽 3 ～ 4 cm，先端急尖；茎生叶的小叶通常狭卵形，有时椭圆形或披针形，长 6 ～ 11 cm，宽 2 ～ 6 cm，先端长渐尖，基部心形，顶生小叶基部裂片对称，圆形，侧生小叶基部裂片极不对称，圆形或急尖，上面有光泽，无毛，背面苍白色，被细小伏毛，叶缘平展，具细密刺齿；花茎具 2 对生叶或 3 ～ 4 轮生叶。圆锥花序长 18 ～ 34 cm，宽 7 ～ 9 cm，具 70 ～ 210 花，无毛；花梗长 5 ～ 15 mm；花细小；萼片 2 轮，外萼片 4，早落，不等大，1 对长约

2 mm，另 1 对长约 3.5 mm，先端钝，暗黑色，内萼片 4，狭卵形，急尖，长约 4 mm，宽 1.5 ～ 25 mm，白色；花瓣较内萼片短，睡袋状，无距，红色和橘红色，长 2 ～ 2.5 mm，先端钝；雄蕊外露，长约 4 mm，淡黄色，花丝长 2 mm，花药与花丝等长；雌蕊长约 5.2 mm，花柱长约 2.8 mm。果实未见。花期 4 月，果期 4 ～ 5 月。

| **生境分布** | 生于密林下、灌丛中、路旁或沟边。分布于湖北咸丰、利川、长阳等。

| **资源情况** | 野生资源稀少，栽培资源稀少。

| **功能主治** | 补肾壮阳，祛风除湿，强筋健骨。用于阳痿不举，肾虚喘咳，风湿痹痛，腰膝无力，半身不遂。

柔毛淫羊藿 *Epimedium pubescens* Maxim.

| 药 材 名 | 淫羊藿。

| 形态特征 | 多年生草本，高 30 ～ 50 cm。根茎匍匐，呈结节状，质硬，有多数纤细须根。基生叶 1 ～ 3，三出复叶，有长柄；小叶片卵形、狭卵形至卵状披针形，长 4 ～ 9 cm，宽 2.5 ～ 5 cm，先端急尖或渐尖，边缘被细刺毛，基部深心形，侧生小叶基部显著不对称，外侧斜而较长，呈尖耳状，内侧较短、近圆形；叶片革质，上面灰绿色，无毛，下面色较浅，被紧贴的刺毛或细毛。茎生叶常 2，生于茎顶，形与基生叶相似。花多数，聚成总状花序或下部分枝组成圆锥花序，长约 7.5 cm；花序轴和花梗无毛或被少数腺毛；花较小，直径 6 ～ 8 mm；萼片 8，外轮 4，卵形，较小，外有紫色斑点，易脱落，内轮 4，

较大，白色，花瓣状；花瓣 4，囊状，有短于内轮萼片的距，或于无距。蒴果卵圆形，先端具宿存花柱，呈短嘴状；种子数粒，肾形，黑色，有脉纹。花期 2 ~ 3 月，果期 4 ~ 5 月。

| **生境分布** | 生于海拔 300 ~ 2 000 m 的林下、灌丛中、山坡地边或山沟阴湿处。湖北有分布。

| **采收加工** | **地上部分**：夏、秋季茎叶茂盛时采割，除去粗梗及杂质，晒干或阴干。

| **功能主治** | 补肾阳，强筋骨，祛风湿。用于阳痿遗精，筋骨痿软，风湿痹痛，麻木拘挛。

小檗科 Berberidaceae 淫羊藿属 *Epimedium*

三枝九叶草 *Epimedium sagittatum* (Sieb. et Zucc.) Maxim.

| 药 材 名 | 箭叶淫羊藿。

| 形态特征 | 多年生草本，植株高 30 ~ 50 cm。根茎短粗，节结状，质硬，多须根。一回三出复叶基生和茎生，具小叶 3；小叶革质，卵形至卵状披针形，长 5 ~ 19 cm，宽 3 ~ 8 cm，叶片大小变化大，先端急尖或渐尖，基部心形，顶生小叶基部两侧裂片近相等，圆形，侧生小叶基部偏斜，外裂片远较内裂片大，三角形，急尖，内裂片圆形，上面无毛，背面疏被短粗伏毛或无毛，叶缘具刺齿；花茎具对生叶 2。圆锥花序长 10 ~ 20（~ 30）cm，宽 2 ~ 4 cm，具 200 花，通常无毛，偶被少数腺毛；花梗长约 1 cm，无毛；花较小，直径约 8 mm，白色；萼片 2 轮，外萼片 4，先端钝圆，具紫色斑点，其中 1 对外萼

片狭卵形，长约 3.5 mm，宽 1.5 mm，另 1 对外萼片长圆状卵形，长约 4.5 mm，宽约 2 mm，内萼片卵状三角形，先端急尖，长约 4 mm，宽约 2 mm，白色；花瓣囊状，淡棕黄色，先端钝圆，长 1.5 ~ 2 mm；雄蕊长 3 ~ 5 mm，花药长 2 ~ 3 mm；雌蕊长约 3 mm，花柱长于子房。蒴果长约 1 cm，宿存花柱长约 6 mm。花期 4 ~ 5 月，果期 5 ~ 7 月。

| 生境分布 | 生于海拔 200 ~ 1 750 m 的山坡草丛中、林下、灌丛中、水沟边或岩石缝中。湖北有分布。

| 采收加工 | **全草**：夏、秋季采收，晒干。

| 功能主治 | 补精强壮，祛风湿。用于阳痿，风湿关节痛，带下等。

小檗科 Berberidaceae 淫羊藿属 Epimedium

四川羊藿 *Epimedium sutchuenense* Franch.

| **药 材 名** | 四川淫羊藿。

| **形态特征** | 多年生草本，植株高 15 ~ 30 cm。匍匐地下茎纤细，直径 1 ~ 3 mm，节间长达 13 cm。一回三出复叶基生和茎生，小叶 3；小叶薄革质，

卵形或狭卵形，长 5 ~ 13 cm，宽 2 ~ 5 cm，先端长渐尖，边缘具密刺齿，基部深心形，顶生小叶基部裂片圆形，几相等，侧生小叶基部偏斜，内裂片圆形，外裂片较内裂片大，急尖，上面绿色，无毛，背面灰白色，具乳突，疏被灰色柔毛，基出脉 5 ~ 7，明显隆起，网脉显著；花茎具 2 对生叶。总状花序长 8 ~ 15 cm，具花 4 ~ 8，被腺毛；花梗长 1.5 ~ 2.5 cm，被腺毛；花暗红色或淡紫红色，直径 3 ~ 4 cm；萼片 2 轮，外萼片 4，外 1 对卵形，长约 3 mm，先端钝圆，内 1 对阔倒卵形，长约 4 mm，内萼片 4，狭披针形，先端长渐尖，向背面反折，长 1.5 ~ 1.7 cm，基部宽约 3 mm；花瓣与内萼片等长或稍长，呈角状距，基部浅囊状，无瓣片，向先端渐细，向背面反折，长 1.52 cm；雄蕊外露，长 4 ~ 5 mm，花丝长 1 ~ 2 mm，花药长 3 ~ 4 mm，瓣裂，裂片外卷。蒴果长 1.5 ~ 2 cm，宿存花柱喙状。花期 3 ~ 4 月，果期 5 ~ 6 月。

| **生境分布** | 生于林下、灌丛中、草地或溪边阴处。湖北有分布。

| **资源情况** | 野生资源稀少，栽培资源稀少。

| **采收加工** | 全年均可采收。

| **功能主治** | 补肾壮阳，祛风除湿。

小檗科 Berberidaceae 淫羊藿属 Epimedium

巫山淫羊藿
Epimedium wushanense Ying

| 药 材 名 |　巫山淫羊藿。

| 形态特征 |　多年生常绿草本，植株高 50 ~ 80 cm。根茎结节状，粗短，质地坚硬，表面被褐色鳞片，多须根。一回三出复叶基生和茎生，具长柄，小叶 3；小叶具柄，叶片革质，披针形至狭披针形，长 9 ~ 23 cm，宽 1.8 ~ 4.5 cm，先端渐尖或长渐尖，边缘具刺齿，基部心形，顶生小叶基部具均等的圆形裂片，侧生小叶基部的裂片偏斜，内边裂片小，圆形，外边裂片大，三角形，渐尖，上面无毛，背面被绵毛或秃净，叶缘具刺锯齿；花茎具对生叶 2。圆锥花序顶生，长 15 ~ 30 cm，偶达 50 cm，具多数花朵，花序轴无毛；花梗长 1 ~ 2 cm，疏被腺毛或无毛；花淡黄色，直径达 3.5 cm；萼片 2 轮，外萼片近圆形，

长 2 ~ 5 mm，宽 1.5 ~ 3 mm，内萼片阔椭圆形，长 3 ~ 15 mm，宽 1.5 ~ 8 mm，先端钝；花瓣呈角状距，淡黄色，向内弯曲，基部浅杯状，有时基部带紫色，长 0.6 ~ 2 cm；雄蕊长约 5 mm，花丝长约 1 mm，花药长约 4 mm，瓣裂，裂片外卷；雌蕊长约 5 mm，子房斜圆柱形，有长花柱，含胚珠 10 ~ 12。蒴果长约 1.5 cm，宿存花柱喙状。花期 4 ~ 5 月，果期 5 ~ 6 月。

| **生境分布** | 生于草丛、沟边、灌木林中。湖北有分布。

| **采收加工** | 叶：夏、秋季茎叶茂盛时采收，除去杂质，晒干或阴干。

| **功能主治** | 补肝肾，强筋骨，助阳益精，祛风除湿。用于阳痿，腰膝痿弱，风寒湿痹，神疲健忘，四肢麻木及围绝经期高血压。

小檗科 Berberidaceae 十大功劳属 Mahonia

阔叶十大功劳 *Mahonia bealei* (Fort.) Carr.

| 药 材 名 | 功劳木、十大功劳根、十大功劳叶、功劳子。

| 形态特征 | 灌木或小乔木，高 0.5 ~ 4（~ 8）m。叶狭倒卵形至长圆形，长 27 ~ 51 cm，宽 10 ~ 20 cm，具 4 ~ 10 对小叶，最下面 1 对小叶 距叶柄基部 0.5 ~ 2.5 cm，正面暗灰绿色，背面被白霜，有时呈 淡黄绿色或苍白色，两面叶脉不显，叶轴直径 2 ~ 4 mm，节间长 3 ~ 10 cm；小叶厚革质，硬且直，自叶下部往上小叶渐次变长而 狭，最下面 1 对小叶卵形，长 1.2 ~ 3.5 cm，宽 1 ~ 2 cm，具 1 ~ 2 粗锯齿，上面小叶近圆形至卵形或长圆形，长 2 ~ 10.5 cm，宽 2 ~ 6 cm，基部阔楔形或圆形，偏斜，有时呈心形，边缘每边具 2 ~ 6 粗锯齿，先端具硬尖。总状花序直立，通常 3 ~ 9 簇生；芽鳞卵形

至卵状披针形，长 1.5 ～ 4 cm，宽 0.7 ～ 1.2 cm；花梗长 4 ～ 6 cm；花黄色。浆果卵形，长约 1.5 cm，直径 1 ～ 1.2 cm，深蓝色，被白粉。花期 9 月至翌年 1 月，果期 3 ～ 5 月。

| 生境分布 |　生于海拔 500 ～ 2 000 m 的向阳山坡灌丛中。湖北有分布。

| 采收加工 |　**功劳木：**全年均可采收，鲜用或晒干。

十大功劳根：全年均可采挖，洗净泥土，除去须根，切段，晒干或鲜用。

十大功劳叶：全年均可采摘，晒干。

功劳子：6 月采摘，晒干，去净杂质，晒至足干为度。

| 功能主治 |　**功劳木：**清热，燥湿，解毒。用于肺热咳嗽，黄疸，泄泻，痢疾，目赤肿痛，疮疡，湿疹，烫伤。

十大功劳根：清热，燥湿，消肿解毒。用于湿热痢疾，腹泻，黄疸，肺痨咯血，咽喉痛。

十大功劳叶：清虚热，燥湿，解毒。用于肺痨咯血，骨蒸潮热，头晕耳鸣，腰膝酸软。

功劳子：清虚热，补肾，燥湿。用于骨蒸潮热，头晕耳鸣，腰膝酸软。

鄂西十大功劳

Mahonia decipiens Schneid.

| 药 材 名 |

刺黄连。

| 形态特征 |

灌木,高1～2m。叶椭圆形,长15～20cm,宽7～11cm,具2～7对小叶,最下1对小叶距叶柄基部4～6cm,上面暗绿色,背面淡暗绿色;两面叶脉少分枝而稍隆起;叶轴直径约2mm,节间长2.5～3.5cm;小叶有时邻接,卵形至卵状椭圆形,最下1对小叶长3～5.5cm,宽1.5～3cm,向上渐大,长4.5～7cm,宽2.5～3.5cm,基部近截形,边缘每边具3～6刺锯齿,先端急尖,顶生小叶较大,长7.5～9.5cm,宽3.5～5cm,柄长1.5～2cm。总状花序1或2簇生,长4～6cm;芽鳞卵形或狭卵形,长1～1.5cm,宽4～7mm;花梗长2.5～3mm;苞片卵形,长2～2.5mm,宽约1.5mm;花黄色;外萼片卵形,长2.3～2.5mm,宽1.5～2mm,中萼片阔卵形,长3～3.5mm,宽2～2.5mm,内萼片椭圆形,长5～6mm,宽3～4mm;花瓣倒卵形,长5～5.5mm,宽3.2mm,基部腺体显著,先端微缺裂;雄蕊长约3mm,药隔不延伸,先端平截;子房长约2.5mm,

花柱长约 0.3 mm，胚珠 2。浆果不详。花期 4 ~ 8 月。

| **生境分布** | 生于海拔 850 ~ 1 500 m 的山坡林中或灌丛中。分布于湖北长阳等。

| **资源情况** | 野生资源稀少。

| **采收加工** | 全年均可采收。根，除去须根，洗净泥土，晒干。茎，除去残叶、杂质，晒干。

| **功能主治** | 清热解毒，化痰止咳。用于感冒发热，咽喉肿痛，肠炎，痢疾，黄疸，高血压，劳嗽咯血，跌打损伤，牙痛。

小檗科 Berberidaceae 十大功劳属 Mahonia

宽苞十大功劳 *Mahonia eurybracteata* Fedde

| 药 材 名 | 宽苞十大功劳。

| 形态特征 | 灌木，高 0.5 ~ 2（~ 4）m。叶长圆状倒披针形，长 25 ~ 45 cm，宽 8 ~ 15 cm，具 6 ~ 9 对斜升的小叶，最下面 1 对小叶距叶柄基

部约 5 cm 或靠近基部，正面暗绿色，侧脉不显，背面淡黄绿色，叶脉开放，明显隆起，叶轴直径 2 ～ 3 mm，节间长 3 ～ 6 cm，往上节间渐短；小叶椭圆状披针形至狭卵形，最下面 1 对小叶长 2.6 cm，宽 0.8 ～ 1.2 cm，上面小叶长 4 ～ 10 cm，宽 2 ～ 4 cm，基部楔形，边缘每边具 3 ～ 9 刺齿，先端渐尖，顶生小叶稍大，长 8 ～ 10 cm，宽 1.2 ～ 4 cm，近无柄或具长约 3 cm 的柄。总状花序，4 ～ 10 花簇生，长 5 ～ 10 cm；芽鳞卵形，长 1 ～ 1.5 cm，宽 0.6 ～ 1 cm；花梗细弱，长 3 ～ 5 mm；苞片卵形，长 2.5 ～ 3 mm，宽 1.5 ～ 2 mm；花黄色；外萼片卵形，长 2 ～ 3 mm，宽 1 ～ 2 mm，中萼片椭圆形，长 3 ～ 4.5 mm，宽 1.6 ～ 2.8 mm，内萼片椭圆形，长 3 ～ 5 mm，宽 1.8 ～ 3 mm；花瓣椭圆形，长 3 ～ 4.3 mm，宽 1 ～ 2 mm，基部腺体明显或不明显，先端微缺裂；雄蕊长 2 ～ 2.6 mm，药隔不延伸，先端平截；子房长约 2.5 mm，柱头显著，长约 0.5 mm，胚珠 2。浆果倒卵形或长圆形，长 4 ～ 5 mm，直径 2 ～ 4 mm，蓝色或淡红紫色，具宿存花柱，被白粉。花期 8 ～ 11 月，果期 11 月至翌年 5 月。

| **生境分布** | 生于海拔 350 ～ 1 950 m 的山区常绿阔叶林、灌丛、草坡或向阳岩石坡。湖北有分布。

| **采收加工** | **根、根茎：** 全年均可采收，鲜用或晒干。

| **功能主治** | 清肺热，泻火。用于肺热咳嗽，黄疸，泄泻，痢疾，目赤肿痛，疮疡，湿疹，烫伤。

小檗科 Berberidaceae 十大功劳属 Mahonia

十大功劳 *Mahonia fortunei* (Lindl.) Fedde

| 药 材 名 | 功劳木、功劳根、功劳子。

| 形态特征 | 常绿灌木，高达 2 m。根和茎断面黄色，叶苦。一回羽状复叶互生，长 15 ~ 30 cm；小叶 3 ~ 9，革质，披针形，长 5 ~ 12 cm，宽 1 ~ 2.5 cm，侧生小叶片等长，顶生小叶最大，均无柄，先端急尖或渐尖，基部狭楔形，边缘有 6 ~ 13 刺状锐齿；托叶细小，外形。总状花序直立，4 ~ 8 簇生；萼片 9，3 轮；花瓣黄色，花瓣 6，2 轮；花梗长 1 ~ 4 mm。浆果圆形或长圆形，长 4 ~ 6 mm，蓝黑色，有白粉。花期 7 ~ 10 月。

| 生境分布 | 生于阔叶林、竹林、杉木林及混交林下、林缘、草坡、溪边、路旁或灌丛中。分布于湖北十堰及丹江口。

| **资源情况** | 野生资源较丰富，栽培资源较少。药材主要来源于野生。

| **采收加工** | 功劳木：全年均可采收，鲜用或晒干；亦可先将茎外层粗皮刮掉，然后采剥茎皮，鲜用或晒干。

功劳根：全年均可采挖，洗净泥土，除去须根，切段，晒干或鲜用。

功劳子：6 月采摘果实，晒干，去净杂质，晒至足干。

| **功能主治** | 功劳木：清热燥湿，泻火解毒。用于湿热泻痢，黄疸尿赤，目赤肿痛，胃火牙痛，疮疖痈肿。

功劳根：清热，燥湿，消肿，解毒。用于湿热痢疾，腹泻，黄疸，肺痨咯血，咽喉痛，目赤肿痛，疮疡，湿疹。

功劳子：清虚热，补肾，燥湿。用于骨蒸潮热，腰膝酸软，头晕耳鸣，湿热腹泻，带下，淋浊。

小檗科 Berberidaceae 十大功劳属 Mahonia

细柄十大功劳 *Mahonia gracilipes* (Oliv.) Fedde

| 药 材 名 | 刺黄柏。

| 形态特征 | 小灌木，高约 1 m。叶椭圆形至狭椭圆形，长 20 ~ 41 cm，宽 7 ~ 11 cm，具 2 ~ 3 对近无柄的小叶，最下部的小叶离叶柄基部 3.5 ~ 10 cm，上面暗绿色，背面被白粉；两面网状脉明显隆起；节间长 5 ~ 7 cm，叶轴粗壮，直径 2 ~ 3 mm；最下部小叶长圆形，长 6 ~ 11 cm，宽 2 ~ 5 cm，上部小叶长圆形至倒披针形，长 8 ~ 13 cm，宽 3.5 ~ 5 cm，基部楔形，中部以下全缘，以上每边具 1 ~ 5 刺齿；顶生小叶长 8 ~ 14.5 cm，宽 3 ~ 7.3 cm，小叶柄长 2 ~ 5.5 cm。总状花序分枝或不分枝，3 ~ 5 簇生，长（6 ~ ）25 ~ 35 cm，花较稀疏；芽鳞披针形，长 2 ~ 2.5 cm，宽 4 ~ 7 mm；

花梗纤细，长 1.3 ~ 2.4 cm；苞片长 1 ~ 2 mm；花具黄色花瓣和紫色萼片；外萼片卵形，长 2.2 ~ 3 mm，宽 1.5 ~ 2 mm，先端急尖，中萼片椭圆形，长 4.5 ~ 5 mm，宽 2.1 ~ 2.8 mm，急尖，内萼片椭圆形，长 5 ~ 5.5 mm，宽 2.2 ~ 3.2 mm；花瓣长圆形，长 4 ~ 5 mm，宽 2 ~ 2.6 mm，基部具 2 腺体，先端微缺，裂片急尖；雄蕊长 2 ~ 3 mm，药隔不延伸，先端平截；子房长约 2 mm，花柱极短，胚珠 2 ~ 4。浆果球形，直径 5 ~ 8 mm，黑色，被白粉。花期 4 ~ 8 月，果期 9 ~ 11 月。

| **生境分布** | 生于常绿阔叶林或落叶阔叶与常绿阔叶混交林下、林缘、阴坡。湖北有分布。

| **资源情况** | 野生资源稀少。

| **采收加工** | 夏、秋季采挖，洗净，晒干。

| **功能主治** | 清热燥湿，泻火解毒。用于湿热痢疾，腹泻，黄疸，目赤肿痛，痈肿疮疡，风湿热痹，劳热骨蒸，咯血，头晕。

小叶十大功劳 *Mahonia microphylla* Ying et G. R. Long

| 药 材 名 | 小叶十大功劳。

| 形态特征 | 灌木，高约 1 m。叶狭椭圆形，长 17 ～ 20 cm，宽 3.5 ～ 4.5 cm，具 10 ～ 14 对小叶，最下 1 对小叶距叶柄基部 0.5 ～ 1 cm，上面绿色；中脉微凹陷，侧脉微显，背面淡黄绿色，叶脉不显；叶轴直径约 1 mm，节间长 1 ～ 2 cm；小叶革质，全缘，无柄，最下 1 对小叶卵形或狭卵形，长 1 ～ 1.5 cm，宽 5 ～ 9 mm，自第 2 对往上小叶卵形至卵状椭圆形，长 1.5 ～ 2.5 cm，宽 0.8 ～ 1.2 cm，基部略偏斜，圆形或浅心形，先端渐尖，顶生小叶较大，卵状椭圆形，长 3 ～ 4.5 cm，宽 1 ～ 1.5 cm，无柄或具柄，长 0.6 ～ 1 cm。总状花序 3 ～ 12 簇生，长 4 ～ 13 cm；芽鳞卵状披针形，长 1 ～ 1.5 cm，宽约 0.5 cm；

花梗长 3 ~ 4 mm；苞片卵形，长 2 ~ 2.2 mm，宽约 1 mm，先端渐尖；花金黄色，具香味；外萼片卵形，长约 2 mm，宽 1 ~ 1.1 mm，中萼片倒卵状长圆形，长 3.4 ~ 3.8 mm，宽 2.1 ~ 2.2 mm，先端钝圆，内萼片椭圆形，长 4.8 ~ 5 mm，宽 2.5 ~ 3 mm，先端钝；花瓣狭椭圆形，长 4 ~ 4.1 mm，宽 1.8 ~ 2 mm，基部腺体显著，先端缺裂；雄蕊长约 2.5 mm，药隔不延伸，先端圆形；子房卵形，长约 2 mm，无花柱，胚珠 2 ~ 3。浆果近球形，长 7 ~ 9 mm，直径 6 ~ 8 mm，蓝黑色，微被白粉，无宿存花柱；种子通常 2。花期 10 ~ 11 月，果期 12 月至翌年 1 月。

| 生境分布 | 生于石灰岩山顶、山脊林下或灌丛中。分布于湖北保康。

| 资源情况 | 野生资源稀少。

| 功能主治 | 清热解毒，止咳化痰。

小檗科 Berberidaceae 十大功劳属 *Mahonia*

长阳十大功劳 *Mahonia sheridaniana* Schneid.

| 药 材 名 | 刺黄柏。

| 形态特征 | 灌木，高 0.5 ~ 3 m。叶椭圆形至长圆状披针形，长 17 ~ 36 cm，宽 8 ~ 14 cm，具 4 ~ 9 对小叶，最下 1 对小叶距叶柄基部 0.7 ~ 1 cm，上面暗绿色，或稍有光泽，叶脉不显著，背面淡绿色，叶脉稍隆起，节间长 1.5 ~ 5 cm；小叶厚革质，硬直，卵形至卵状披针形，最下 1 对小叶长 1.2 ~ 3 cm，宽 0.8 ~ 1.05 cm，往上小叶增大，长 3 ~ 9.5 cm，宽 1.5 ~ 3.6 cm，基部阔圆形至近楔形，或近心形，略偏斜，边缘每边具 2 ~ 5 牙齿，先端急尖；顶生小叶长 6.5 ~ 11 cm，宽 2.5 ~ 4 cm，小叶柄长 0.8 ~ 2.5 cm。总状花序 4 ~ 10 簇生，长 5 ~ 18 cm；芽鳞阔披针形至卵形、长 1 ~ 2 cm，宽 0.5 ~ 1.2 cm；

花梗长 3 ～ 5 mm；苞片卵形，长 2 ～ 3.5 mm，宽 1 ～ 1.7 mm；花黄色；外萼片狭卵形、卵形至卵状披针形，长 2.5 ～ 4.5 mm，宽 1.5 ～ 1.6 mm，中萼片卵形至卵状披针形，长 4.5 ～ 6 mm，宽 2 ～ 3 mm，内萼片椭圆形，长 5.5 ～ 8.2 mm，宽 3 ～ 3.8 mm；花瓣倒卵状椭圆形至长圆形，长 5 ～ 6.5 mm，宽 2 ～ 2.8 mm，基部腺体显著，先端微缺；雄蕊长 3 ～ 4 mm，药隔不延伸，先端平截；子房长 2 ～ 3 mm，花柱长约 0.3 mm，胚珠 2 ～ 3。浆果卵形至椭圆形，长 8 ～ 10 mm，直径 4 ～ 7 mm，蓝黑色或暗紫色，被白霜，宿存花柱极短。花期 3 ～ 4 月，果期 4 ～ 6 月。

| **生境分布** | 生于海拔 1 600 m 左右的常绿阔叶林、竹林或灌丛中，以及路边或山坡。湖北有分布。

| **采收加工** | **根、茎：**夏、秋季采挖，洗净，晒干。

| **功能主治** | 清热燥湿，泻火解毒。用于湿热痢疾，腹泻，黄疸，目赤肿痛，痈肿疮疡，风湿热痹，劳热骨蒸，咯血，头晕。

小檗科 Berberidaceae 南天竹属 Nandina

南天竹
Nandina domestica Thunb.

| 药 材 名 | 南天竹子。

| 形态特征 | 常绿小灌木。茎常丛生而少分枝，高 1 ~ 3 m，光滑无毛，幼枝常为红色，老后呈灰色。叶互生，集生于茎的上部，三回羽状复叶，长 30 ~ 50 cm，二至三回羽片对生；小叶薄革质，椭圆形或椭圆状披针形，长 2 ~ 10 cm，宽 0.5 ~ 2 cm，先端渐尖，基部楔形，全缘，正面深绿色，冬季变为红色，背面叶脉隆起，两面均无毛，近无柄。圆锥花序直立，长 20 ~ 35 cm；花小，白色，芳香，直径 6 ~ 7 mm；萼片多轮，外轮萼片卵状三角形，长 1 ~ 2 mm，向内各轮渐大，最内轮萼片卵状长圆形，长 2 ~ 4 mm；花瓣长圆形，长约 4.2 mm，宽约 2.5 mm，先端圆钝；雄蕊 6，长约 3.5 mm，花丝短，花药纵裂，

药隔延伸；子房 1 室，具 1 ~ 3 胚珠。果柄长 4 ~ 8 mm；浆果球形，直径 6 ~ 8 mm，成熟时呈鲜红色，稀为橙红色；种子扁圆形。花期 3 ~ 6 月，果期 5 ~ 11 月。

| **生境分布** | 生于海拔 1 200 m 以下的山地林下、沟旁、路边或灌丛中。湖北有分布。

| **采收加工** | **果实：** 秋季果实成熟时或翌年春季采收，晒干。

| **功能主治** | 敛肺止咳，平喘。用于久咳，气喘，百日咳。

防己科 Menispermaceae 木防己属 Cocculus

木防己
Cocculus orbiculatus (L.) DC.

| 药 材 名 | 木防己、木防己花。

| 形态特征 | 木质藤本。小枝被绒毛或疏柔毛，有时近无毛，有条纹。叶片纸质至近革质，形状变异极大，线状披针形至阔卵状圆形、狭椭圆形至近圆形或倒披针形至倒心形，有时呈卵状心形，先端短尖或钝而有小凸尖，长通常为 3 ~ 8 cm，很少超过 10 cm，宽不等；叶柄长 1 ~ 3 cm，稀长超过 5 cm，被稍密的白色柔毛。聚伞花序少花，腋生，或排成多花，狭窄聚伞圆锥花序顶生或腋生，长 10 cm 或更长，被柔毛；雄花小苞片 2 或 1，长约 0.5 mm，紧贴花萼，被柔毛，萼片 6，雄蕊 6；雌花萼片和花瓣与雄花相同，退化雄蕊 6，极小，心皮 6，无毛。核果近球形，红色至紫红色，直径 7 ~ 8 mm，果核骨质，直

径 5 ~ 6 mm，背部有小横肋状雕纹。

| 生境分布 | 生于灌丛、村边、林缘等。湖北有分布。

| 采收加工 | 木防己：春、秋季采挖，以秋季采挖者质量为好。挖取根部，除去芦头，洗净，晒干。

木防己花：5 ~ 6 月采摘，鲜用或阴干、晒干。

| 功能主治 | 木防己：祛风除湿，通经活络，解毒消肿。用于风湿痹痛，水肿，小便淋痛，闭经，跌打损伤，咽喉肿痛，湿疹，毒蛇咬伤。

木防己花：解毒化痰。用于慢性骨髓炎。

防己科 Menispermaceae 木防己属 Cocculus

毛木防己

Cocculus orbiculatus (L.) DC. var. *mollis* (Wall. ex Hook. f. et Thoms.) Hara

| 药 材 名 | 木防己。

| 形态特征 | 木质藤本；小枝被绒毛至疏柔毛，或近无毛，有条纹。叶片纸质至近革质，形状变异极大，自线状披针形至阔卵状近圆形、狭椭圆形至近圆形、倒披针形至倒心形，有时卵状心形，先端短尖或钝而有小突尖，有时微缺或 2 裂，全缘或 3 裂，有时掌状 5 裂，长通常 3 ~ 8 cm，很少超过 10 cm，宽不等，两面被密柔毛至疏柔毛，有时除下面中脉外两面近无毛；掌状脉 3，稀 5，在下面微凸起；叶柄长 1 ~ 3 cm，很少超过 5 cm，被稍密的白色柔毛。聚伞花序少花，腋生，或排成多花，狭窄成聚伞圆锥花序，顶生或腋生，长可达 10 cm 或更长，被柔毛；雄花小苞片 1 或 2，长约 0.5 mm，紧贴花萼，

被柔毛；萼片 6，外轮卵形或椭圆状卵形，长 1 ~ 1.8 mm，内轮阔椭圆形至近圆形，有时阔倒卵形，长达 2.5 mm 或稍过之；萼片背面被毛；花瓣 6，长 1 ~ 2 mm，下部边缘内折，抱着花丝，先端 2 裂，裂片叉开，渐尖或短尖；雄蕊 6，比花瓣短；雌花萼片和花瓣与雄花相同，退化雄蕊 6，微小，心皮 6，无毛。核果近球形，红色至紫红色，直径通常 7 ~ 8 mm；果核骨质，直径 5 ~ 6 mm，背部有小横肋状雕纹。

| **生境分布** | 生于疏林中和灌丛中。湖北有分布。

| **资源情况** | 野生资源较少。

| **采收加工** | **根**：春、秋季采挖，以秋季采挖质量较好，除去茎、叶、芦头，洗净，晒干。

| **功能主治** | 祛风除湿，通经活络，解毒消肿。用于风湿痹痛，水肿，小便淋痛，闭经，跌打损伤，咽喉肿痛，疮疡肿毒，湿疹，毒蛇咬伤。

防己科 Menispermaceae 轮环藤属 Cyclea

轮环藤

Cyclea racemosa Oliv.

| 药 材 名 | 小清藤香。

| 形态特征 | 藤本。老茎木质化，枝纤细，有条纹，被柔毛或近无毛。叶盾状或近盾状，纸质，卵状三角形或三角状圆形，长 4 ~ 9 cm 或稍过之，宽 3.5 ~ 8 cm，先端短尖至尾状渐尖，基部近平截至心形，全缘，上面被疏柔毛或近无毛，下面通常被密柔毛，有时被疏柔毛，掌状脉 9 ~ 11，向下的 4 ~ 5 掌状脉纤细，有时不明显，连同网状小脉在下面凸起；叶柄较纤细，比叶片短或与之近等长，被柔毛。聚伞圆锥花序狭窄，为总状花序，花密，长 3 ~ 10 cm 或稍过之。核果扁球形，疏被刚毛，果核直径 3.5 ~ 4 mm，背部中肋两侧各有 3 行圆锥状小凸体，胎座迹球形。花期 4 ~ 5 月，果期 8 月。

| **生境分布** | 生于林缘。湖北有分布。

| **采收加工** | **根：** 秋季采挖，鲜用或晒干。

| **功能主治** | 理气止痛，除湿解毒。用于胸脘胀痛，腹痛吐泻，风湿痹痛，咽喉肿痛，毒蛇咬伤，外伤出血。

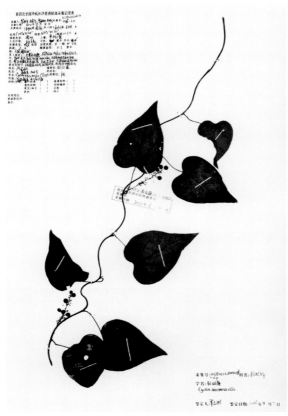

防己科 Menispermaceae 秤钩风属 Diploclisia

秤钩风 *Diploclisia affinis* (Oliv.) Diels

| **药 材 名** | 秤钩风。

| **形态特征** | 木质藤本，长 7 ~ 8 m。当年生枝草黄色，有条纹，老枝红褐色或黑褐色，有许多纵裂的皮孔，均无毛；腋芽 2，叠生。叶革质，三角状扁圆形或菱状扁圆形，有时近菱形或阔卵形，长 3.5 ~ 9 cm 或稍过之，宽度通常稍大于长度，先端短尖或钝而具小凸尖，基部近平截至浅心形，有时近圆形或骤短尖，边缘具明显或不明显的波状圆齿，掌状脉 5，最外侧的 1 对掌状脉几不分枝，连同网脉在两面均凸起；叶柄与叶片近等长或较叶片长，在叶片的基部或近基部处着生。聚伞花序腋生，有 3 至多花，总梗直，长 2 ~ 4 cm；雄花萼片椭圆形至阔卵圆形，长 2.5 ~ 3 mm，外轮宽约 1.5 mm，内轮宽

2 ~ 2.5 mm，花瓣卵状菱形，长 1.5 ~ 2 mm，基部两侧反折，呈耳状，抱着花丝，雄蕊长 2 ~ 2.5 mm；雌花未见。核果红色，倒卵圆形，长 8 ~ 10 mm，宽约 7 mm。花期 4 ~ 5 月，果期 7 ~ 9 月。

| 生境分布 | 生于林缘或疏林中。湖北有分布。

| 采收加工 | **根、茎：**全年均可采收，以秋季采收为佳。挖取根部或割取老茎，除去泥土，晒干或鲜用。

| 功能主治 | 祛风湿，活血，利尿。用于风湿关节痛，跌打损伤，小便不利等。

防己科 Menispermaceae 蝙蝠葛属 Menispermum

蝙蝠葛
Menispermum dauricum DC.

| 药 材 名 | 北豆根。

| 形态特征 | 草质落叶藤本。根茎褐色，垂直。茎自位于近顶部的侧芽生出，一年生茎纤细，有条纹，无毛。叶纸质或近膜质，通常为心状扁圆形，边缘有 3 ~ 9 角或 3 ~ 9 裂，很少近全缘，基部心形至近平截，两面无毛，下面有白粉；掌状脉 9 ~ 12，其中向基部伸展的 3 ~ 5 很细，均在背面凸起；叶柄长 3 ~ 10 cm 或稍长，有条纹。圆锥花序单生或双生，有细长的总梗；花数至 20 或更多，密集或稍疏散；花梗纤细。核果紫黑色；果核宽约 10 mm，高约 8 mm，基部弯缺深约 3 mm。花期 6 ~ 7 月，果期 8 ~ 9 月。

| 生境分布 | 生于山地灌丛中或攀缘于岩石上。湖北有分布。

| 采收加工 | **根**：春、秋季采挖，除去残茎及须根，洗净泥土，晒干，切片。

| 功能主治 | 清热解毒，消肿利咽。用于火毒蕴结，乳蛾喉痹，咽喉肿痛，齿龈肿痛，口舌生疮。

防己科 Menispermaceae 细圆藤属 Pericampylus

细圆藤 *Pericampylus glaucus* (Lam.) Merr

| 药 材 名 | 黑风散。

| 形态特征 | 木质藤本，长达 10 余米或更长。小枝通常被灰黄色绒毛，有条纹，常长而下垂，老枝无毛。叶纸质至薄革质，多数呈三角状卵形至三角状圆形，少数呈卵状椭圆形，长 3.5 ~ 8 cm，很少超过 10 cm，先端钝或圆，稀短尖，有小凸尖，基部近平截至心形，稀阔楔尖，边缘有圆齿或近全缘，两面被绒毛或上面被疏柔毛至近无毛，稀两面近无毛，掌状脉通常 5，稀 3，网状小脉较明显；叶柄长 3 ~ 7 cm，被绒毛，通常生于叶片基部，稀盾状着生。聚伞花序伞房状，长 2 ~ 10 cm，被绒毛；雄花萼片背面多少被毛，最外轮萼片狭，长 0.5 mm，中轮萼片倒披针形，长 1 ~ 1.5 mm，内轮萼片稍阔，花瓣

6，楔形或匙形，长 0.5 ～ 0.7 mm，边缘内卷，雄蕊 6，花丝分离，聚合上升，或不同程度地黏合，长 0.75 mm；雌花萼片和花瓣与雄花相似，退化雄蕊 6，子房长 0.5 ～ 0.7 mm，柱头 2 裂。核果红色或紫色，果核直径 5 ～ 6 mm。花期 4 ～ 6 月，果期 9 ～ 10 月。

| 生境分布 |　生于林中、林缘和灌丛中。湖北有分布。

| 采收加工 |　**藤茎、叶：**全年均可采收，晒干或鲜用。

| 功能主治 |　清热解毒，息风止痉，祛风除湿。用于咽喉肿痛，惊风抽搐，风湿痹痛，跌打损伤。

防己科 Menispermaceae 风龙属 Sinomenium

风龙 *Sinomenium acutum* (Thunb.) Rehd. et Wils.

| **药 材 名** | 青风藤。

| **形态特征** | 木质大藤本，长可达 20 余米。茎灰褐色，有不规则裂纹；小枝圆柱形，有直线纹，被柔毛或近无毛。叶纸质至革质，心状圆形或卵圆形，长 7 ~ 15 cm，宽 5 ~ 10 cm，先端尖或急尖，基部心形或近截形，全缘或 3 ~ 7 角状浅裂，上面绿色，下面灰绿色，嫩叶被绒毛，老叶无毛或仅下面被柔毛，掌状脉通常 5；叶柄长 5 ~ 15 cm。圆锥花序腋生，大型，有毛；花小，淡黄绿色，单性异株，花瓣 6，长 0.7 ~ 1 mm；萼片 6，2 轮，背面被柔毛，雄蕊 9 ~ 12；雌花的不育雄株丝状，心皮 3。花期夏季，果期秋季。

| 生境分布 | 生于林中、林缘、沟边或灌丛中。湖北有分布。

| 采收加工 | **藤茎：** 6 ～ 7 月割取，除去细茎枝和叶，晒干或用水润透。

| 功能主治 | 祛风通络，除湿止痛。用于风湿痹痛，历节风，脚气肿痛。

防己科 Menispermaceae 千金藤属 Stephania

金线吊乌龟 Stephania cepharantha Hayata

| 药材名 | 白药子。

| 形态特征 | 草质、落叶、无毛藤本，高 1 ～ 2 m 或过之。块根团块状或近圆锥状，有时形状不规则，褐色，生有许多凸起的皮孔。小枝紫红色，纤细。叶纸质，三角状扁圆形至近圆形，长 2 ～ 6 cm，宽 2.5 ～ 6.5 cm，先端具小凸尖，基部圆或近平截，全缘或呈浅波状，掌状脉 7 ～ 9，向下的掌状脉纤细；叶柄长 1.5 ～ 7 cm，纤细。雌、雄花序均为头状花序，具盘状花托，雄花序总梗丝状，常于腋生、具小型叶的小枝上呈总状排列，雌花序总梗粗壮，单个腋生；雄花萼片通常 6，稀 8（偶 4），匙形或近楔形，长 1 ～ 1.5 mm，花瓣 3 或 4（稀 6），近圆形或阔倒卵形，长约 0.5 mm，聚药雄蕊极短；雌花萼片 1，偶

为 2 ～ 3（～ 5），长约 0.8 mm 或过之，花瓣 2（～ 4），肉质，比萼片小。核果阔倒卵圆形，长约 6.5 mm，成熟时呈红色，果核背部两侧各有小横肋状雕纹 10 ～ 12，胎座迹通常不穿孔。花期 4 ～ 5 月，果期 6 ～ 7 月。

| **生境分布** | 生于林缘、石灰岩地区的石缝等。湖北有分布。

| **采收加工** | **块根**：全年或秋末冬初采挖，洗净，晒干或鲜用。

| **功能主治** | 清热解毒，祛风止痛，凉血止血。用于咽喉肿痛，热毒，风湿痹痛，腹痛，吐血，外伤出血。

防己科 Menispermaceae 千金藤属 Stephania

江南地不容

Stephania excentrica Lo

| 药 材 名 | 江南地不容。

| 形态特征 | 草质缠绕藤本，全株无毛。块根短棒状、纺锤状或团块状。枝褐色，有直纹。叶纸质，三角形或三角状圆形，长、宽通常为 5 ~ 10 cm，稀达 13 cm，先端钝，具凸尖，基部微凹至浅心形，稀近平截，全缘，偶呈不规则浅波状，向上的掌状脉 3，向下的掌状脉 6 ~ 7，其中 2 掌状脉平伸，在腹面清楚可见，在背面凸起，网脉细密，干时常变为茶褐色；叶柄长可达 14 cm，盾状着生于距叶片基部 1 ~ 2 cm 处。雄花序腋生或生于腋生并具小型叶的短枝上，通常为复伞形聚伞花序，总梗长 2 ~ 5 cm，稍呈肉质，先端有小苞片，伞梗纤细，长 1 ~ 3 cm，小聚伞花序有梗，5 ~ 8 伞状簇生于伞梗的末端；雄

花萼片 6，淡绿色，排成 2 轮。果核近圆球形，直径约 6 mm，背部有 4 列刺状突起，每列有刺状突起 16 ~ 18，刺的先端弯钩状，胎座迹偏侧穿孔。花期 6 月。

| 生境分布 |　生于林缘或林区路旁灌丛中。湖北有分布。

| 采收加工 |　**块根：**秋、冬季采挖，洗净，晒干。

| 功能主治 |　理气止痛。用于脘腹胀痛。

防己科 Menispermaceae 千金藤属 Stephania

草质千金藤 Stephania herbacea Gagnep.

| 药 材 名 | 铜锣七。

| 形态特征 | 草质藤本；根茎纤细，匍匐，节上生纤维状根，小枝细瘦，无毛。叶近膜质，阔三角形，长 4 ~ 6 cm，宽 4.5 ~ 8 cm 或稍过之，先端钝，有时有小突尖，基部近平截，全缘或有角，两面无毛，下面粉绿色；掌状脉向上的 3，二叉分枝，向下的 4 ~ 5 或其中 2 近平伸，较纤细，均在下面微凸，网状小脉稍明显；叶柄比叶片长，明显盾状着生。单伞形聚伞花序腋生，总花梗丝状，长 2 ~ 4 cm，由少数小聚伞花序组成；雄花，萼片 6，排成 2 轮，膜质，倒卵形，长 1.8 ~ 2 mm，宽 1.3 mm，基部渐狭或骤狭，1 脉，花瓣 3，菱状圆形，长 0.7 ~ 1 mm，宽约 1 mm，聚药雄蕊比花瓣短；雌花萼片

和花瓣通常 4，有时 2，与雄花的近等大。核果近圆形，成熟时红色，长 7 ～ 8 mm；果核背部中肋两侧各有约 10 微凸的小横肋，胎座迹不穿孔。花期夏季。

| **生境分布** | 生于山地路边灌丛中。分布于湖北西部。

| **资源情况** | 野生资源较丰富。

| **采收加工** | 秋季采挖，洗净，切片，晒干。

| **功能主治** | 散瘀止痛，解毒消肿。用于胃脘疼痛，风湿痹痛，痈肿疮毒，跌打肿痛。

防己科 Menispermaceae 千金藤属 Stephania

桐叶千金藤 *Stephania hernandifolia* (Willd.) Walp.

| 药 材 名 | 桐叶千金藤。

| 形态特征 | 多年生草质藤本，老茎稍木质。主根块状，非肉质。茎枝卧地时在节上生不定根，有毛。叶互生；叶柄长 3 ~ 7 cm，盾状着生；叶片三角状近圆形或近三角形，长 4 ~ 15 cm，宽 4 ~ 14 cm，先端钝，具小突尖或有时短尖，基部圆或近平截，上面无毛或近无毛，下面被丛卷毛，粉白色；掌状脉 9 ~ 12，在上面叶脉和网脉均凸起，在下面更明显，纸质。花小，单性，雌雄异株；复伞形聚伞花序，单生于叶腋，稀 2 或几花序生于叶腋短枝上；总花梗长 1.5 ~ 5.5 cm，有 2 ~ 3 回伞形分枝，多个小聚伞花序在末回分枝先端密集成头状，小聚伞花序梗和花梗均极短；雄花萼片 6 或 8，排成 2 轮，倒披针

形或狭椭圆形，长 1 ~ 1.5 cm，黄绿色，被短毛，聚药雄蕊长约 1 mm；雌花萼片 3 或 4，狭椭圆形或倒披针形，长 1.1 ~ 1.5 mm，心皮 1，近卵形；花瓣 3 或 4，阔倒卵形或近圆形，长 0.5 ~ 0.7 mm，稍肉质，无毛。核果倒卵状近球形，内果皮长 5 ~ 6 mm，背部有 4 行柱状雕纹，先端呈头状，每行约 10，胎座迹分孔。花期 4 ~ 6 月，果期 8 ~ 11 月。

| 生境分布 | 生于疏林、灌丛中或石山上。湖北有分布。

| 采收加工 | 秋、冬季采挖，洗净，切段，晒干。

| 功能主治 | 清热解毒，祛风湿，止痛。用于痈疖疮毒，咽喉肿痛，疟腮，风湿痹痛，痢疾，头痛，胃痛，劳伤疼痛。

防己科 Menispermaceae 千金藤属 Stephania

千金藤 *Stephania japonica* (Thunb.) Miers

| **药 材 名** | 千金藤。

| **形态特征** | 木质藤本，全株无毛。根条状，褐黄色。小枝纤细，有直线纹。叶纸质或坚纸质，三角状圆形或三角状阔卵形，长 6 ~ 15 cm，长度与宽度近相等或长度略小于宽度，先端有小凸尖，基部通常微圆，下面粉白色，掌状脉 10 ~ 11，在下面凸起；叶柄长 3 ~ 12 cm，盾状着生。复伞形聚伞花序腋生，通常有伞梗 4 ~ 8，小聚伞花序近无柄，密集成头状；花近无梗；雄花萼片 6 或 8，膜质，倒卵状椭圆形至匙形，长 1.2 ~ 1.5 mm，无毛，花瓣 3 或 4，黄色，稍呈肉质，阔倒卵形，长 0.8 ~ 1 mm，聚药雄蕊长 0.5 ~ 1 mm，伸出或不伸出；雌花萼片和花瓣各 3 ~ 4，形状和大小与雄花的萼片和花瓣近似；

心皮卵状果实倒卵形至近圆形，长约 8 mm，成熟时呈红色，果核背部有 2 行小横肋状雕纹，每行有雕纹 8 ~ 10，小横肋常断裂，胎座迹不穿孔或偶有 1 小孔。

| **生境分布** | 生于村边或旷野灌丛中。湖北有分布。

| **采收加工** | 茎叶：7 ~ 8 月采收，晒干或鲜用。

根：9 ~ 10 月采挖，晒干或鲜用。

| **功能主治** | 清热解毒，祛风止痛，利水消肿。用于咽喉肿痛，毒蛇咬伤，风湿痹痛，胃痛，脚气水肿。

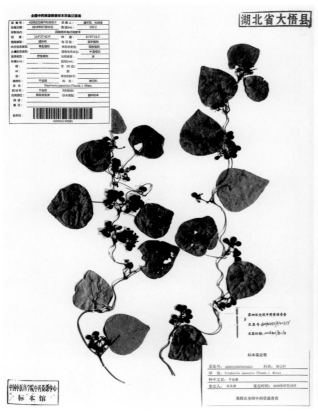

防己科 Menispermaceae 千金藤属 Stephania

粉防己

Stephania tetrandra S. Moore

| 药 材 名 | 粉防己。

| 形态特征 | 草质藤本，高 1 ～ 3 m。根肉质，柱状。小枝有直线纹。叶纸质，阔三角形或三角状圆形，长 4 ～ 7 cm，宽 5 ～ 8.5 cm 或更宽，先端凸尖，基部微凹或近平截，两面或仅下面被贴伏短柔毛，掌状脉 9 ～ 10，较纤细，网脉甚密，极明显；叶柄长 3 ～ 7 cm。花序头状，在腋生、长而下垂的枝条上呈总状排列，苞片小或极小；雄花萼片 4 或 5，通常呈倒卵状椭圆形，连爪长约 0.8 mm，有缘毛，花瓣 5，肉质，长 0.6 mm，边缘内折，聚药雄蕊长约 0.8 mm；雌花萼片和花瓣与雄花相似。核果成熟时近球形，红色，果核直径约 5.5 mm，背部鸡冠状隆起，两侧各有小横肋状雕纹约 15。花期夏季，果期秋季。

| **生境分布** | 生于村边、旷野、路边等地的灌丛中。湖北有分布。

| **采收加工** | **块根：**秋季采挖，除去芦梢，洗净，切成长条，晒干。

| **功能主治** | 利水消肿，祛风止痛。用于水肿，小便不利，风湿痹痛，脚气肿痛，高血压。

防己科 Menispermaceae 千金藤属 Stephania

黄叶地不容 *Stephania viridiflavens* Lo et M. Yang

| 药 材 名 | 山乌龟。

| 形态特征 | 落叶、草质藤本，茎基部稍木质化。叶纸质，三角状圆形至近圆形，长、宽通常 8 ~ 15 cm，很少达 20 cm，生于侧枝上的可小于 8 cm，先端短尖或稍钝，基部近平截、圆或微凹，全缘或不规则浅波状，极少一侧或两侧有角，两面无毛，干时变绿黄色；掌状脉向上的 5 ~ 6，较粗大，向下的 6 ~ 8，纤细，均在下面微凸，且于干后显亮黄色；叶柄与叶片近等长或较长，基部常扭曲。花序腋生或生于无叶、具小型叶的曲折短枝上，为复伞形聚伞花序，雄花序的总梗通常比叶柄长，先端有几至 10 余线形或叶状的苞片，伞梗 5 ~ 12，长 1.5 ~ 5 cm，小聚伞花序数个簇生于伞梗的末端，稍密集；

雄花萼片绿黄色，6，排成2轮，外轮椭圆形或菱状椭圆形，较少倒卵状楔形，长约2～2.2 mm，宽1.4～1.6 mm，上部边缘常反卷，内轮与外轮近同形，有时阔倒卵形，宽可达2 mm；花瓣橙黄色，花瓣3，厚肉质，长1.1～1.2 mm，宽1.5 mm，先端微凹，两侧边缘内卷，背部凹陷，里面有很多密集成脑纹状的小瘤体；聚药雄蕊长0.5～0.7 mm；雌花序的总梗通常比叶柄短很多，稍粗壮，伞梗、小聚伞花梗和花梗均极短，致使花序紧密成头状，雌花有1微小的萼片和2稍大的花瓣。核果红色，阔倒卵形；果核长5～6 mm，背部有4行短柱状雕纹，每行16～18，有时可多至20，柱状突起的先端扩大成头状，胎座迹近正中穿孔。

| 生境分布 | 生于石灰岩地区的石山上，常成片生长。湖北有分布。

| 资源情况 | 野生资源较丰富。

| 采收加工 | 全年均可采挖，洗净，切片，晒干。

| 功能主治 | 散瘀止痛，清热解毒。用于胃痛，痢疾，咽痛，跌打损伤，疮疖痈肿，毒蛇咬伤。

| 附　　注 | 山乌龟是西南、华南和长江流域以南的民间药物。经过调查，民间称之为山乌龟的药用植物是指具有相似块根的一类植物，均属于防己科千金藤属植物，包括广西地不容、桂南地不容、大叶地不容、荷包地不容、马山地不容、小花地不容、黄叶地不容和江南地不容。

防己科 Menispermaceae 青牛胆属 Tinospora

金果榄 *Tinospora capillipes* Gagnep.

| 药 材 名 | 金果榄。

| 形态特征 | 草质藤本。具连珠状块根，膨大部分常为不规则球形，黄色。枝纤细，有条纹，常被柔毛。叶纸质至薄革质，披针状箭形或披针状戟形，稀为卵状或椭圆状箭形，长 7 ～ 15 cm，有时长可达 20 cm，宽2.4 ～ 5 cm，先端渐尖或尾状，基部弯缺常很深，后裂片圆、钝或短尖，常向后伸，有时向内弯以至 2 裂片重叠，很少向外伸展，通常仅脉上被短硬毛，有时上面或两面近无毛，掌状脉 5，连同网脉在下面凸起；叶柄长 2.5 ～ 5 cm 或更长，有条纹，被柔毛或近无毛。花序腋生，常数个或多个簇生，聚伞花序或分枝成疏花的圆锥状花序，长 2 ～ 10 cm，有时长可达 15 cm 或更长；总梗、分枝和花梗

均呈丝状；小苞片 2，紧贴花萼；内萼片椭圆形、阔椭圆形或椭圆状倒卵形，长 2 ~ 3 mm。核果红色，近球形，果核近半球形，宽 6 ~ 8 mm。花期春季，果期秋季。

| 生境分布 | 常散生于林下、林缘及草地。湖北有分布。

| 采收加工 | **块根：**9 ~ 11 月采挖，洗净，晒干。

| 功能主治 | 清热解毒，消肿止痛。用于咽喉肿痛，口舌糜烂，白喉，热咳失音，脘腹疼痛，毒蛇咬伤。

防己科 Menispermaceae 青牛胆属 Tinospora

青牛胆
Tinospora sagittata (Oliv.) Gagnep.

| 药 材 名 | 青牛胆。

| 形态特征 | 草质藤本。具连珠状块根，膨大部分常为不规则球形，黄色。枝纤细，有条纹，常被柔毛。叶纸质至薄革质，通常为披针状箭形或披针状戟形，稀为卵状或椭圆状箭形，长 7 ~ 15 cm，有时长可达 20 cm，宽 2.4 ~ 5 cm，先端渐尖或尾状，基部弯缺深，后裂片圆、钝或短尖，常向后伸，有时向内弯以至 2 裂片重叠，极少向外伸展，通常仅脉上被短硬毛，有时上面或两面近无毛，掌状脉 5，连同网脉在下面凸起；叶柄长 2.5 ~ 5 cm 或更长，有条纹，被柔毛或近无毛。花序腋生，常数个或多个簇生，聚伞花序或分枝成疏花的圆锥状花序，长 2 ~ 10 cm，有时长可达 15 cm 或更长，总梗、分枝和花梗均呈

丝状，小苞片 2，紧贴花萼。核果红色，近球形，果核近半球形，宽 6 ～ 8 mm。
花期 4 月，果期秋季。

| 生境分布 | 　常散生于林下、林缘及草地。湖北有分布。

| 采收加工 | 　**块根：**9 ～ 11 月采挖，洗净，晒干。

| 功能主治 | 　清热解毒，消肿止痛。用于咽喉肿痛，口舌糜烂，白喉，热咳失音，脘腹疼痛，
毒蛇咬伤。

木兰科 Magnoliaceae 厚朴属 Houpoea

厚朴

Houpoea officinalis (Rehder & E. H. Wilson) N. H. Xia & C. Y. Wu

| 药 材 名 | 厚朴。

| 形态特征 | 落叶乔木。高 5 ～ 15 m，树皮紫褐色，小枝粗壮，淡黄色或灰黄色。冬芽粗大，圆锥形，芽鳞被浅黄色绒毛。叶柄粗壮，长 2.5 ～ 4 cm；托叶痕长约为叶柄的 2/3；叶近革质，大形，叶片 7 ～ 9 集生枝顶，长圆状倒卵形，长 22 ～ 46 cm，宽 15 ～ 24 cm，先端短尖或钝圆，基部渐狭成楔形，上面绿色，无毛，下面灰绿色，褐灰色柔毛。花单生，芳香，直径 10 ～ 15 cm，花被 9 ～ 12 或更多，外轮 3 绿色，盛开时向外反卷，内 2 轮白色，倒卵状匙形；雌蕊多数，长 2 ～ 3 cm，花丝红色；雄蕊多数，分离。聚合果长圆形，长 9 ～ 15 cm；种子三角状倒卵形，外种皮红色。花期 4 ～ 5 月，果期 9 ～ 10 月。

| **生境分布** | 生于山坡山麓及路旁溪边的杂木林中。湖北恩施、利川及宜昌等有栽培。

| **采收加工** | **干皮、根皮及枝皮:** 定植 20 年以上即可砍树剥皮,宜在 4 ~ 8 月生长盛期进行。根皮和枝皮直接阴干或卷筒后干燥,称根朴和枝朴;干皮可环剥或条剥,卷筒置沸水中烫软后,埋置阴湿处"发汗"。待皮内侧或横断面都变成紫褐色或棕褐色,并出现油润或光泽时,将每段树皮卷成双筒,用竹篾扎紧,削齐两端,曝晒干燥。

| **功能主治** | 燥湿消痰,下气除满。用于湿滞伤中,脘痞吐泻,食积气滞,腹胀便秘,痰饮喘咳。

木兰科 Magnoliaceae 八角属 Illicium

红茴香

Illicinm henryi Diels

| 药 材 名 | 红茴香根。

| 形态特征 | 灌木或乔木，高 3 ～ 8 m，有时可达 12 m；树皮灰褐色至灰白色。芽近卵形。叶互生或 2 ～ 5 簇生，革质，倒披针形、长披针形或倒卵状椭圆形，长 6 ～ 18 cm，宽 1.2 ～ 5（～ 6）cm，先端长渐尖，基部楔形；中脉在叶上面下凹，在下面凸起，侧脉不明显；叶柄长 7 ～ 20 mm，直径 1 ～ 2 mm，上部有不明显的狭翅。花粉红色至深红色或暗红色，腋生或近顶生，单生或 2 ～ 3 簇生；花梗细长，长 15 ～ 50 mm；花被片 10 ～ 15，最大的花被片长圆状椭圆形或宽椭圆形，长 7 ～ 10 mm；宽 4 ～ 8.5 mm；雄蕊 11 ～ 14，长 2.2 ～ 3.5 mm，花丝长 1.2 ～ 2.3 mm，药室明显凸起；心皮通常 7 ～ 9，

有时可达 12，长 3 ~ 5 mm，花柱钻形，长 2 ~ 3.3 mm。果柄长 15 ~ 55 mm。蓇葖果 7 ~ 9，长 12 ~ 20 mm，宽 5 ~ 8 mm，厚 3 ~ 4 mm，先端明显呈钻形，细尖，尖头长 3 ~ 5 mm；种子长 6.5 ~ 7.5 mm，宽 5 ~ 5.5 mm，厚 2.5 ~ 3 mm。花期 4 ~ 6 月，果期 8 ~ 10 月。

| 生境分布 | 生于海拔 300 ~ 2 500 m 的山地、丘陵、盆地的密林、疏林、灌丛、山谷、溪边或峡谷的悬崖峭壁上，喜阴湿。主要分布于湖北来凤、咸丰、咸安、利川、建始、鹤峰、巴东、兴山、房县、竹溪、郧西、麻城、长阳、神农架。

| 资源情况 | 药材主要来源于野生。

| 采收加工 | 全年均可采收，洗净，晒干，或切成小段，晒至半干，剖开皮部，去木质部，取根皮晒干。

| 功能主治 | 活血止痛，祛风除湿。用于跌打损伤，风寒湿痹，腰腿痛。

木兰科 Magnoliaceae 八角属 Illicium

红毒茴

Illicium lanceolatum A. C. Smith

药材名

莽草、莽草根。

形态特征

常绿灌木或小乔木，高 3 ～ 10 m；枝条纤细，树皮浅灰色至灰褐色。叶互生或稀疏地簇生于小枝近先端或排成假轮生，革质，披针形、倒披针形或倒卵状椭圆形，长 5 ～ 15 cm，宽 1.5 ～ 4.5 cm，先端尾尖或渐尖，基部窄楔形；中脉在上面微凹陷，在下面稍隆起，网脉不明显；叶柄纤细，长 7 ～ 15 mm。花腋生或近顶生，单生或 2 ～ 3，红色或深红色；花梗纤细，直径 0.8 ～ 2 mm，长 15 ～ 50 mm；花被片 10 ～ 15，肉质，最大的花被片椭圆形或长圆状倒卵形，长 8 ～ 12.5 mm，宽 6 ～ 8 mm；雄蕊 6 ～ 11，长 2.8 ～ 3.9 mm，花丝长 1.5 ～ 2.5 mm，花药分离，长 1 ～ 1.5 mm，药隔不明显截形或稍微缺，药室凸起；心皮 10 ～ 14，长 3.9 ～ 5.3 mm，子房长 1.5 ～ 2 mm，花柱钻形，纤细，长 2 ～ 3.3 mm，骤然变狭。果柄长可达 6 cm，稀达 8 cm，纤细。蓇葖果 10 ～ 14，稀 9，轮状排列，直径 3.4 ～ 4 cm，单个蓇葖果长 14 ～ 21 mm，宽 5 ～ 9 mm，厚 3 ～ 5 mm，先端有一长 3 ～ 7 mm、向后弯曲的钩状尖头；种子淡褐色，长 7 ～ 8 mm，宽 5 mm，厚 2 ～ 3.5 mm。花期 4 ～ 6 月，果期 8 ～ 10 月。

| 生境分布 | 生于海拔 300 ～ 1 500 m 的混交林、疏林、灌丛中或阴湿峡谷和溪流沿岸。分布于湖北保康、南漳、远安、蕲春、利川、建始、宜都等。

| 资源情况 | 药材主要来源于野生。

| 采收加工 | 莽草：春、夏季采收，鲜用或晒干。

莽草根：全年均可采挖，除净泥土、杂质，切片，晒干；或在根挖起后，切成小段，晒至半干，用小刀割开皮部，除去木部，即得根皮。

| 功能主治 | 莽草：祛风止痛，消肿散结，杀虫止痒。用于头风，皮肤麻痹，痈肿，乳痈，喉痹，疝瘕，疥癣，白秃疮，风虫牙痛，狐臭。

莽草根：祛风除湿，散瘀止痛。用于风湿痹痛，肌肉关节疼痛，腰肌劳损，跌打损伤，痈疽肿毒。

| 附　注 | *Illicium lanceolatum* A. C. Smith 在《中国植物志》中为木兰科八角属植物红毒茴的拉丁学名，在《中华本草》中为八角科八角属植物狭叶茴香的拉丁学名，在《湖北植物志》中为八角科八角属植物莽草的拉丁学名。本书遵从《第四次湖北省中药资源普查名录》，将本种定为木兰科八角属植物红毒茴。

八角茴香
Illicium oerum Hook. f.

| **药 材 名** | 八角茴香。

| **形态特征** | 常绿乔木，高 10 ~ 20 m。树皮灰色至红褐色，有不规则裂纹。枝密集，水平伸展。叶不整齐，互生，在先端 3 ~ 6 近轮生或松散簇生，革质、厚革质，倒卵状椭圆形、倒披针形或椭圆形，长 5 ~ 15 cm，宽 2 ~ 5 cm，先端骤尖或短渐尖，基部渐狭或楔形；在阳光下可见

密布的透明油点；中脉在叶上面稍凹下，在下面隆起；叶柄长 8 ~ 20 mm。花两性，单生于叶腋或近顶生，花梗长 15 ~ 40 mm；花被片 7 ~ 12，常 10 ~ 11，具不明显的半透明腺点，最大的花被片宽椭圆形至宽卵圆形，长 9 ~ 12 mm，宽 8 ~ 12 mm，数轮，覆瓦状排列，内轮粉红色至深红色；雄蕊 11 ~ 20，多为 13 ~ 14，长 1.8 ~ 3.5 mm，花丝长 0.5 ~ 1.6 mm，药隔截形，药室稍凸起，长 1 ~ 1.5 mm；心皮通常 8，有时 7 或 9，很少 11，离生，在花期长 2.5 ~ 4.5 mm；子房长 1.2 ~ 2 mm，花柱钻形，比子房长。果柄长 20 ~ 56 mm。聚合果由 8 ~ 9 蓇葖果组成，直径 3.5 ~ 4 cm，饱满平直；蓇葖果多为 8，呈八角形，长 14 ~ 20 mm，宽 7 ~ 12 mm，厚 3 ~ 6 mm，先端钝或钝尖，成熟时沿腹缝线开裂；种子 1，扁卵形，亮棕色，长 7 ~ 10 mm，宽 4 ~ 6 mm，厚 2.5 ~ 3 mm。正糙果 3 ~ 5 月开花，9 ~ 10 月果实成熟，春糙果 8 ~ 10 月开花，翌年 3 ~ 4 月果实成熟。

| **生境分布** | 生于海拔 200 ~ 1 600 m 的冬暖夏凉的山地、偏酸性的砂质土壤。分布于湖北英山、五峰、宜都等。

| **资源情况** | 八角茴香为经济树种，以栽培为主。

| **采收加工** | **果实：**春果在 4 月间果实成熟落地时拾取，晒干；秋果在 10 ~ 11 月采摘，采摘后置于沸水中，搅拌 5 ~ 10 分钟后，捞出，晒干或烘干。

| **功能主治** | 用于寒疝腹痛，腰膝冷痛，胃寒呕吐，脘腹疼痛，寒湿脚气。

| **附　　注** | 目前八角茴香的市场销售情况比较混乱，常出现同属植物莽草、红茴香、短柱八角和大八角等掺入正品中销售的情况，因其伪品多有剧毒，严重者可致死亡，故应多加注意。

木兰科 Magnoliaceae 八角属 Illicium

野八角
Illicium simonsii Maxim.

| **药 材 名** | 土大香。

| **形态特征** | 常绿乔木或灌木，高达 9 m，少数可达 15 m；幼枝带褐绿色，稍具棱，老枝变灰色；芽卵形或尖卵形，外芽鳞明显具棱。叶近对生或互生，有时 3 ~ 5 聚生，革质，披针形至椭圆形或长圆状椭圆形，通常长 5 ~ 10 cm，宽 1.5 ~ 3.5 cm，先端急尖或短渐尖，基部渐狭成楔形，下延至叶柄成窄翅；干时上面暗绿色，下面灰绿色或浅棕色；中脉在叶面凹下，至叶柄成狭沟，侧脉常不明显；叶柄长 7 ~ 20 mm，上面下凹成沟状。花淡黄色，芳香，有时为奶油色或白色，很少为粉红色，腋生，常密集聚生于枝先端；花梗极短，在盛开时长 2 ~ 8 mm，直径 1.5 ~ 2 mm；花被片 18 ~ 23，很少 26，最外

面的 2 ~ 5 花被片薄纸质，椭圆状长圆形，长 5 ~ 11 mm，宽 4 ~ 7 mm，最大的花被片长 9 ~ 15 mm，宽 2 ~ 4 mm，长圆状披针形至舌状，膜质，里面的花被片渐狭，最内的几片狭舌形，长 7 ~ 15 mm，宽 1 ~ 3 mm；雄蕊 16 ~ 28，2 ~ 3 轮，长 2.5 ~ 4.2 mm，花丝舌状，长 1 ~ 2.2 mm，花药长圆形，长 1.4 ~ 2.4 mm；心皮 8 ~ 13，长 3 ~ 4.5 mm，子房扁卵状，长 1.2 ~ 2 mm，花柱钻形，长 1.5 ~ 2.5 mm。果柄长 5 ~ 16 mm。蓇葖果 8 ~ 13，长 11 ~ 20 mm，宽 6 ~ 9 mm，厚 2.5 ~ 4 mm，先端具钻形尖头，长 3 ~ 7 mm；种子灰棕色至稻秆色，长 6 ~ 7 mm，宽 4 ~ 5 mm，厚 2 ~ 2.5 mm。花期几全年，多为 2 ~ 5 月，少数为 12 月至翌年 6 月，果期 6 ~ 10 月。

| 生境分布 | 生于海拔 1 700 ~ 3 100 m 的杂木林、灌丛中、山谷、溪流、沿江两岸潮湿处或开阔处。分布于湖北竹溪、郧阳、来凤、房县等。

| 资源情况 | 药材主要来源于野生。

| 采收加工 | 9 ~ 11 月采摘，除去叶柄、枝梗，晒干。

| 功能主治 | 生肌杀虫。外用于疮疡久溃，疥疮。

黑老虎 *Kadsura coccinea* (Lem.) A. C. Smith

| 药 材 名 | 黑老虎。

| 形 态 特 征 | 常绿攀缘藤本，全株无毛，长 3 ~ 6 m。茎下部偃伏土中，上部缠绕，枝圆柱形，棕黑色，疏生白色点状皮孔。单叶互生；叶柄长 1 ~ 2.5 cm；叶革质，长圆形至卵状披针形，长 7 ~ 18 cm，宽 3 ~ 8 cm，先端钝或短渐尖，基部宽楔形或近圆形，全缘，上面深绿色，有光泽，几无毛；侧脉 6 ~ 7 对，网脉不明显。花单生于叶腋，稀成对，雌雄异株；雄花花被片 10 ~ 16，红色或红黄色，中轮最大 1 花被片椭圆形，长 2 ~ 2.5 cm，宽约 14 mm，最内轮 3 花被片明显增厚，肉质；花托长圆锥形，长 7 ~ 10 mm，先端具 1 ~ 20 分枝的钻状附属体；雄蕊群椭圆形或近球形，直径 6 ~ 7 mm，具雄蕊 14 ~ 48，

排成 2 ~ 5 列；花丝先端被 2 药室包围着；花梗长 1 ~ 4 cm；雌花花被片与雄花相似，花柱短钻状，先端无盾状柱头冠，雌蕊群卵形至球形，心皮 50 ~ 80，排成 5 ~ 7 列，长圆形，花梗长 5 ~ 10 mm。聚合果近球形，红色或暗紫色，直径 6 ~ 10 cm 或更长；小浆果倒卵形，长达 4 cm，外果皮革质，不显出种子；种子红色，心形或卵状心形，长 1 ~ 1.5 cm，宽 0.8 ~ 1 cm。花期 4 ~ 7 月，果期 7 ~ 11 月。

| 生境分布 |　生于海拔 1 500 ~ 2 000 m 的山地疏林中，常缠绕于大树上。分布于湖北保康。

| 资源情况 |　药材主要来源于野生。

| 采收加工 |　全年均可采收，根及须根洗净泥沙，切成小段，老藤茎刮去栓皮，切段，晒干。

| 功能主治 |　行气止痛，散瘀通络。用于复合性胃和十二指肠溃疡，慢性胃炎，急性胃肠炎，风湿痹痛，跌打损伤，骨折，痛经，产后瘀血腹痛，疝气痛。

木兰科 Magnoliaceae **南五味子属** *Kadsura*

异形南五味子
Kadsura heteroclita (Roxb.) Craib

| **药 材 名** | 地血香、地血香果。

| **形态特征** | 常绿木质大藤本，长 6 ~ 10 m，无毛。小枝褐色，干时黑色，有明显深入的纵条纹，具椭圆形点状皮孔，老茎木栓层厚，块状纵裂，皮内红色，清香。叶互生，革质；叶柄长 0.6 ~ 2.5 cm，叶片卵状椭圆形至阔椭圆形，长 6 ~ 15 cm，宽 3 ~ 7 cm，先端渐尖或急尖，基部阔楔形或近圆钝，全缘或上半部边缘有疏离的小锯齿；侧脉每边 7 ~ 11，网脉明显。花单生于叶腋，雌雄异株，花被片 11 ~ 15，排成 4 ~ 5 轮，白色或浅黄色，外轮和内轮的较小，中轮的 1 最大，椭圆形至倒卵形，长 8 ~ 16 mm，宽 5 ~ 12 mm；雄花花托椭圆体形，先端伸长成圆柱状，圆锥状凸出于雄蕊群外，雄蕊

群椭圆体形，长 6 ~ 7 mm，直径约 5 mm，具雄蕊 50 ~ 65，雄蕊长 0.8 ~ 1.8 mm，花丝与药隔连成近宽扁的四方形，药隔先端横长圆形，药室约与雄蕊等长，花丝极短，花梗长 3 ~ 20 mm，具数枚小苞片；雌花雌蕊群近球形，直径 6 ~ 8 mm，具雌蕊 30 ~ 55，子房长圆状倒卵圆形，花柱先端具盾状的柱头冠，成熟心皮倒卵圆形，长 10 ~ 22 mm，花梗长 3 ~ 30 mm。聚合果近球形，直径 2.5 ~ 4 cm；干时革质而不显出种子；种子 2 ~ 3，少有 4 ~ 5，长圆状肾形，长 5 ~ 6 mm，宽 3 ~ 5 mm。花期 5 ~ 8 月，果期 8 ~ 12 月。

| 生境分布 |　生于海拔 400 ~ 2 000 m 的山坡林缘、山谷、溪边密林或疏林中。分布于湖北竹溪、咸丰等。

| 资源情况 |　药材主要来源于野生。

| 采收加工 |　**地血香：**全年均可采挖，切片，晒干。

地血香果：夏、秋季采收，除去果柄，晒干。

| 功能主治 |　**地血香：**祛风除湿，行气止痛，舒筋活络。用于风湿痹痛，胃痛，腹痛，痛经，产后腹痛，跌打损伤，慢性腰腿痛。

地血香果：益肾宁心，祛痰止咳。用于肾虚腰痛，神经衰弱，支气管炎。

木兰科 Magnoliaceae 南五味子属 Kadsura

南五味子

Kadsura longipedunculata Finet et Gagnep.

| 药 材 名 |

红木香。

| 形态特征 |

藤本，各部无毛。叶长圆状披针形、倒卵状披针形或卵状长圆形，先端渐尖或尖，基部狭楔形或宽楔形，边有疏齿，侧脉每边 5 ~ 7，叶上具淡褐色透明腺点；叶柄长 0.6 ~ 2.5 cm。花单生于叶腋，雌雄异株；雄花花被片 8 ~ 17，椭圆形，花托椭圆形，先端伸长，圆柱状，不凸出雄蕊群外，雄蕊群球形，具雄蕊 30 ~ 70，药隔与花丝连成扁四方形，药隔先端横长圆形，药室几与雄蕊等长，花丝极短，花梗长 0.7 ~ 4.5 cm；雌花花被片与雄花相似，雌蕊群椭圆形或球形，具雌蕊 40 ~ 60，子房宽卵圆形，花柱具盾状心形柱头冠，胚珠 3 ~ 5 叠生于腹缝线上，花梗长 3 ~ 13 cm。聚合果球形；小浆果倒卵圆形，外果皮薄革质，干时显露出种子；种子通常 2 ~ 3，稀 4 ~ 5，肾形或肾状椭圆形。花期 6 ~ 9 月，果期 9 ~ 12 月。

| 生境分布 |

生于海拔 1 000 m 以下的山坡、林中。栽培于土壤肥沃、土层深厚、排水良好的林缘地或熟荒地，以腐殖质土和砂壤土为好。湖北有分布。

| **采收加工** | **根或根皮：**立冬前后采挖，去净残茎、细根及泥土，晒干，或剥取根皮，晒干。

| **功能主治** | 理气止痛，祛风通络，活血消肿。用于胃痛，腹痛，风湿痹痛，痛经，月经不调，产后腹痛，咽喉肿痛，痔疮，无名肿毒，跌打损伤。

木兰科 Magnoliaceae 南五味子属 Kadsura

冷饭藤 *Kadsura oblongifolia* Merr.

| 药 材 名 | 吹风散。

| 形态特征 | 常绿木质藤本，全株无毛。根皮灰褐色，内面红色，有香气。茎有松而厚软的木栓层，去皮后呈红色。吹切断的根、茎可通气。叶纸质，长圆状披针形、狭长圆形或狭椭圆形，长 5 ~ 10 cm，宽 1.5 ~ 4 cm，先端圆或钝，基部宽楔形，边有不明显疏齿；侧脉每边 4 ~ 8；叶柄长 0.5 ~ 1.2 cm。花单生于叶腋，雌雄异株；雄花花被片黄色，12 ~ 13，中轮 1 花被片最大，椭圆形或倒卵状长圆形，长 5 ~ 8 mm，宽 3.5 ~ 5.5 mm，花托椭圆体形，先端不伸长，雄蕊群球形，直径 4 ~ 5 mm，具雄蕊约 25，两药室长 0.6 ~ 0.8 mm，几无花丝，花梗长 1 ~ 1.5 cm；雌花花被片与雄花相似，雌蕊 35 ~ 50（~ 60）；

花梗纤细，长 1.5 ~ 4 cm。聚合果近球形或椭圆体形，直径 1.2 ~ 2 cm，成熟时红色；小浆果椭圆形或倒卵圆形，长约 5 mm，先端外果皮薄革质，不增厚，干时显出种子；种子 2 ~ 3，肾形或肾状椭圆形，长 4 ~ 4.5 mm，宽 3 ~ 4 mm，种脐稍凹入。花期 7 ~ 9 月，果期 10 ~ 11 月。

| **生境分布** | 生于海拔 250 ~ 1 000 m 的山坡疏林中、沟边潮湿处。分布于湖北蕲春。

| **资源情况** | 药材主要来源于野生。

| **采收加工** | 全年均可采收，剪下藤茎或采挖根部，洗净，切片，鲜用或晒干。

| **功能主治** | 祛风除湿，行气止痛。用于感冒，风湿痹痛，心胃气痛，痛经，跌打损伤。

木兰科 Magnoliaceae 木兰属 Magnolia

天目木兰 *Magnolia amoena* Cheng

| 药 材 名 | 天目木兰。

| 形态特征 | 落叶乔木，高达 12 m；树皮灰色或灰白色；芽被灰白色紧贴毛；嫩枝绿色，老枝带紫色，直径 3 ~ 4 mm，无毛。叶纸质，宽倒披针形或倒披针状椭圆形，长 10 ~ 15 cm，宽 3.5 ~ 5 cm，先端渐尖或骤狭尾状尖，基部阔楔形或圆，上面无毛，下面幼嫩时叶脉及脉腋有白色弯曲长毛；侧脉每边 10 ~ 13；叶柄长 8 ~ 13 mm，初被白色长毛，托叶痕为叶柄长的 1/5 ~ 1/2。花蕾卵圆形，长 2.5 ~ 3 cm，密被长绢毛；花梗直径 3 ~ 4 mm，密被白色平伏长柔毛；花先于叶开放，红色或淡红色，芳香，直径约 6 cm；佛焰苞状苞片紧接花被片；花被片 9，倒披针形或匙形，长 5 ~ 5.6 cm；雄蕊长 9 ~ 10 mm，

药隔伸出长 0.5 ～ 0.7 mm，短尖头，花药长 4.5 ～ 5 mm，侧向开裂，花丝长 3.5 ～ 4 mm，紫红色；雌蕊群圆柱形，长 2 cm，直径 2 mm，柱头长 1 mm。聚合果圆柱形，长 4 ～ 10 cm，常由于部分心皮不育而弯曲；果柄长约 1 cm，残留有长柔毛。蓇葖果扁圆球形，先端钝圆，有小瘤状尖突起，背面全分裂为 2 果片，宽约 10 mm，高 6 ～ 7 mm；种子去外种皮，心形，宽 8 ～ 9 mm，高 5 ～ 6 mm。花期 4 ～ 5 月，果期 9 ～ 10 月。

| **生境分布** | 生于海拔 700 ～ 1 000 m 的林中。湖北有分布。

| **功能主治** | 利尿，消肿。用于酒疸，重舌，痈毒。

木兰科 Magnoliaceae 木兰属 Magnolia

望春玉兰
Magnolia biondii Pamp.

| 药 材 名 | 辛夷。

| 形态特征 | 落叶乔木，高可达 12 m。小枝灰绿色，无毛；顶芽密被淡黄色长柔毛。叶椭圆状或卵状披针形、狭倒卵形或卵形，长 10 ~ 18 cm，宽 3.5 ~ 6.5 cm，先端急尖或短渐尖，基部阔楔形或圆钝，初被平伏绵毛，后无毛，侧脉每边 10 ~ 15；叶柄长 1 ~ 2 cm，有托叶痕。花直径 6 ~ 8 cm，芳香；花梗先端膨大，具苞片脱落痕；花被片 9，外轮 3 花被片紫红色，近狭倒卵状条形，内 2 轮花被片近匙形，白色，外面基部常呈紫红色，内轮花被片较狭小；雄蕊长 8 ~ 10 mm，紫色；雌蕊群长 1.5 ~ 2 cm。聚合果圆柱形，长 8 ~ 14 cm，常因部分不育而扭曲；果柄长约 1 cm，残留长绢毛；蓇葖果浅褐色，近圆形，

侧扁，具凸起瘤点；种子心形，外种皮鲜红色，内种皮深黑色，先端凹陷，具 "V"
形槽，中部凸起，腹部具深沟，末端短尖不明显。花期 3 月，果熟期 9 月。

| 生境分布 | 生于海拔 300 ~ 1 000 m 的林中。湖北有分布。

| 采收加工 | **花蕾：** 冬末春初花未开放时采收，除去枝梗，阴干。

| 功能主治 | 散风寒，通鼻窍。用于风寒头痛，鼻塞流涕，鼻衄，鼻渊。

木兰科 Magnoliaceae 木兰属 *Magnolia*

玉兰
Magnolia denudata Desr.

| **药 材 名** | 辛夷。

| **形态特征** | 落叶乔木，高达 25 m。枝广展而形成宽阔的树冠。叶纸质，倒卵形、宽倒卵形或倒卵状椭圆形，基部徒长枝叶椭圆形，先端宽圆、平截或稍凹，具短突尖，中部以下渐狭成楔形，叶上面深绿色，嫩时被柔毛，后仅中脉及侧脉留有柔毛，沿脉上被柔毛，侧脉每边 8 ~ 10，网脉明显；叶柄长 1 ~ 2.5 cm，上面具狭纵沟，托叶痕为叶柄长的 1/4 ~ 1/3。花蕾卵圆形，花先于叶开放，直立；花梗显著膨大，密被淡黄色长绢毛；花被片 9，白色，基部常带粉红色；花药侧向开裂；雌蕊群淡绿色，无毛，圆柱形；雌蕊狭卵形，具长 4 mm 的锥尖花柱。聚合果圆柱形；蓇葖果厚木质，具白色皮孔；种子心形，侧扁。花期 2 ~ 3 月，果期 8 ~ 9 月。

| **生境分布** | 生于海拔 1 000 m 以下的落叶阔叶与常绿阔叶混交林中。栽培于庭院、公园、路边。湖北有分布。

| **采收加工** | **花蕾：** 冬末春初花未开放时采摘，阴干。

| **功能主治** | 散风寒，通鼻窍。用于风寒头痛，鼻塞流涕，鼻衄，鼻渊。

木兰科 Magnoliaceae 木兰属 Magnolia

荷花玉兰
Magnolia grandiflora L.

| 药 材 名 | 广玉兰。

| 形态特征 | 常绿乔木，高可达 30 m。树皮淡褐色或灰色，薄鳞片状开裂。小枝粗壮，具横隔的髓心。叶厚革质，椭圆形、长圆状椭圆形或倒卵状椭圆形，长 10 ~ 20 cm，宽 4 ~ 7（~ 10）cm，先端钝或短钝尖，基部楔形，叶面深绿色，有光泽，侧脉每边 8 ~ 10；叶柄长 1.5 ~ 4 cm，无托叶痕，具深沟。花白色，芳香，直径 15 ~ 20 cm；花被片 9 ~ 12，厚肉质，倒卵形，长 6 ~ 10 cm，宽 5 ~ 7 cm；雄蕊长约 2 cm，花丝扁平，紫色，花药内向，药隔伸出而成短尖；雌蕊群椭圆形，密被长绒毛，心皮卵形，长 1 ~ 1.5 cm，花柱呈卷曲状。聚合果圆柱状长圆形或卵圆形，长 7 ~ 10 cm，直径 4 ~ 5 cm，密

被褐色或淡灰黄色绒毛；蓇葖果背裂，背面圆，先端外侧具长喙；种子近卵圆形或卵形，长约 14 mm，直径约 6 mm，外种皮红色。花期 5 ~ 6 月，果期 9 ~ 10 月。

| **生境分布** | 栽培于低海拔的路边、公园、庭院，喜温暖、湿润的环境。湖北有分布。

| **采收加工** | **花蕾：**春季采收，白天暴晒，晚上"发汗"，至五成干时，堆放 1 ~ 2 天，再晒至全干。

树皮：全年均可采收。

| **功能主治** | 祛风散寒，行气止痛。用于外感风寒，头痛鼻塞，脘腹胀痛，呕吐腹泻，高血压，偏头痛。

木兰科 Magnoliaceae 木兰属 Magnolia

紫玉兰
Magnolia liliflora Desr.

| 药 材 名 |　辛夷。

| 形态特征 |　落叶灌木，高达 3 m，常丛生。树皮灰褐色。小枝绿紫色或淡褐紫色。叶椭圆状倒卵形或倒卵形，长 8 ～ 18 cm，先端急尖或渐尖，基部渐狭，沿叶柄下延至托叶痕，上面深绿色，幼嫩时疏生短柔毛，下面灰绿色，沿脉有短柔毛，侧脉每边 8 ～ 10；叶柄长 8 ～ 20 mm，托叶痕约为叶柄长之半。花蕾卵圆形，被淡黄色绢毛；花与叶同时开放，花瓶形，直立于粗壮、被毛的花梗上，稍有香气；花被片9 ～ 12，外轮 3 花被片萼片状，紫绿色，披针形，长 2 ～ 3.5 cm，常早落，内 2 轮花被片肉质，外面紫色或紫红色，内面带白色，花瓣状，椭圆状倒卵形；雄蕊紫红色，花药长约 7 mm，侧向开裂，药

隔伸出而成短尖头；雌蕊群长约 1.5 cm，无毛。聚合果先为深紫褐色，后变为褐色；成熟蓇葖果近圆球形，先端具短喙。花期 3 ~ 4 月，果期 8 ~ 9 月。

| **生境分布** | 生于海拔 300 ~ 1 600 m 的山坡、林缘。栽培于庭院、公园。湖北有分布。

| **采收加工** | **花蕾：**冬末春初花未开放时采收，阴干。

| **功能主治** | 散风寒，通鼻窍。用于风寒头痛，鼻塞流涕，鼻鼽，鼻渊。

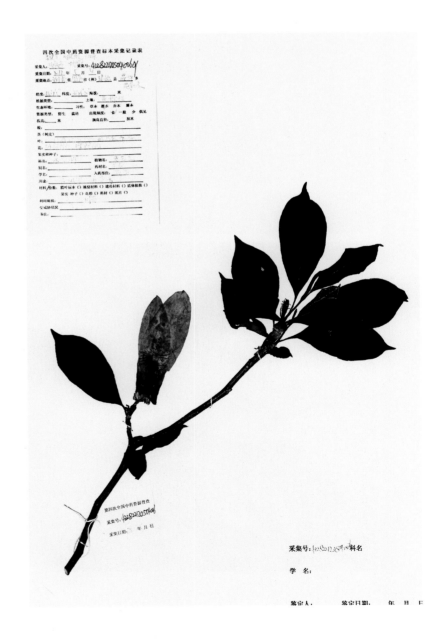

木兰科 Magnoliaceae 木兰属 Magnolia

凹叶厚朴

Magnolia officinalis Rehd. et Wils. var. *biloba* Rehd. et Wils.

| 药 材 名 | 厚朴。

| 形态特征 | 落叶乔木，高达 20 m。小枝粗壮，幼时有绢毛；顶芽大，狭卵状圆锥形，无毛。叶大，近革质，7 ~ 9 叶聚生于枝端；叶片长圆状倒卵形，长 22 ~ 45 cm，宽 10 ~ 24 cm，叶先端凹缺，成钝圆的 2 浅裂片，但幼苗之叶先端钝圆，并不凹缺；叶柄粗壮，长 2.5 ~ 4 cm，托叶痕长为叶柄的 2/3。花白色；花梗短粗，被长柔毛，花被片下 1 cm 处具苞片脱落痕，花被片 9 ~ 12（ ~ 17），厚肉质，外轮 3 花被片淡绿色，长圆状倒卵形，长 8 ~ 10 cm，宽 4 ~ 5 cm，盛开时常向外反卷，内 2 轮花被片白色，倒卵状匙形，长 8 ~ 8.5 cm，宽 3 ~ 4.5 cm，基部具爪，最内轮花被片长 7 ~ 8.5 cm，花盛开时

中、内轮花被片直立；雄蕊约 72，长 2 ～ 3 cm，花药长 1.2 ～ 1.5 cm，内向开裂，花丝长 4 ～ 12 mm；雌蕊群椭圆状卵圆形，长 2.5 ～ 3 cm。聚合果基部较窄；种子三角状倒卵形，长约 1 cm。花期 4 ～ 5 月，果期 10 月。

| **生境分布** | 生于海拔 500 ～ 1 600 m 的林中。栽培于山麓、村舍附近。湖北有分布。

| **采收加工** | 同"厚朴"。

| **功能主治** | 同"厚朴"。

武当玉兰 *Magnolia sprengeri* Pamp.

| **药 材 名** | 辛夷。

| **形态特征** | 落叶乔木，高可达 21 m。树皮淡灰褐色或黑褐色，老干皮具纵裂沟并块片状脱落。小枝初呈淡黄褐色，后变为灰色，无毛。叶倒卵形，长 10 ~ 18 cm，宽 4.5 ~ 10 cm，先端急尖或急短渐尖，基部楔形，上面仅沿中脉及侧脉疏被平伏柔毛，下面初被平伏细柔毛；叶柄长 1 ~ 3 cm，托叶痕细小。花蕾直立，被淡灰黄色绢毛，花先叶开放，杯状，芳香，花被片 12（~ 14），较相似，外面玫瑰红色，有深紫色纵纹，倒卵状匙形或匙形，长 5 ~ 13 cm，宽 2.5 ~ 3.5 cm；雄蕊长 10 ~ 15 mm，花药长约 5 mm，稍分离，药隔伸出而成尖头，花丝紫红色，宽扁；雌蕊群圆柱形，长 2 ~ 3 cm，淡绿色，花柱玫瑰

红色。聚果圆柱形，长 6 ～ 18 cm；蓇葖果扁圆形，成熟时呈褐色。花期 3 ～ 4 月，果期 8 ～ 9 月。

| **生境分布** | 生于海拔 500 ～ 1 700 m 的落叶阔叶与常绿阔叶混交林中。湖北有分布。

| **采收加工** | **花蕾：** 冬末春初花未开放时采收，阴干。

| **功能主治** | 散风寒，通鼻窍。用于风寒头痛，鼻塞流涕，鼻衄，鼻渊。

巴东木莲 *Manglietia patungensis* Hu.

| 药 材 名 | 巴东木莲、野辛夷。

| 形态特征 | 乔木，高达 25 m，胸径 1.4 m。树皮淡灰褐色带红色；小枝带灰褐色。叶薄革质，倒卵状椭圆形，长 14 ~ 18（~ 20）cm，宽 3.5 ~ 7 cm，先端尾状渐尖，基部楔形，两面无毛，上面绿色，有光泽，下面淡绿色，侧脉每边 13 ~ 15，叶面中脉凹下；叶柄长 2.5 ~ 3 cm；叶柄上的托叶痕长为叶柄的 1/7 ~ 1/5。花白色，芳香，直径 8.5 ~ 11 cm；花梗长约 1.5 cm，花被片下 5 ~ 10 mm 处具 1 苞片脱落痕，花被片 9，外轮 3 近革质，狭长圆形，先端圆形，长 4.5 ~ 6 cm，宽 1.5 ~ 2.5 cm，中轮及内轮肉质，倒卵形，长 4.5 ~ 5.5 cm，宽 2 ~ 3.5 cm；雄蕊长 6 ~ 8 mm，花药紫红色，长 5 ~ 6 mm，药室

基部靠合，有时上端稍分开，药隔伸出成钝尖头，长约 1 mm；雌蕊群圆锥形，长约 2 cm，雌蕊背面无纵沟纹，每心皮有胚珠 4 ~ 8。聚合果圆柱状椭圆形，长 5 ~ 9 cm，直径 2.5 ~ 3 cm，淡紫红色。蓇葖果露出面具点状突起。花期 5 ~ 6 月，果期 7 ~ 10 月。

| **生境分布** |　生于海拔 600 ~ 1 000 m 的密林中。湖北有分布。

| **功能主治** |　用于高血压。

木兰科 Magnoliaceae 含笑属 Michelia

白兰 *Michelia alba* DC.

| **药 材 名** | 白兰花、白兰花叶。

| **形态特征** | 常绿乔木，高达 17 m，枝广展，呈阔伞形树冠，胸径 30 cm。树皮灰色。揉搓枝、叶有芳香气。嫩枝及芽密被淡黄白色微柔毛，老时毛渐脱落。叶薄革质，长椭圆形或披针状椭圆形，长 10 ~ 27 cm，宽 4 ~ 9.5 cm，先端长渐尖或尾状渐尖，基部楔形，上面无毛，下面疏生微柔毛，干时两面网脉均很明显；叶柄长 1.5 ~ 2 cm，疏被微柔毛，托叶痕几达叶柄中部。花白色，极香；花被片 10 以上，披针形，长 3 ~ 4 cm，宽 3 ~ 5 mm；雄蕊的药隔伸出长尖头；雌蕊群被微柔毛，雌蕊群柄长约 4 mm，心皮多数，通常部分不发育，成熟时随着花托的延伸，形成蓇葖疏生的聚合果。蓇葖果成熟时呈

鲜红色。花期 4 ~ 9 月,夏季盛开,多不结实。

| **生境分布** | 栽培于低海拔的屋旁、公园、路边,喜温暖、湿润的气候和肥沃、疏松的土壤。湖北有分布。

| **采收加工** | 白兰花:夏、秋季花开时采收,鲜用或晒干。
白兰花叶:夏、秋季采摘,洗净,鲜用或晒干。

| **功能主治** | 白兰花:化湿,行气,止咳。用于胸闷腹胀,中暑,咳嗽,前列腺炎,带下。
白兰花叶:清热利尿,止咳化痰。用于尿路感染,小便不利,支气管炎。

木兰科 Magnoliaceae 含笑属 *Michelia*

含笑花 *Michelia figo* (Lour.) Spreng.

| 药 材 名 | 含笑花、含笑叶。

| 形态特征 | 常绿灌木，高 2 ~ 3 m。树皮灰褐色。分枝繁密，芽、嫩枝、叶柄、花梗均密被黄褐色绒毛。叶革质，狭椭圆形或倒卵状椭圆形，长 4 ~ 10 cm，宽 1.8 ~ 4.5 cm，先端钝短尖，基部楔形或阔楔形，上面有光泽，无毛，下面中脉上留有褐色平伏毛，余处无毛；叶柄长 2 ~ 4 mm，托叶痕长达叶柄先端。花直立，芳香，长 12 ~ 20 mm，宽 6 ~ 11 mm，淡黄色，边缘有时呈红色或紫色；花被片 6，肉质，较肥厚，长椭圆形，长 12 ~ 20 mm，宽 6 ~ 11 mm；雄蕊长 7 ~ 8 mm，药隔伸出而成急尖头；雌蕊群无毛，长约 7 mm，超出雄蕊群，雌蕊群柄长约 6 mm，被淡黄色绒毛。聚合果

长 2 ~ 3.5 cm；蓇葖果卵圆形或球形，先端有短尖的喙。花期 3 ~ 5 月，果期 7 ~ 8 月。

| 生境分布 | 栽培于公园、屋旁、路边，喜湿润、土壤肥沃的环境。湖北有分布。

| 功能主治 | 含笑花：化湿，行气，止咳。用于胸闷腹胀，中暑，咳嗽，前列腺炎，带下，月经不调。

含笑叶：用于跌打损伤。

黄心夜合 *Michelia martinii* (Lévl.) Lévl.

| 药 材 名 | 黄心夜合。

| 形态特征 | 乔木，高可达 20 m。树皮灰色，平滑；嫩枝榄青色，无毛，老枝褐色，疏生皮孔；芽卵圆形或椭圆状卵圆形，密被灰黄色或红褐色竖起长毛。叶革质，倒披针形或狭倒卵状椭圆形，长 12 ~ 18 cm，宽 3 ~ 5 cm，先端急尖或短尾状尖，基部楔形或阔楔形，上面深绿色，有光泽，两面无毛，上面中脉凹下；侧脉每边 11 ~ 17，近平行；叶柄长 1.5 ~ 2 cm，无托叶痕。花梗粗短，长约 7 mm，密被黄褐色绒毛；花淡黄色，芳香；花被片 6 ~ 8，外轮倒卵状长圆形，长 4 ~ 4.5 cm，宽 2 ~ 2.4 cm，内轮倒披针形，长约 4 cm，宽 1.1 ~ 1.3 cm；雄蕊长 1.3 ~ 1.8 cm，药室长 10 ~ 12 mm，稍分离，侧向

开裂，药隔伸出长约 0.5 mm 的尖头，花丝紫色；雌蕊群长约 3 cm，淡绿色，心皮椭圆状卵圆形，长约 1 cm，花柱约与心皮等长，胚珠 8 ～ 12。聚合果长 9 ～ 15 cm，扭曲，蓇葖果倒卵圆形或长圆状卵圆形，长 1 ～ 2 cm，成熟后腹背两缝线同时开裂，具白色皮孔，先端具短喙。花期 2 ～ 3 月（有时在 12 月开 1 次花），果期 8 ～ 9 月。

| 生境分布 |　生于海拔 1 000 ～ 2 000 m 的林间。湖北有分布。

| 采收加工 |　**根**：全年均可采挖，除净泥土杂质，洗净，切片，晒干。
　　　　　　树皮：随时可采。

| 功能主治 |　祛风除湿，止血止痛。

木兰科 Magnoliaceae 含笑属 Michelia

深山含笑

Michelia maudiae Dunn

| 药 材 名 |

深山含笑。

| 形态特征 |

乔木，高达 20 m，各部位均无毛。芽、幼枝、苞片及叶下面被白粉。叶革质，长圆状椭圆形或卵状椭圆形，长 7 ~ 18 cm，宽 3.5 ~ 8.5 cm，先端骤狭，短渐尖，尖头钝，基部楔形至近圆形，侧脉 7 ~ 12 对，网脉致密；叶柄长 1 ~ 3 cm，无托叶痕。花梗绿色，具环状苞片脱落痕 3，佛焰苞状苞片长约 3 cm；花芳香，纯白色，花被片 9，长 5 ~ 7 cm，宽 3.5 ~ 4 cm，先端具短急尖，基部具长约 1 cm 的爪，内 2 轮花被片渐狭；雄蕊长 1.5 ~ 2.2 cm，药隔伸出长 1 ~ 2 mm 的尖头，花丝淡紫色；雌蕊群长 1.5 ~ 1.8 cm，雌蕊群柄长 5 ~ 8 mm。聚合果长 7 ~ 15 cm；蓇葖果长圆形、倒卵圆形或卵圆形；种子红色，斜卵圆形，长约 1 cm，稍扁。花期 2 ~ 3 月，果期 9 ~ 10 月。

| 生境分布 |

生于海拔 500 ~ 1 500 m 的山地常绿阔叶林中。栽培于公园、路边、屋旁，喜疏松砂质黄壤土。湖北有分布。

| **采收加工** | **花蕾：** 春季采收，晒干或烘干。

| **功能主治** | 散风寒，通鼻窍，行气止痛。用于风寒感冒，鼻塞流涕，头痛。

木兰科 Magnoliaceae 拟单性木兰属 *Parakmeria*

光叶拟单性木兰 *Parakmeria nitida* (W. W. Sm.) Y. W. Law

| 药 材 名 | 光叶木兰。

| 形态特征 | 常绿乔木，高达 30 m，直径达 1 m。叶革质，椭圆形、长圆状椭圆形，稀倒卵状椭圆形，长 5.5 ~ 9.5 cm，宽 2 ~ 4 cm，先端急尖或短渐尖，基部楔形或阔楔形，上面深绿色，有光泽，嫩叶红褐色；侧脉每边 7 ~ 13；叶柄长 1 ~ 4 cm。花两性，芳香，花被片约 12，外轮 3，背面中部带紫红色，倒卵状匙形，长 4 ~ 5 cm，宽 2.3 ~ 2.5 cm，内 3 轮淡黄白色，渐狭小；雄蕊长 10 ~ 17 mm，花药长约 10 mm，药隔伸出长约 3 mm；雌蕊群绿色，花柱红色。聚合果绿色，长圆状卵圆形或椭圆状卵圆形，长 5 ~ 7.5 cm；种子具鲜黄色外种皮。花

期 3 ~ 5 月，果期 9 ~ 10 月。

| **生境分布** | 生于海拔 1 800 ~ 2 500 m 的山坡阔叶林中。湖北有分布。

| **功能主治** | 止咳祛痰。

木兰科 Magnoliaceae 五味子属 *Schisandra*

翼梗五味子 *Schisandra henryi* Clarke.

| 药 材 名 | 黄皮血藤。

| 形态特征 | 落叶木质藤本。幼枝紫褐色，常具纵向翅状棱。内芽鳞长 8 ~ 15 mm，常宿存于新枝基部。叶宽卵形或近圆形，长 6 ~ 11 cm，宽 3 ~ 8 cm，先端短渐尖或短急尖，基部阔楔形或近圆形。花黄绿色，单生于叶腋；花被片 8 ~ 10，近圆形；雄花花梗长 4 ~ 6 cm，雄蕊群倒卵圆形，直径约 5 mm，雄蕊 30 ~ 40，花药向内侧开裂；雌花花梗长 7 ~ 8 cm，雌蕊群长圆状卵圆形，长约 7 mm，雌蕊约 50。聚合果穗状；小浆果球形，成熟时呈红色；种子扁球形，长 3 ~ 5 mm，表面具乳头状突起。花期 5 ~ 7 月，果期 8 ~ 9 月。

| 生境分布 | 生于海拔 300 ~ 1 500 m 的山地、沟谷、山坡林下或灌丛中。湖北有分布。

| 采收加工 | **根、藤茎：** 秋季采收，切片，晒干。

| 功能主治 | 祛风除湿，活血止痛。用于风湿关节痛，脉管炎，跌打损伤，胃痛，骨折。

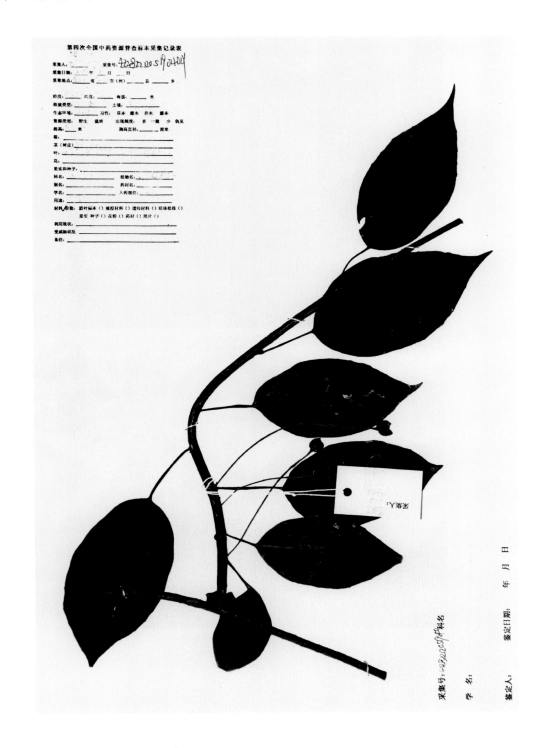

木兰科 Magnoliaceae 五味子属 *Schisandra*

铁箍散
Schisandra propinqua (Wall.) Baill. var. *sinensis* Oliv.

| **药 材 名** | 小血藤。

| **形态特征** | 落叶木质藤本，全株无毛。当年生枝褐色，有银白色角质层。叶坚
纸质，卵形或狭长圆状卵形，长 7 ~ 11（~ 17）cm，宽 2 ~ 3.5
（~ 5）cm，先端渐尖或长渐尖，基部圆形或阔楔形，下延至叶柄，
叶缘具疏齿，有时近全缘，侧脉 4 ~ 8 对。花橙黄色，常单生或 2 ~ 3
花聚生于叶腋，或为腋生的总状花序；花梗长 6 ~ 16 mm，具 2 小
苞片；花被片 9（~ 15），椭圆形至近圆形，最大花被片长 5 ~ 9
（~ 15）mm，宽 4 ~ 9（~ 11）mm；雄蕊群近球形，雄蕊 6 ~ 9，
短小，嵌生于近球形的肉质花托上，花丝极短或无，花药向内侧开
裂；雌蕊群卵球形，心皮 10 ~ 30。聚合果穗状，长 3 ~ 15 cm；小

浆果成熟时呈红色，近球形；种子较小，肾形，种皮灰白色，光滑。花期 6 ~ 8 月，果期 8 ~ 9 月。

| 生境分布 | 生于海拔 400 ~ 2 000 m 的山谷、溪边及山地林中。湖北有分布。

| 采收加工 | **根、藤茎**：秋季采收，洗净，锯成段，晒干。

| 功能主治 | 活血调经，散瘀消肿，行气止痛。用于风湿麻木，筋骨痛，跌打损伤，劳伤吐血，经闭，痈肿。

木兰科 Magnoliaceae 五味子属 Schisandra

红花五味子

Schisandra rubriflora (Franch.) Rehd et Wils.

| **药 材 名** | 滇五味。

| **形态特征** | 落叶木质藤本，全株无毛。小枝紫褐色，后变黑色，直径 5 ~ 10 mm，具节间密的距状短枝。叶纸质，倒卵形、椭圆状倒卵形或倒披针形，稀为椭圆形或卵形，长 6 ~ 15 cm，宽 4 ~ 7 cm，先端渐尖，基部渐狭楔形，边缘有具胼胝质齿尖的锯齿；上面中脉凹入，侧脉每边 5 ~ 8，中脉及侧脉在叶下面带淡红色。花红色；雄花花梗长 2 ~ 5 cm，花被片 5 ~ 8，外花被片有缘毛，大小近相似，椭圆形或倒卵形，最大的长 10 ~ 17 mm，宽 6 ~ 16 mm，最外及最内的较小，雄蕊群椭圆状倒卵圆形或近球形，直径约 1 cm，雄蕊 40 ~ 60，花药长 1.5 ~ 2 mm，外向开裂，药隔与药室近等长，有腺点，下部雄

蕊的花丝长 2 ~ 4 mm；雌花花梗及花被片与雄花的相似，雌蕊群长圆状椭圆形，长 8 ~ 10 mm，心皮 60 ~ 100，倒卵圆形，长 1.5 ~ 2.3 mm，柱头长 3 ~ 8 mm，具明显的鸡冠状突起，基部下延成长 3 ~ 8 mm 的附属体。聚合果轴粗壮，直径 6 ~ 10 mm，长 9 ~ 18 cm；小浆果红色，椭圆形或近球形，直径 8 ~ 11 mm，有短柄；种子淡褐色，肾形，长 3 ~ 4.5 mm，宽 2.5 ~ 3 mm，厚约 2 mm；种皮暗褐色，平滑，微波状，不起皱，种脐尖长，斜 "V" 形，深达 1/3。花期 5 ~ 6 月，果期 7 ~ 10 月。

| **生境分布** | 生于海拔 1 000 ~ 1 300 m 的河谷、山坡林中。湖北有分布。

| **采收加工** | 秋季果实成熟时采摘，晒干或蒸后晒干，除去果柄及杂质。

| **功能主治** | 收敛固涩，益气生津，补肾宁心。用于久嗽虚喘，梦遗滑精，遗尿尿频，久泻不止，自汗，盗汗，津伤口渴，短气脉虚，内热消渴，心悸失眠。

木兰科 Magnoliaceae 五味子属 Schisandra

华中五味子

Schisandra sphenanthera Rehd. et Wils.

| 药 材 名 | 南五味子、血藤。

| 形态特征 | 落叶木质藤本，全株无毛。小枝红褐色，皮孔明显。叶互生，纸质，倒卵形或倒卵状长椭圆形，长（3 ～）5 ～ 11 cm，宽（1.5 ～）3 ～ 7 cm，先端短尖或渐尖，基部楔形或阔楔形，边缘具疏生的波状细齿，上面深绿色，下面淡灰绿色，有白点；叶柄红色，长 1 ～ 3 cm。花单性，雌雄异株，单生或 1 ～ 3 花簇生于叶腋；花梗纤细，长 2 ～ 4.5 cm，基部具膜质苞片；花橙黄色，被片 5 ～ 9；雄蕊群倒卵圆形，雄蕊 11 ～ 19（～ 23），着生于圆柱形的花托上，花丝长约 1 mm，上部 1 ～ 4 雄蕊与花托顶贴生；雌蕊群卵球形，雌蕊 30 ～ 60，子房近镰状椭圆形。聚合果；成熟小浆果红色；种子长圆

形或肾形，种皮褐色，光滑，种脐明显凹入。花期 4 ~ 7 月，果期 7 ~ 9 月。

| 生境分布 | 生于海拔 400 ~ 1 400 m 的湿润山坡边或灌丛中。栽培于湿润、阳光充足的地方。湖北有分布。

| 采收加工 | **南五味子：**秋季果实成熟时采摘，晒干，除去杂质。

血藤：3 ~ 6 月采收，锯成段，晒干。

| 功能主治 | **南五味子：**收敛固涩，益气生津，补肾宁心。用于久咳虚喘，梦遗滑精，遗尿，尿频，久泻不止，自汗，盗汗，津伤口渴，内热消渴，心悸，失眠。

血藤：养血消瘀，理气化湿。用于劳伤吐血，肢节酸痛，心胃气痛，脚气痿痹，月经不调，跌打损伤。

木兰科 Magnoliaceae 玉兰属 Yulania

黄山玉兰
Yulania cylindrica (E. H. Wilson) D. L. Fu

| **药 材 名** | 木兰花。

| **形态特征** | 落叶乔木，高达 10 m。树皮灰白色，平滑。嫩枝、叶柄、叶背被淡黄色平伏毛。老枝紫褐色，皮揉碎有辛辣香气。叶膜质，倒卵形、狭倒卵形或倒卵状长圆形，长 6 ~ 14 cm，宽 2 ~ 5（~ 6.5）cm，先端尖或圆形，很少短尾状钝尖，叶面绿色，无毛，下面灰绿色；叶柄长 0.5 ~ 2 cm，有狭沟；托叶痕长为叶柄长的 1/6 ~ 1/3。花先叶开放，直立；花蕾卵圆形，被淡灰黄色或银灰色长毛；花梗粗壮，长 1 ~ 1.5 cm，密被淡黄色长绢毛，花被片 9，外轮 3 膜质，萼片状，长 12 ~ 20 mm，宽约 4 mm，中内 2 轮花瓣状，白色，基部常红色，倒卵形，长 6.5 ~ 10 cm，宽 2.5 ~ 4.5 cm，基部具爪，内轮 3 直立；

雄蕊长约 10 mm，药隔伸出花药成尖或钝尖头，花丝淡红色；雌蕊群绿色，圆柱状卵圆形，长约 1.2 cm。聚合果圆柱形，长 5 ～ 7.5 cm，直径 1.8 ～ 2.5 cm，下垂，初绿色带紫红色，后变暗紫黑色，成熟蓇葖果排列紧贴，互相结合，不弯曲；去种皮的种子褐色，心形，高 7 ～ 10 mm，宽 9 ～ 11 mm，侧扁，先端具 "V" 形口，基部突尖，腹部具宽的凹沟。花期 5 ～ 6 月，果期 8 ～ 9 月。

| **生境分布** | 生于海拔 700 ～ 1 600 m 的山地林间。湖北有分布。

| **采收加工** | **花蕾：**春季未开放时采摘，晒干。

| **功能主治** | 利尿消肿，润肺止咳。用于肺虚咳嗽，痰中带血，酒疸，重舌，痈肿。

■蜡梅科■ Calycanthaceae ■蜡梅属■ *Chimonanthus*

山蜡梅
Chimonanthus nitens Oliv.

| 药 材 名 | 山蜡梅。

| 形态特征 | 常绿灌木，高3 m；幼枝四方形，老枝近圆柱形，被微毛，后渐无毛。叶纸质至近革质，椭圆形至卵状披针形，少数为长圆状披针形，长2～13 cm，宽1.5～5.5 cm，先端渐尖，基部钝至急尖，叶面略粗糙，有光泽，基部有不明显的腺毛，叶背无毛，或有时在叶缘、叶脉和叶柄上被短柔毛；叶脉在叶面扁平，在叶背凸起，网脉不明显。花小，单生或成对生于叶腋，芳香，直径7～10 mm，黄色或黄白色；花被片圆形、卵形、倒卵形、卵状披针形或长圆形，多轮，长3～15 mm，宽2.5～10 mm，外面被短柔毛，内面无毛；雄蕊5～7，长2 mm，花丝短，被短柔毛，花药卵形，向内弯，比花丝长，退化

雄蕊于雄蕊基部内侧对生，长 1.5 mm；离生心皮多数，长 2 mm，基部及花柱基部被疏硬毛，子房卵形，花柱纤细。假果椭圆形，长 2 ~ 5 cm，直径 1 ~ 2.5 cm，口部收缩，成熟时灰褐色，被糙硬毛，内藏聚合瘦果数个；种子 1。花期 10 月至翌年 1 月，果期 4 ~ 7 月。

| **生境分布** | 生于山地疏林或石灰岩山地。分布于湖北房县、郧西、兴山等。

| **资源情况** | 药材主要来源于野生。

| **采收加工** | 全年均可采收，以夏、秋季采收最佳，鲜用或晒干。

| **功能主治** | 祛风解表，芳香化湿。用于流行性感冒，中暑，慢性支气管炎，湿困胸闷，蚊蚁叮咬。

樟科 Lauraceae 黄肉楠属 Actinodaphne

红果黄肉楠
Actinodaphne cupularis (Hemsl.) Gamble

| **药 材 名** | 红果楠。

| **形态特征** | 灌木或小乔木，高2～10 m。小枝细，灰褐色，幼时被微柔毛。叶轮生，革质，长圆形至长圆状披针形，长5.5～13.5 cm，宽1.5～2.7 cm，两端渐尖或急尖，具羽状脉，中脉上面常凹下。花单性，雌雄异株，伞形花序单生或数个簇生，无总梗；苞片5～6，常于开花时脱落；每一雄花花序有雄花6～7，花梗及花被筒密生褐色长柔毛，花被片6（～8），卵形，几相等，长约2 mm，能育雄蕊9，3轮，花药椭圆形，4室，均内向瓣裂，花丝长约4 mm，退化雌蕊细小；雌花序常有雌花5，子房椭圆形，无毛，柱头2裂。果实卵圆形或卵形，直径约1 cm，成熟时呈红色，着生于杯状果托上。花期10～11月，

果期翌年 8 ～ 9 月。

| 生境分布 | 生于海拔 360 ～ 1 300 m 的山谷、山坡疏密林中或路边林缘。湖北有分布。

| 采收加工 | 根、叶：夏、秋季采收，除去杂质，洗净，晒干。

| 功能主治 | 解毒，消炎。用于疮疡，痔疮，烫火伤，足癣。

无根藤 *Cassytha filiformis* L.

| 药 材 名 | 无根藤。

| 形态特征 | 寄生缠绕草本，借盘状吸根攀附于寄主植物上。茎线形，绿色或绿褐色，稍木质。叶退化为微小的鳞片。穗状花序长 2 ~ 5 cm，密被锈色短柔毛；苞片和小苞片微小，宽卵圆形，长约 1 mm，褐色，被缘毛；花小，白色，长不及 2 mm，无梗；花被裂片 6，排成 2 轮，外轮 3 裂片较小，圆形，有缘毛，内轮 3 裂片较大，卵形，外面有短柔毛，内面几无毛；能育雄蕊 9，退化雄蕊 3，位于最内轮，三角形，具柄。果实小，卵球形，包藏于花后增大的肉质果托内，但彼此分离，先端有宿存的花被片。花果期 5 ~ 12 月。

| **生境分布** | 生于山坡灌丛或疏林中。湖北有分布。

| **采收加工** | **全草**：全年均可采收，洗净，切段，晒干或阴干，亦可鲜用。

| **功能主治** | 清热利湿，凉血解毒。用于感冒发热，肝炎，疟疾，咯血，尿血，水肿，石淋，湿疹，疖肿。

樟科 Lauraceae 樟属 Cinnamomum

华南桂

Cinnamomum austrosinense Hung T. Chang

| 药 材 名 |

野桂皮。

| 形态特征 |

乔木，高可达 16 m，树皮灰褐色。一年生枝条圆柱形，具纵向的条纹及沟槽，被贴伏而短的灰褐色微柔毛；顶芽小，卵珠形，长 3 ~ 4 mm，芽鳞紧密，极密被贴伏而短的灰褐色微柔毛。叶近对生或互生，椭圆形，一年生枝上的老叶长 14 ~ 16 cm，宽 6 ~ 8 cm，当年生枝上的新叶长 6.5 ~ 12 cm，宽 3 ~ 5 cm，先端急尖，尖头长 5 ~ 15 mm，基部钝，薄革质或革质，边缘软骨质，内卷，上面绿色，晦暗或略有光泽，新叶上面被灰褐色微柔毛，老叶上面无毛，下面色较淡，晦暗，新叶与老叶下面均密被贴伏而短的灰褐色微柔毛，脉三出或近离基三出，侧脉自叶基 0 ~ 5 mm 处生出，稍弯，向上伸至叶端下方，与中脉在上面稍凸起，在下面明显凸起，向叶缘一侧常发出 8 ~ 10 支脉，支脉在上面不明显，在下面多少明显，在靠近叶缘处呈拱形连结，横脉波状，近平行，相距 2 ~ 3 mm，在上面不明显，在下面凸起；叶柄长 1 ~ 1.5 mm，腹平背凸，密被贴伏而短的灰褐色微柔毛。圆锥花序生于当年生枝条的叶腋内，长 9 ~ 13 cm，宽 5 ~ 7 cm，3 次分枝，分枝最末端通常为具 3 花的聚伞花序；总花梗长 3 ~ 7.5 cm，与各级花序轴略压扁，密被贴伏而短的灰褐色微柔毛；花黄绿色，长约 4.5 mm；花梗长约 2 mm，密被灰褐色微柔毛；花被内外两面密被灰褐色微柔毛，花被筒倒锥形，长约 2 mm，花被裂片卵圆形，长约 2.5 mm，外轮宽约 1.5 mm，内轮略狭，先端急尖；能育雄蕊 9，花丝及花药背面被柔毛，第一、二轮雄蕊花丝无腺体，药室 4，内向，第三轮雄蕊花丝中部有 1 对无柄的近圆形腺体，药室 4，外向；退化雄蕊 3，位于最内轮，长约 1 mm，三角形，具柄，被柔毛；子房圆球形，长约 1 mm，无毛，花柱长约 1.5 mm，柱头盘状。果实椭圆形，长约 1 cm，宽达 9 mm，果托浅杯状，高约 2.5 mm，直径达 5 mm，边缘具浅齿，齿先端平截。花期 6 ~ 8 月，果期 8 ~ 10 月。

| **生境分布** | 生于山坡、溪边常绿阔叶林中或灌丛中。分布于湖北英山。

| **资源情况** | 药材主要来源于野生。

| **采收加工** | **树皮**：全年均可剥取，洗净，晒干。

| **功能主治** | 散寒，温中，止痛。用于风湿骨痛，胃寒胀痛，疥癣。

樟科 Lauraceae 樟属 Cinnamomum

猴樟
Cinnamomum bodinieri H. Lév.

药材名

猴樟、猴樟果。

形态特征

乔木，高达 16 m。树皮灰褐色。叶互生，卵圆形或椭圆状卵圆形，长 8 ~ 17 cm，宽 3 ~ 10 cm，厚纸质，上面幼时被极细的微柔毛，老时无毛，下面颜色苍白，密被绢状微柔毛；叶柄长 2 ~ 3 cm，略被微柔毛。圆锥花序在幼枝上腋生或侧生，长（5 ~）10 ~ 15 cm，多分枝；花两性，绿白色，长约 2.5 mm，花梗丝状，被绢状微柔毛，花被筒倒锥形，花被裂片 6，卵圆形，内面被白色绢毛；能育雄蕊 9，第 1、2 轮雄蕊花丝无腺体，第 3 轮雄蕊花丝近基部有 1 对肾形大腺体，退化雄蕊 3，心形。果实球形，直径 7 ~ 8 mm，绿色，无毛；果托浅杯状。花期 5 ~ 6 月，果期 7 ~ 8 月。

生境分布

生于海拔 400 ~ 1 480 m 的路旁、沟边、疏林或灌丛中。栽培于路边、公园，喜排水良好的环境，对土壤要求不高。湖北有分布。

| 采收加工 | **猴樟**：全年均可采收，将根皮、茎皮刮去栓皮，洗净，晒干，枝叶多鲜用。
猴樟果：秋季果实成熟时采摘，去净杂质，晒干。

| 功能主治 | **猴樟**：祛风除湿，温中散寒，行气止痛。用于风寒感冒，风湿痹痛，吐泻腹痛，腹中痞块，疝气疼痛，烫伤。
猴樟果：散寒，行气，止痛。用于虚寒胃痛，腹痛。

樟科 Lauraceae 樟属 Cinnamomum

樟

Cinnamomum camphora (L.) Presl

| 药 材 名 | 樟木、樟树叶、樟树皮、樟树子、樟脑。

| 形态特征 | 常绿大乔木，高可达 30 m，直径可达 3 m。树冠广卵形。树皮黄褐色，有不规则的纵裂。枝条圆柱形，无毛。叶互生，卵状椭圆形，长 6 ~ 12 cm，宽 2.5 ~ 5.5 cm，先端急尖，基部宽楔形至近圆形，全缘，上面有光泽，两面无毛，具离基三出脉或不明显 5 脉，中脉两面明显，侧脉（1 ~ ）3 ~ 5（~ 7）对，侧脉及支脉脉腋上面明显隆起，下面腺窝明显，窝内常被柔毛；叶柄纤细，腹凹背凸，无毛。圆锥花序腋生；花绿白色或带黄色，长约 3 mm；花被筒倒锥形，花被裂片椭圆形；能育雄蕊 9，花丝被短柔毛，退化雄蕊 3，被短柔毛；雌蕊无毛。果实卵球形或近球形，直径 6 ~ 8 mm，成熟时呈紫黑色；

果托杯状，先端截平，具纵向沟纹。花期 4 ～ 5 月，果期 8 ～ 11 月。

| 生境分布 | 生于海拔 600 m 以下的山坡或沟谷中。栽培于公园、屋旁、路边。湖北有分布。

| 采收加工 | **樟木**：冬季砍取树干，锯断，劈成小块，晒干。

樟树叶：全年均可采收，鲜用或晒干。

樟树皮：全年均可剥取，切段，鲜用或晒干。

樟树子：秋、冬季采集成熟的果实，晒干。

樟脑：除春分至立夏期间外，均可采收根、干、枝、叶，用蒸馏法提取樟脑油，升华后得樟脑粉。

| 功能主治 | **樟木**：祛风除湿，止泻，止血。用于皮肤痒疹，风湿痹痛，泄泻，痢疾，腹痛，寒结肿毒，外伤出血。

樟树叶：祛风除湿，止痛，杀虫。用于风湿骨痛，跌打损伤，疥癣。

樟树皮：祛风除湿，暖胃和中，杀虫疗疮。用于风湿痹痛，胃脘疼痛，呕吐，泄泻，脚气肿痛，跌打损伤，疥癣疮毒，毒虫螫伤。

樟树子：散寒祛湿，行气止痛。用于吐泻，胃寒腹痛，脚气，肿毒。

樟脑：通窍辟秽，温中止痛，利湿杀虫。用于心腹胀痛，脚气，疮疡疥癣，牙痛，跌打损伤。

樟科 Lauraceae 樟属 Cinnamomum

肉桂 *Cinnamomum cassia* Presl

| 药 材 名 |

肉桂、桂枝。

| 形态特征 |

常绿乔木。芳香，树皮灰褐色。当年生枝条多少四棱形，黄褐色，具纵向细条纹，密被灰黄色短绒毛。顶芽小，长约 3 mm，芽鳞宽卵形，先端渐尖，密被灰黄色短绒毛。叶互生或近对生，长椭圆形至近披针形，长 8 ~ 34 cm，宽 4 ~ 9.5 cm，先端稍急尖，基部急尖，革质，边缘内卷，上面绿色，有光泽，无毛，下面淡绿色，疏被黄色短绒毛；离基三出脉，侧脉近对生，自叶基 5 ~ 10 mm 处生出，稍弯向上，伸至叶端的下方渐消失，与中脉在上面明显凹陷，在下面十分凸起，向叶缘一侧有多数支脉，支脉在叶缘之内拱形联结，横脉波状，近平行，相距 3 ~ 4 mm，在上面不明显，在下面凸起，其间由小脉连接，小脉在下面明显可见；叶柄粗壮，长 1.2 ~ 2 cm，腹面平坦或下部略具槽，被黄色短绒毛。圆锥花序腋生或近顶生，长 8 ~ 16 cm，3 级分枝，分枝末端为具 3 花的聚伞花序，总梗长约为花序长的 1/2，与各级花序轴均被黄色绒毛；花两性，白色，长约 4.5 mm；花梗长 3 ~ 6 mm，被黄褐色短绒毛；花被内、外两面密被黄褐色短绒毛，花被筒倒锥形，长约 2 mm，花被裂片卵状长圆形，近等大，长约 2.5 mm，宽 1.5 mm，先端钝或近锐尖；能育雄蕊 9，花丝被柔毛，第 1、2 轮雄蕊长约 2.3 mm，花丝扁平，长约 1.4 mm，上方 1/3 处变宽大，花药卵圆状长圆形，长约 0.9 mm，先端平截，药室 4，室均内向，上 2 室小得多，第 3 轮雄蕊长约 2.7 mm，花丝扁平，长约 1.9 mm，上方 1/3 处有 1 对圆状肾形腺体，花药卵圆状长圆形，药室 4，上 2 室较小，外侧向，下 2 室较大，外向，退化雄蕊 3，位于最内轮，连柄长约 2 mm，柄纤细，扁平，长 1.3 mm，被柔毛，先端箭头状正三角形；子房卵球形，长约 1.7 mm，无毛，花柱与子房等长，柱头小，不明显。果实椭圆形，长约 1 cm，宽 7 ~ 9 mm，成熟时黑紫色，无毛；果托浅杯状，长 4 mm，先端宽达 7 mm，边缘平截或略具齿裂。花期 6 ~ 8 月，果期 10 ~ 12 月。

| 生境分布 | 生于常绿阔叶林中，但多为栽培。分布于湖北公安。

| 采收加工 | **肉桂：**多于秋分后采剥栽培 5 ~ 6 年以上的树皮和枝皮，当栽培树龄 10 年以上的桂树的韧皮部已积成油层时亦可采剥，阴干。

桂枝：肉桂定植 2 年后，采摘嫩枝，去叶，晒干；或采取肉桂树苞萌枝或取修枝、间伐的枝条，去叶，晒干。

| 功能主治 | **肉桂：**补火助阳，引火归原，散寒止痛，温通经脉。用于阳痿宫冷，腰膝酸软，肾虚作喘，虚阳上浮，眩晕目赤，心腹冷痛，虚寒吐泻，寒疝腹痛，痛经经闭。

桂枝：发汗解肌，温通经脉，助阳化气，平冲降气。用于风寒感冒，脘腹冷痛，血寒经闭，关节痹痛，痰饮，水肿，心悸，奔豚。

樟科 Lauraceae 樟属 Cinnamomum

阔叶樟
Cinnamomum platyphyllum (Diels) Allen

| 药 材 名 | 阔叶樟。

| 形态特征 | 乔木，高约 5.5 m。小枝具纵棱，嫩时密被灰褐或淡黄褐色短绒毛，老时毛被部分脱落，渐变无毛；芽卵形或椭圆形，长约 4 mm，芽鳞阔卵圆形，先端锐尖，外面密被灰褐或淡黄褐色绒毛。叶互生，椭圆形、卵圆形至阔卵圆形，长 5.5 ~ 13 cm，宽 2.5 ~ 5.5（~ 7）cm，先端渐尖或短渐尖，基部楔形至圆形，或有时呈浅心形，坚纸质或近革质，上面略被短柔毛或变无毛，光亮，下面密被灰褐色或淡黄褐色短柔毛；羽状脉，中脉在上面下部平坦或稍凹陷，上部稍隆起，下面显著隆起，侧脉每边 4 ~ 7，在上面稍隆起，下面明显隆起，侧脉脉腋通常在上面略有泡状隆起，下面不明显呈窝穴

状，横脉及细脉在上面稍明显，下面几不可见；叶柄长 1 ~ 2.5 cm，腹面具沟槽，被灰褐色或淡黄褐色绒毛。花未见。果序圆锥状，腋生，长达 9 cm，序轴密被灰褐色或淡黄褐色绒毛；果实阔倒卵形或近球形，直径约 1 cm，被灰褐色或淡黄褐色柔毛；果托浅碟状，全缘，直径约 3.5 mm，果柄长约 3 mm，向上逐渐增粗，先端直径约 2 mm。果期 9 月。

| **生境分布** | 生于海拔约 1 050 m 的山坡上。湖北有分布。

| **采收加工** | **根**：全年均可采收，除去杂质，晒干或鲜用。

| **功能主治** | 行气止痛。

樟科 Lauraceae 樟属 *Cinnamomum*

香桂 *Cinnamomum subavenium* Miq.

| 药 材 名 | 香桂。

| 形态特征 | 乔木，高达 20 m。树皮灰色，平滑。枝条密被黄色平伏绢状短柔毛。叶近对生或互生，椭圆形、卵状椭圆形至披针形，长 4 ~ 13.5 cm，

宽 2 ~ 6 cm，先端渐尖或短尖，基部楔形至圆形，幼时被黄色平伏绢状短柔毛，老时毛渐脱落，革质，具三出脉或近离基三出脉；叶柄长 5 ~ 15 mm，密被黄色平伏绢状短柔毛。花淡黄色，长 3 ~ 4 mm；花梗长 2 ~ 3 mm，密被黄色平伏绢状短柔毛；花被内外两面密被短柔毛，花被筒倒锥形；花被裂片 6；能育雄蕊 9，花丝全体及花药背面被柔毛，第 3 轮雄蕊花丝近基部有 1 对具短柄的圆状肾形腺体，退化雄蕊 3，具柄，被柔毛；子房球形，无毛。果实椭圆形，长约 7 mm，宽 5 mm，成熟时呈蓝黑色。花期 6 ~ 7 月，果期 8 ~ 10 月。

| **生境分布** | 生于海拔 1 500 m 以下的山坡或山谷常绿阔叶林中。湖北有分布。

| **采收加工** | **树皮、根、叶**：全年均可采收，除去杂质，晒干或鲜用。

| **功能主治** | 祛寒镇痛，行气健胃。用于风湿痹痛，创伤出血。

樟科 Lauraceae 樟属 Cinnamomum

川桂

Cinnamomum wilsonii Gamble

药 材 名

官桂。

形态特征

乔木，高达25 m。叶互生或近对生，卵圆形或卵圆状长圆形，长8.5～18 cm，宽3.2～5.3 cm，先端渐尖，尖头钝，基部渐狭，下延至叶柄，但有时为近圆形，革质，边缘软骨质而内卷，幼时明显被白色丝毛，老时无毛，具离基三出脉，中脉与侧脉在两面均凸起；叶柄无毛。圆锥花序腋生，长3～9 cm；花白色，长约6.5 mm；花梗丝状，被细微柔毛；花被内外两面被丝状微柔毛；花被筒倒锥形；花被裂片卵圆形；能育雄蕊9，花丝被柔毛，第3轮雄蕊中部有1对呈肾形的无柄腺体，退化雄蕊3；子房卵球形。果实椭圆状球形，长14～17 mm，直径8～11 mm；果托碗状。花期4～5月，果期6月以后。

生境分布

生于海拔800～2 100 m的山地沟谷林中。栽培于房前屋后。湖北有分布。

| **采收加工** | **树皮：** 夏至前后采收，阴干。 |

| **功能主治** | 温脾胃，暖肝肾，祛寒止痛，散瘀消肿。用于脘腹冷痛，呕吐，泄泻，寒疝腹痛，腰膝冷痛，跌打损伤。 |

乌药
Lindera aggregate (Sims) Kosterm.

| 药 材 名 | 乌药、乌药叶。

| 形态特征 | 常绿灌木或小乔木，高可达 5 m。根有纺锤状或结节状膨胀，长 6 ~ 15 cm，直径 1 ~ 3 cm，表面有细皱纹。幼枝青绿色，具纵向细条纹，密被金黄色绢毛，老时无毛。叶互生，卵形、椭圆形至近圆形，通常长 2.7 ~ 5 cm，宽 1.5 ~ 4（~ 7）cm，先端长渐尖或尾尖，基部圆形，革质，上面绿色，下面苍白色，幼时密被棕褐色柔毛，后渐脱落，两面有小凹窝，具三出脉；叶柄有褐色柔毛，后毛渐脱落。伞形花序腋生，无总梗；每花序内有花 7，花被裂片椭圆形，外面被白色柔毛；雄蕊 9，花丝被疏柔毛，退化雌蕊坛状；雌花中退化雄蕊条片状，雌蕊被毛，子房椭圆形，柱头头状；花梗长 3 ~ 4 mm，

密被毛。果实卵形或近圆形，长 0.6 ～ 1 cm，直径 4 ～ 7 mm。花期 3 ～ 4 月，果期 5 ～ 11 月。

| **生境分布** | 生于海拔 200 ～ 1 000 m 的向阳坡地、山谷或疏林、灌丛中。湖北有分布。

| **采收加工** | 乌药：全年均可采挖，除去细根，洗净，趁鲜切片后晒干或直接晒干。
乌药叶：全年均可采收，洗净，鲜用或晒干。

| **功能主治** | 乌药：行气止痛，温肾散寒。用于寒凝气滞，胸腹胀痛，气逆喘急，膀胱虚冷，遗尿，尿频，疝气疼痛，经寒腹痛。
乌药叶：温中理气，消肿止痛。用于腹冷痛，小便频数，风湿痹痛，跌打伤痛，烫伤。

樟科 Lauraceae 山胡椒属 Lindera

香叶树
Lindera communis Hemsl.

| 药 材 名 |

香叶树。

| 形态特征 |

常绿灌木或小乔木，高（1~）3~4 m。小枝纤细，平滑，具纵条纹，被黄白色短柔毛，基部有密集芽鳞痕。叶互生，通常为披针形、卵形或椭圆形，长（3~）4~7（~12.5）cm，宽（1~）1.5~3（~4.5）cm，先端渐尖至骤尖，基部宽楔形或近圆形，革质，上面绿色，无毛，下面灰绿色或浅黄色，被黄褐色柔毛，后毛渐脱落，具羽状脉；叶柄长5~8 mm，被黄褐色微柔毛或近无毛。伞形花序单生或2花序同生于叶腋，总梗极短，每花序内有花5~8，花被裂片卵形，背面有微柔毛；雄蕊9，花丝略被毛或无毛，退化雌蕊细小；雌花中退化雄蕊条形，雌蕊无毛，子房椭球形，柱头盾形；花梗长2~2.5 mm，被毛。果实卵形，长约1 cm，宽7~8 mm，无毛，成熟时呈红色；果柄长4~7 mm，被黄褐色微柔毛。花期3~4月，果期9~10月。

| 生境分布 |

生于海拔1 300 m以下的山地或丘陵林中。

湖北有分布。

| **采收加工** | **树皮、叶：** 全年均可采收，晒干或鲜用。

| **功能主治** | 散瘀消肿，止血，止痛，解毒。用于骨折，跌打肿痛，外伤出血，疮疖痈肿。

樟科 Lauraceae 山胡椒属 Lindera

山胡椒

Lindera glauca (Sieb. et Zucc.) Bl.

| 药 材 名 | 山胡椒、山胡椒叶、山胡椒根。

| 形态特征 | 落叶灌木或小乔木，高可达 8 m。幼枝条白黄色，初有褐色毛，后
毛脱落。叶互生，纸质，宽椭圆形、椭圆形、倒卵形至狭倒卵形，
长 4 ~ 9 cm，宽 2 ~ 4 (~ 6) cm，叶背被白色柔毛，具羽状脉；
叶枯后不落，翌年新叶发出时落下。伞形花序腋生，总梗短或不明
显，长不及 3 mm；每花序内有花 3 ~ 8，花被裂片椭圆形，背面基
部有柔毛；雄花中有雄蕊 9，雄蕊无毛，退化雌蕊细小，花梗长约
1.2 cm，密被白色柔毛；雌花中退化雄蕊条形，雄蕊无毛，子房椭
圆形，柱头盘状，花梗长 3 ~ 6 mm。果实球形，直径 6 ~ 7 mm；
果托碟状，直径约 3 mm；果柄长 10 ~ 15 mm，无毛或有疏柔毛。

花期 3 ~ 4 月，果期 7 ~ 8 月。

| 生境分布 | 生于海拔 900 m 以下的山坡、林缘、路旁。湖北有分布。

| 采收加工 | 山胡椒：秋季果实成熟时采收，晒干。

山胡椒叶：秋季采收，晒干或鲜用。

山胡椒根：秋季采收，晒干或鲜用。

| 功能主治 | 山胡椒：温中散寒，行气止痛，平喘。用于脘腹冷痛，胸满痞闷，哮喘。

山胡椒叶：解毒消疮，祛风止痛，止痒，止血。用于疮疡肿毒，风湿痹痛，跌打损伤，外伤出血，皮肤瘙痒，蛇虫咬伤。

山胡椒根：祛风通络，理气活血，利湿消肿，化痰止咳。用于风湿痹痛，跌打损伤，胃脘疼痛，脱力劳伤，支气管炎，水肿。

樟科 Lauraceae 山胡椒属 Lindera

三桠乌药 *Lindera obtusiloba* Bl.

| **药 材 名** | 三钻风。

| **形态特征** | 落叶乔木或灌木，高 3 ~ 10 m。芽卵形，外鳞片黄褐色，无毛，内鳞片有淡棕黄色厚绢毛。叶互生，纸质，近圆形至扁圆形，长 5.5 ~ 10 cm，宽 4.8 ~ 10.8 cm，先端急尖，常 3 裂，基部近圆形或心形，叶背苍绿色，脉 3 出，偶 5 出，网脉明显；叶柄长 1.5 ~ 2.8 cm，被黄白色柔毛。伞形花序腋生，无总梗，每花序内有花 5 ~ 6，花被裂片 6，长椭圆形，背面有长柔毛；雄花中能育雄蕊 9，花丝无毛，退化雌蕊细小；雌花中退化雄蕊条片形，雌蕊无毛，子房椭圆形，无毛，花柱短，长不及 1 mm。果实广椭圆形，长 0.8 cm，直径 0.5 ~ 0.6 cm，成熟时先呈红色，后呈紫黑色，干时呈黑褐色。花期

3 ~ 4 月，果期 8 ~ 9 月。

| 生境分布 |　生于海拔 1 000 ~ 1 600 m 的山谷、密林灌丛中。湖北有分布。

| 采收加工 |　**树皮：**全年均可采收，晒干或鲜用。

| 功能主治 |　温中行气，活血散瘀。用于心腹疼痛，跌打损伤，瘀血肿痛，疮毒。

樟科 Lauraceae 山胡椒属 Lindera

香粉叶

Lindera pulcherrima (Nees) Hook. f. var. *attenuata* C. K. Allen

药 材 名

香粉叶。

形态特征

常绿乔木，高 7 ~ 10 m。枝条绿色，平滑，有细纵条纹，初被白色柔毛，后毛渐脱落。芽大，椭圆形，长 7 ~ 8 mm，芽鳞密被白色贴伏柔毛。叶互生，长卵形、长圆形至长圆状披针形，长 8 ~ 13 cm，宽 2 ~ 4.5 cm，先端渐尖或尾状渐尖，基部圆或宽楔形，上面绿色，干后仍绿色，下面蓝灰色，幼叶两面被白色疏柔毛，不久脱落成无毛或近无毛；三出脉，中、侧脉黄色，在叶上面略凸出，在下面明显凸出；叶柄长 8 ~ 12 mm，被白色柔毛。伞形花序无总梗或具极短的总梗，3 ~ 5 生于叶腋长 1 ~ 3 mm 的短枝先端，短枝偶有发育成正常枝；雄花（总苞中）花梗被白色柔毛，花被片 6，近等长，椭圆形，外面背脊部被白色疏柔毛，内面无毛，能育雄蕊 9，花丝被白色柔毛，第 3 轮花丝基部以上着生 2 具柄肾形腺体，不孕子房无毛；雌花极小，花被片仅长 1 mm，第 3 轮退化雄蕊呈片状狭三角形，2 片状卵形腺体着生于中部两侧，子房、花柱无毛。果实椭圆形，幼果仍被稀疏白色柔毛，幼果顶部及未脱落的花柱密被白色柔毛，近成熟果实长 8 mm，直径 6 mm。果期 6 ～ 8 月。

| **生境分布** | 生于海拔 65 ～ 1 590 m 的山坡、溪边。分布于湖北远安、郧阳、竹溪、保康等。

| **资源情况** | 药材主要来源于野生。

| **采收加工** | 全年均可采收，晒干。

| **功能主治** | 清凉消食。

樟科 Lauraceae 山胡椒属 Lindera

川钓樟
Lindera pulcherrima (Wall.) Benth. var. *hemsleyana* (Diels) H. P. Tsui

| 药 材 名 | 川钓樟。

| 形态特征 | 本变种的形态与香粉叶 *Lindera pulcherrima* (Wall.) Benth. var. *attenuata* Allen 基本相同，不同之处在于本变种的叶片通常呈椭圆形至倒卵形，宽 2.5 ~ 5 cm。

| 生境分布 | 生于海拔 1 000 ~ 1 500 m 的山地林中。湖北有分布。

| 采收加工 | **树皮、根、叶：** 全年均可采收，晒干。

| 功能主治 | 顺气，开郁宽中，消食止痛，止血生肌，排石。用于宿食不消，反胃吐食，风湿关节痛。

樟科 Lauraceae 山胡椒属 Lindera

山橿 *Lindera reflexa* Hemsl.

药材名

山橿。

形态特征

落叶灌木或小乔木，高 1 ~ 5 m。树皮有纵裂及斑点。叶互生，纸质，卵形或倒卵状椭圆形，长（5 ~）9 ~ 12（~ 16.5）cm，宽 5 ~ 8（~ 12.5）cm，先端渐尖，基部圆形或宽楔形，叶背面苍绿色，被白色柔毛，后毛渐脱落，具羽状脉，侧脉 6 ~ 8（~ 10）对；叶柄幼时被柔毛，后毛脱落。伞形花序着生于叶芽两侧，具总梗，总梗长约 3 mm，红色，密被红褐色微柔毛，果时毛脱落；总苞片 4，内有花约 5；雄花花梗长 4 ~ 5 mm，密被白色柔毛，花被片 6，黄色，椭圆形，花丝无毛，退化雌蕊细小，狭角锥形；雌花花梗长 4 ~ 5 mm，密被白柔毛，花被片被白柔毛，退化雄蕊条形，雌蕊长约 2 mm，子房椭圆形，柱头盘状。果实球形，直径约 7 mm，成熟时呈红色；果柄无皮孔，被疏柔毛。花期 4 月，果期 8 月。

生境分布

生于海拔 1 000 m 以下的山谷、山坡林下或灌丛中。湖北有分布。

| **采收加工** | 根：全年均可采收，晒干或鲜用。 |

| **功能主治** | 理气止痛，祛风解表，杀虫，止血。用于胃痛，腹痛，风寒感冒，风疹，疥癣，刀伤出血。 |

樟科 Lauraceae 木姜子属 Litsea

豹皮樟 *Litsea coreana* H. Lév. var. *sinensis* (Allen) Yang et P. H. Huang

| 药 材 名 | 豹皮樟。

| 形态特征 | 常绿乔木，高可达 5 m。树皮灰色。顶芽卵圆形。叶片互生，长圆形或披针形，上面较光亮，幼时基部沿中脉有柔毛；叶柄上面有柔

毛，下面无毛。伞形花序腋生，苞片交互对生，近圆形，花梗粗短，密被长柔毛；花被裂片卵形或椭圆形。果实近球形，果柄颇粗壮。8～9月开花，翌年夏季结果。

| 生境分布 | 生于海拔 900 m 以下的山地杂木林中。湖北有分布。

| 采收加工 | **根、叶：**全年均可采收，根洗净，切片，阴干，叶阴干或鲜用。

| 功能主治 | 祛风除湿，行气止痛。

樟科 Lauraceae 木姜子属 Litsea

山鸡椒
Litsea cubeba (Lour.) Pers.

| 药 材 名 |

山鸡椒。

| 形 态 特 征 |

多年生落叶灌木或小乔木。小枝细长，绿色，无毛。顶芽圆锥形，外面具柔毛。叶互生，披针形或长圆形，先端渐尖，基部楔形，纸质，叶面深绿色，叶背粉绿色，两面均无毛；叶柄纤细，无毛。花柱短，柱头头状。果实近球形，无毛，幼时绿色，成熟时黑色，先端稍增粗。花期 2 ~ 3 月，果期 7 ~ 8 月。

| 生 境 分 布 |

生于海拔 500 ~ 3 100 m 的山地或灌丛中。湖北有分布。

| 功 能 主 治 |

温中止痛，行气活血，平喘，利尿。用于脘腹冷痛，食积气胀，反胃呕吐，暑湿吐泻，寒疝腹痛，哮喘，寒湿水臌，小便不利、浑浊，牙痛，寒湿痹痛，跌打损伤。

樟科 Lauraceae 木姜子属 Litsea

清香木姜子 *Litsea euosma* W. W. Smith

| 药 材 名 | 清香木姜子。

| 形态特征 | 落叶小乔木，高 10 m。树皮灰褐色或灰绿色。顶芽圆锥形，外被黄褐色柔毛。叶互生，长圆形或卵状椭圆形，上面深绿色，下面粉绿色，羽状脉。伞形花序腋生，花被裂片 6，黄绿色或黄白色。果实球形。花期 2 ~ 3 月，果期 9 月。

| 生境分布 | 生于海拔 600 ~ 2 450 m 的山地阔叶林中。湖北有分布。

| 功能主治 | 理气健脾，解表燥湿。用于消化不良，风寒湿痛，跌打肿痛，产后水肿、寒泻，胸腹胀满，发痧气痛。

樟科 Lauraceae 木姜子属 *Litsea*

湖北木姜子

Litsea hupehana Hemsl.

| 药 材 名 | 湖北木姜子。

| 形 态 特 征 | 常绿乔木或小乔木，高达 10 m。树皮灰色，顶芽卵圆形。叶互生，狭披针形、披针形至椭圆状披针形，薄革质，上面绿色，下面淡绿色，羽状脉。伞形花序单生或 2 簇生于叶腋；花梗被灰色丝状柔毛；花被裂片卵形。果实近球形，果托扁平，果柄粗壮。花期 8 ~ 9 月，果期 5 ~ 6 月。

| 生 境 分 布 | 生于海拔 850 ~ 1 400 m 的山坡阔叶林中。分布于湖北西部。

| 功 能 主 治 | 根皮：温经通络，行气止痛。用于胃痛，胃溃疡，胁下气痛。

宜昌木姜子
Litsea ichangensis Gamble

| 药 材 名 | 小木姜子。

| 形态特征 | 落叶灌木或小乔木，高达 8 m。叶互生；叶片纸质，倒卵形或近圆形，长 2 ~ 5 cm，宽 2 ~ 3 cm，先端急尖或圆钝，基部楔形，上面深绿色，无毛，下面粉绿色，幼时脉腋处有簇毛，具羽状脉，侧脉每边 4 ~ 6，纤细，通常离基部第 1 对侧脉与第 2 对侧脉之间的距离较大，中脉、侧脉在叶两面微凸起；叶柄长 5 ~ 15 mm，纤细，无毛。伞形花序单生或 2 花序簇生，每花序常有 9 花；总梗稍粗，长约 5 mm，无毛；花被裂片倒卵形或近圆形，背面仅基部有毛，腹面无毛；能育雄蕊 9，花丝无毛，退化雄蕊细小；雌花中退化雄蕊无毛，雌蕊无毛，子房卵球形；花梗长 4 ~ 10 mm，密被柔毛。果序长 15 ~ 20 cm；果

实近球形，直径 5 mm；果柄长 1 ~ 1.5 cm，无毛，先端稍增粗。花期 4 ~ 5 月，果期 7 ~ 8 月。

| **生境分布** | 生于海拔 300 ~ 1 700 m 的山坡灌丛或针叶林中。湖北有分布。

| **采收加工** | **果实：**秋末采摘，阴干。

| **功能主治** | 温中，行气止痛。用于脘腹冷痛，痛经。

樟科 Lauraceae 木姜子属 *Litsea*

毛叶木姜子

Litsea mollis Hemsl.

| 药 材 名 |

毛叶木姜子。

| 形态特征 |

落叶灌木或小乔木，高达 4 m。树皮绿色。小枝灰褐色，有柔毛。叶互生或聚生于枝顶，长圆形或椭圆形，上面暗绿色，下面带绿白色，羽状脉。伞形花序腋生，花被裂片黄色。果实球形。花期 3 ~ 4 月，果期 9 ~ 10 月。

| 生境分布 |

生于海拔 600 ~ 2 800 m 的山坡灌丛中或阔叶林中。湖北有分布。

| 功能主治 |

理气健脾，解表燥湿。用于消化不良，风寒湿痛，跌打肿痛，产后水肿、寒泻，胸腹胀满，发痧气痛。

樟科 Lauraceae 木姜子属 Litsea

木姜子
Litsea pungens Hemsl.

| **药 材 名** | 木姜子。

| **形态特征** | 落叶乔木，高 3 ～ 10 m。树皮灰白色，幼枝黄绿色，被柔毛，老枝黑褐色，无毛。叶互生，常聚生于枝顶，披针形或倒卵状披针形。伞形花序腋生；花被裂片黄色，倒卵形。果实球形，成熟时蓝黑色。花期 3 ～ 5 月，果期 7 ～ 9 月。

| **生境分布** | 生于溪旁、山坡或杂木林缘。湖北有分布。

| **功能主治** | 温中，行气，止痛，燥湿健脾，消食，解毒消肿。用于胃寒腹痛，暑湿吐泻，食滞饱胀，痛经，疝痛，疟疾，疮疡肿痛。

樟科 Lauraceae 木姜子属 Litsea

红叶木姜子
Litsea rubescens Lec.

| **药 材 名** | 红叶木姜子。

| **形态特征** | 落叶灌木或小乔木，高可达 10 m。树皮绿色。顶芽圆锥形。叶互生，椭圆形或披针状椭圆形，上面绿色，下面淡绿色，羽状脉，嫩枝、

叶脉、叶柄常为红色。伞形花序腋生；花梗密被灰黄色柔毛；花被裂片黄色，宽椭圆形；花丝短，黄色。果实球形。花期 3 ～ 4 月，果期 9 ～ 10 月。

| **生境分布** | 生于山谷常绿阔叶林中空隙处或林缘。湖北有分布。

| **功能主治** | 祛风散寒，消肿止痛。用于风寒感冒，头痛，风湿痹痛，跌打肿痛。

樟科 Lauraceae 新樟属 Neocinnamomum

川鄂新樟

Neocinnamomum fargesii (Lec.) Kosterm.

| 药材名 |

三条筋。

| 形态特征 |

灌木或小乔木，高 2 ~ 7 m。枝条圆柱形，有纵向细条纹和褐色斑点，无毛。叶互生，宽卵圆形、卵状披针形或菱状卵圆形，长 4 ~ 6.5 cm，宽 3 ~ 4 cm，先端稍渐尖，尖头近锐尖，基部楔形至宽楔形，坚纸质，两面无毛，上面绿色，下面淡绿色或白绿色，边缘软骨质，内卷，在中部以上明显呈波状；三出脉或近三出脉，中脉及侧脉在上面凹陷，在下面凸起，基生侧脉在近叶缘一侧常具支脉，细脉两面明显，呈网状；叶柄长 0.6 ~ 0.8 cm，腹凹背凸，无毛。团伞花序腋生，1 ~ 4 花，近无梗，近伞形；苞片卵圆形，长 1.3 mm，宽 1 mm，略被微柔毛；花浅绿色，小，长约 2 mm；花梗长 1 ~ 4 mm，略被微柔毛或近无毛；花被裂片 6，两面被微柔毛，近等大，宽卵圆形，长约 1.3 mm，宽约 1.2 mm，先端锐尖；能育雄蕊 9，长约 1 mm，被柔毛，第一、二轮雄蕊无腺体，花药卵圆形，与花丝等长，4 室，上 2 室内向，下 2 室侧内向，第三轮雄蕊有 1 对腺体，花药较狭，4 室，下 2 室大，外向，上 2 室小，侧外向；退化雄蕊小，三角形，具短柄，被柔毛；子房椭圆状卵球形，长约 1.5 mm，花柱短，柱头盘状，先端微凹。果实近球形，直径 1.2 ~ 1.5 cm，先端具小突尖，成熟时红色；果托高脚杯状，先端宽 0.5 ~ 1.2 cm，花被片宿存，凋萎状；果柄向上略增粗，长 0.5 ~ 1.5 cm。花期 6 ~ 8 月，果期 9 ~ 11 月。

| 生境分布 |　生于海拔 600 ~ 1 300 m 的灌丛中。分布于湖北西部。

| 功能主治 |　行气，温中，止痛。用于气滞寒凝所致的胸腹胀痛，疝气，痛经。

樟科 Lauraceae 新木姜子属 Neolitsea

簇叶新木姜子 *Neolitsea confertifolia* (Hemsl.)

| 药 材 名 | 簇叶新木姜子。

| 形态特征 | 小乔木。小枝常轮生。叶密集成轮生状，长圆形或披针形至狭披针形，长 5 ~ 12 cm，宽 1.5 ~ 3.5 cm，先端渐尖或短渐尖，基部楔形，

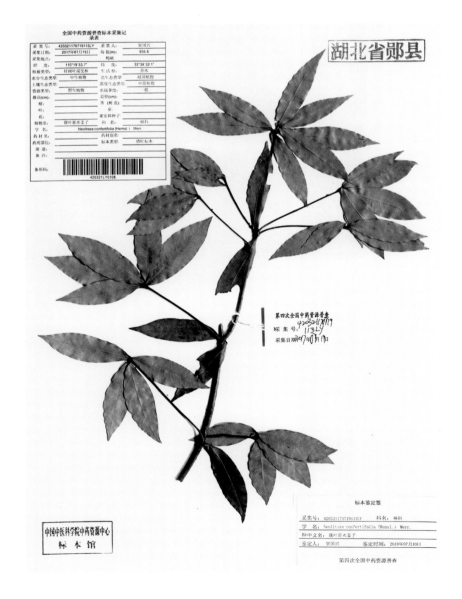

边缘呈微波状，下表面带苍绿白色，幼时被短柔毛，羽状脉。伞形花序常 3 ～ 5 簇生于叶腋，苞片 4，每花序具 4 花；雄花能育雄蕊 6，退化雌蕊柱头头状；雌花子房卵形，柱头膨大，2 裂。果实卵形或椭圆形，成熟时灰蓝黑色。花期 4 ～ 5 月，果期 9 ～ 10 月。

| 生境分布 | 生于海拔 460 ～ 2 000 m 的山地、水旁、灌丛及山谷密林中。分布于湖北丹江口，以及武汉、宜昌。

| 功能主治 | **树皮：** 祛风行气，健脾利湿。用于胸腹胀痛，疳积，腹泻，中暑，疮疡。

| 附　注 | 本种最初在湖北西部和四川东部发现，其侧脉绝大多数不明显，与主脉近垂直；在四川盆地西侧如峨眉、天全等地区的簇叶新木姜子侧脉明显突起，且与主脉成锐角，下部 1 对往往较长，近三出脉。

樟科 Lauraceae 楠属 *Phoebe*

竹叶楠
Phoebe faberi (Hemsl.) Chun

| 药 材 名 | 竹叶楠。

| 形态特征 | 乔木，高可达 15 m。小枝粗壮。叶厚革质，先端钝或短尖，下面常苍白色，边缘外反；叶脉模糊，长圆状披针形或椭圆形。伞形花序多个，生于新枝下部叶腋；花黄，花多而细小；花丝无毛，花柱纤细。果实球形。花果期 4 ～ 7 月。

| 生境分布 | 生于海拔 800 ～ 1 500 m 的阔叶林中。湖北有分布。

| 功能主治 | **心材**：散寒止痛，温胃止呕。

楠木

Phoebe zhennan S. Lee et F. N. Wei

| 药 材 名 | 楠木。

| 形态特征 | 大乔木。高超过 30 m，树干通直。芽鳞被灰黄色贴伏长毛。小枝通常较细，有棱或呈近圆柱形，被灰黄色或灰褐色长柔毛或短柔毛。叶革质，椭圆形，稀披针形或倒披针形，长 7 ~ 11（~ 13）cm，宽 2.5 ~ 4 cm，先端渐尖，尖头直或呈镰状，基部楔形，最末端钝或尖，上面光亮无毛或沿中脉下半部有柔毛，下面密被短柔毛；脉上被长柔毛，中脉在上面下陷成沟，在下面明显凸起，侧脉每边 8 ~ 13，斜伸，在上面不明显，在下面明显，近边缘网结，并渐消失，横脉在下面略明显或不明显，小脉几无，不与横脉构成网格状或很少呈模糊的小网格状；叶柄细，长 1 ~ 2.2 cm，被毛。聚伞状圆锥花序

开展，被毛，长（6~）7.5~12 cm，纤细，中部以上分枝，最下部分枝长 2.5~4 cm，伞形花序有花 3~6，一般为 5；花中等大，长 3~4 mm，花梗与花等长；花被片近等大，长 3~3.5 mm，宽 2~2.5 mm，外轮花被片卵形，内轮花被片卵状长圆形，先端钝，两面被灰黄色长或短柔毛，内面较密；第一、二轮花丝长约 2 mm，第三轮长 2.3 mm，均被毛，第三轮花丝基部的腺体无柄，退化雄蕊三角形，具柄，被毛；子房球形，无毛或上半部与花柱被疏柔毛，柱头盘状。果实椭圆形，长 1.1~1.4 cm，直径 6~7 mm；果柄微增粗；宿存花被片卵形，革质，紧贴，两面被短柔毛或外面被微柔毛。花期 4~5 月，果期 9~10 月。

| 生境分布 | 生于 1 500 m 的阔叶林中。分布于湖北西部。

| 功能主治 | 散寒化浊，利水消肿。用于吐泻转筋，水肿。

樟科 Lauraceae 檫木属 *Sassafras*

檫木

Sassafras tzumu (Hemsl.) Hemsl.

| 药 材 名 |

檫木。

| 形态特征 |

落叶乔木, 高可达 35 m, 胸径达 2.5 m。树皮幼时黄绿色, 平滑, 老时变灰褐色, 呈不规则纵裂。顶芽大, 椭圆形, 长达 1.4 cm, 直径 0.9 cm; 芽鳞近圆形, 外面密被黄色绢毛。枝条粗壮, 近圆柱形, 多少具棱角, 无毛, 初时带红色, 干后变黑色。叶互生, 聚集于枝顶, 卵形或倒卵形, 长 9 ~ 18 cm, 宽 6 ~ 10 cm, 先端渐尖, 基部楔形, 全缘或浅裂, 裂片先端略钝, 坚纸质, 上面绿色, 晦暗或略光亮, 下面灰绿色, 两面无毛或下面尤其是沿脉网疏被短硬毛, 羽状脉或离基三出脉, 中脉、侧脉及支脉两面稍明显, 最下方 1 对侧脉对生, 十分发达, 向叶缘一方生出多数支脉, 支脉向叶缘弧状网结; 叶柄纤细, 长 (1 ~) 2 ~ 7 cm, 鲜时常带红色, 腹平背凸, 无毛或略被短硬毛。花序顶生, 先于叶开放, 长 4 ~ 5 cm, 多花, 具梗; 梗长不及 1 cm, 与花序轴密被棕褐色柔毛, 基部有迟落互生的总苞片; 苞片线形至丝状, 长 1 ~ 8 mm, 位于花序最下部者最长; 花黄色, 长约 4 mm, 雌雄异株; 花梗纤细,

长 4.5 ~ 6 mm，密被棕褐色柔毛。雄花花被筒极短，花被裂片 6，披针形，近相等，长约 3.5 mm，先端稍钝，外面疏被柔毛，内面近无毛；能育雄蕊 9，排列成 3 轮，近相等，长约 3 mm，花丝扁平，被柔毛，第一、二轮雄蕊花丝无腺体，第三轮雄蕊花丝近基部有 1 对具短柄的腺体，花药均为卵圆状长圆形，4 室，上方 2 室较小，药室均内向，退化雄蕊 3，长 1.5 mm，三角状钻形，具柄；退化雌蕊明显。雌花退化雄蕊 12，排成 4 轮，形态上类似雄花的能育雄蕊及退化雄蕊；子房卵珠形，长约 1 mm，无毛，花柱长约 1.2 mm，等粗，柱头盘状。果实近球形，直径达 8 mm，成熟时蓝黑色而带有白蜡粉，着生于浅杯状的果托上；果柄长 1.5 ~ 2 cm，上端渐增粗，无毛，与果托呈红色。花期 3 ~ 4 月，果期 5 ~ 9 月。

| **生境分布** | 生于海拔 150 ~ 1 900 m 的疏林或密林中。湖北有分布。

| **功能主治** | **根、树皮**：活血散瘀，祛风除湿。用于劳扭挫伤，腰肌劳伤。
叶：祛风逐湿，活血散瘀。